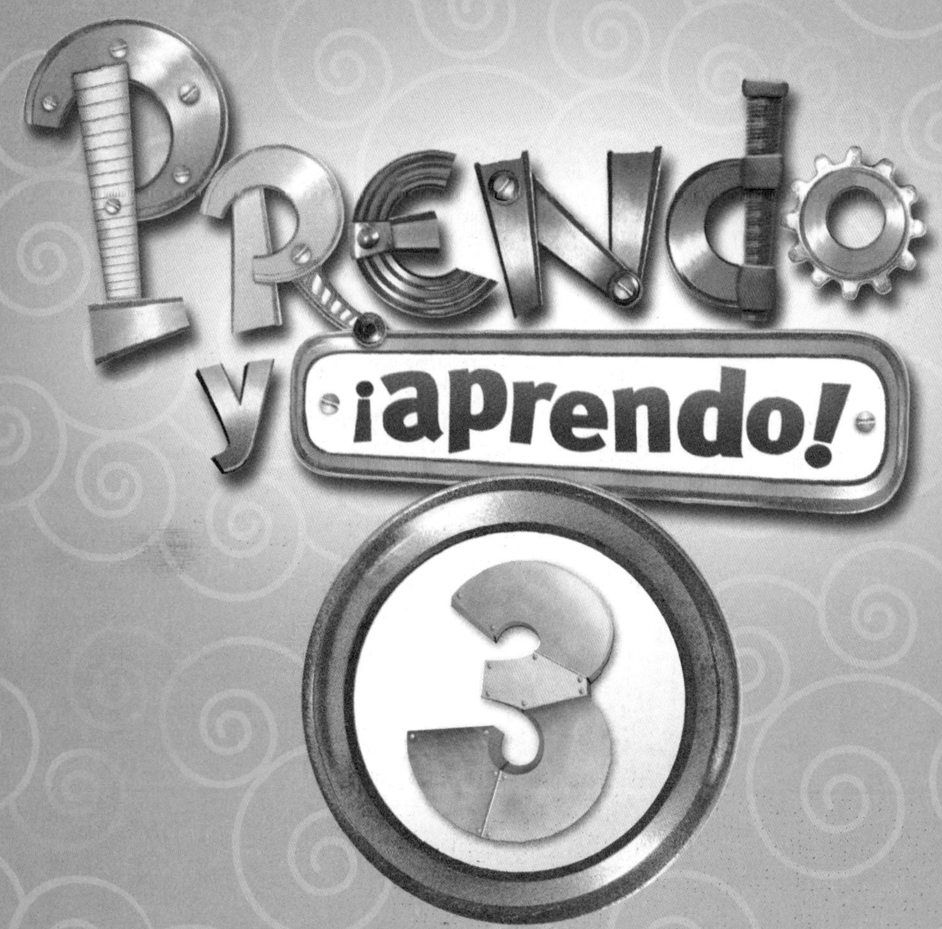

Este libro es de:

Jefa del departamento de edición
Norma Alicia Sosa Pereyra

Asistente editorial
Soledad Alejandra Gillio

Jefa del departamento de diseño
Linda D. Alcazaba Campos

Diseño de interiores y diagramación
Romina Vanesa Aguirre y Valeria Carolina Seoane

Diseño e ilustración de tapa
Mariano Di Camilio y Santiago Di Camillo

Ilustraciones
Gustavo Damiani, Mariano Díaz Prieto, Mariano Di Camillo, Santiago Di Camillo, María Paula Dufour, Diego Garavano, Guillermo Haird, Gabriel Lío, Juan Ignacio Marqués, Claudia Orecchio, Gabriela Ricardi.

Fotografías
Archivo a-Z, Casa de la Provincia del Neuquén, Ente Tucumán Turismo, Instituto Nacional de Tecnología Agropecuaria (INTA), Secretaría de Turismo-Ministerio de Industria y Turismo, Secretaría de Turismo y Cultura de Jujuy, Uri Gordon.

Cartografía
José Pais

Corrección
Laura Peña

La presente publicación se ajusta a la cartografía oficial, establecida por el Poder Ejecutivo Nacional, a través del I.G.N. –Ley 22.963– que fue aprobada por expediente N° GG10 0145/5 con fecha 18 de enero de 2010.

Paraguay 2351 (C1121ABK)
Buenos Aires, Argentina
Teléfonos: (011) 4961-4036 y líneas rotativas
Fax: (011) 4961-0089
Correo electrónico: az@az.com.ar

www.az.com.ar

Prendo y ¡aprendo! 3 / María Soledad Mansilla ... [et.al.] ; coordinado por Mercedes María Carvani. - 1a ed. - Buenos Aires : AZ, 2009.
304 p. + Album de figuritas ; 27x20 cm.

ISBN 978-950-534-945-6

1. Areas Integradas. 2. Enseñanza Primaria. 3. Libros de Texto. I. Mansilla, María Soledad II. Carvani, Mercedes María, coord.
CDD 372.19

Fecha de catalogación: 30/11/2009

Coordinadora del proyecto	Mercedes Carvani
Equipo autoral	
Lengua	Mónica Lucía Méndez Viviana Roveda Mariela Inés Saun Natalia Ziegler
Matemática	Gabriela Paula Caride Germán Hugo Eiviño María Soledad Mansilla
Ciencias Sociales y Naturales	Patricia Mariana Pérez Viviana Roveda
Efemérides	Lorena María Dass Laura Inés Vicario
Arte	Mariela Inés Saun
Selección de textos literarios	Alicia Salvi

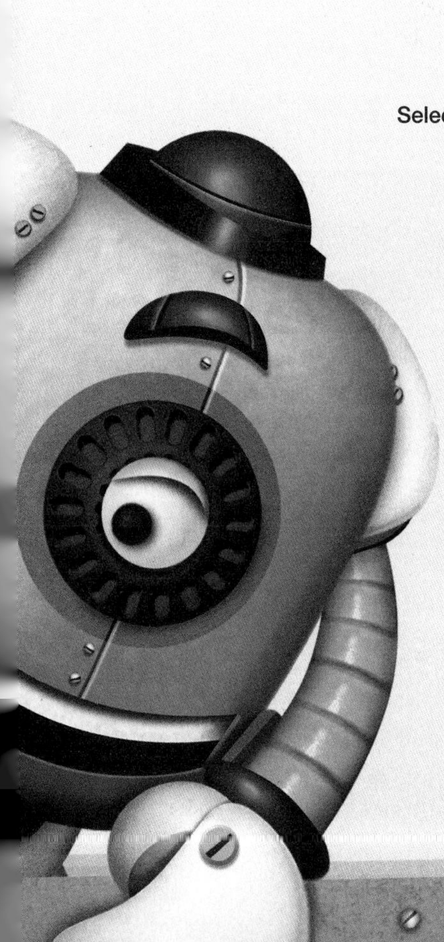

¿Cómo es tu libro?

Cada una de las áreas tiene su robot, un color propio y una forma en la guarda. **Fijate bien:**

Lengua

Matemática

Naturales

Sociales

Arte

Efemérides

Yo soy el robot de **Lengua.** También traigo cuentos, poesías y canciones.

Juegos con palabras

Para escribir los propios textos

¡Aquí! Yo soy el de **Mate.**

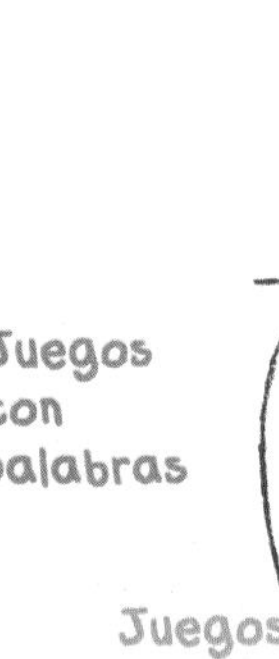

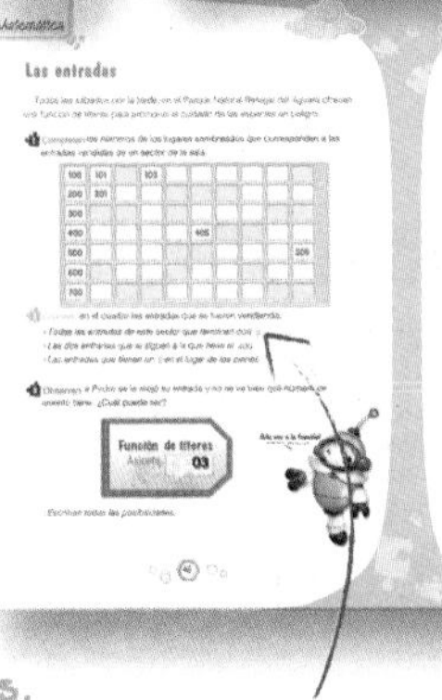

Juegos con cartas, dados y tableros

Recortables para tu cuaderno

¡Cálculos con lápiz, con la mente y con la calculadora!

¡Hola! Soy el robot de **Ciencias Naturales.**

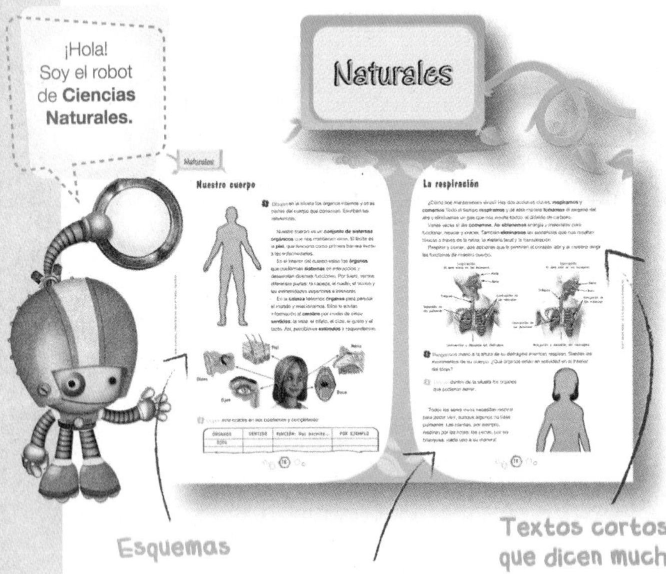

Esquemas

Actividades para hacer y aprender

Textos cortos que dicen mucho

Sociales

Te acompañaré en el recorrido por las **Ciencias Sociales.**

Fotos, esquemas diferentes formas de presentar la información

Textos informativos

Pensar lo que vem todos los días nos hace verlo me

Arte

Técnicas novedosas para aprender y disfrutar

La lupa nos cuenta sobre los artistas

Actividades para hacer juntos

Efemérides

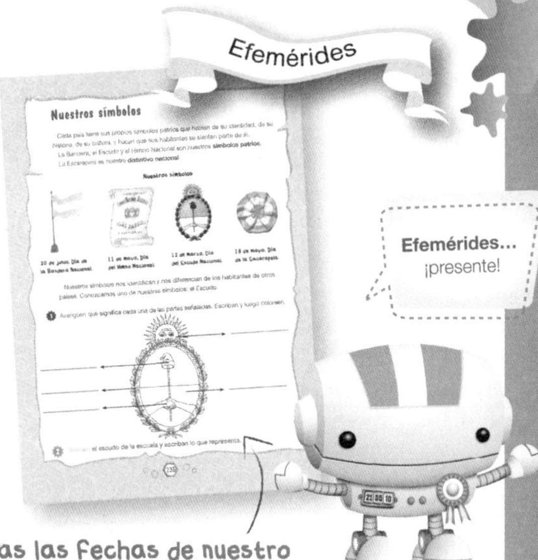

Todas las fechas de nuestro almanaque patrio, con fotos, testimonios y actividades.

Actividades especiales para recortar y pegar

Al final del libro, las figus para el álbum.

Fichas para el cuaderno

Para no perderte nada, ¡buscá los iconitos!

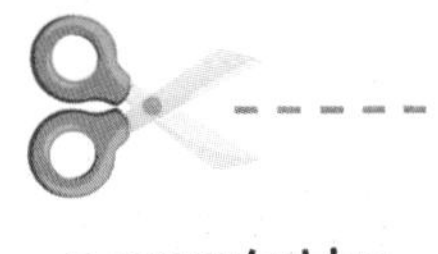

a recortables

a ficha

ÍNDICE

Capítulo 1

Argentina • País • Inmigrantes

Capítulo 2

Seres vivos • Adaptaciones

Capítulo 3

Alimentos • Nutrición

Capítulo 4

Materias primas • Procesos productivos

Capítulo 5

Mezclas • Cambios físicos y químicos

Capítulo 6

Seres vivos del pasado y actuales

Capítulo 7

Sistema Solar • Planeta Tierra

Capítulo 8

Actividades humanas • Organización social

Argentina, un país

¿Qué vemos en la imagen? En esta foto satelital de Sudamérica puede observarse lo que hoy se llama territorio argentino. Hacia el norte, la región en verde, está la selva amazónica, hacia el sur se encuentra la confluencia de los océanos Pacífico y Atlántico. Hacia el oeste, en marrón intenso, se observa el cordón montañoso de los Andes que atraviesa el continente americano y al este, el océano Atlántico.

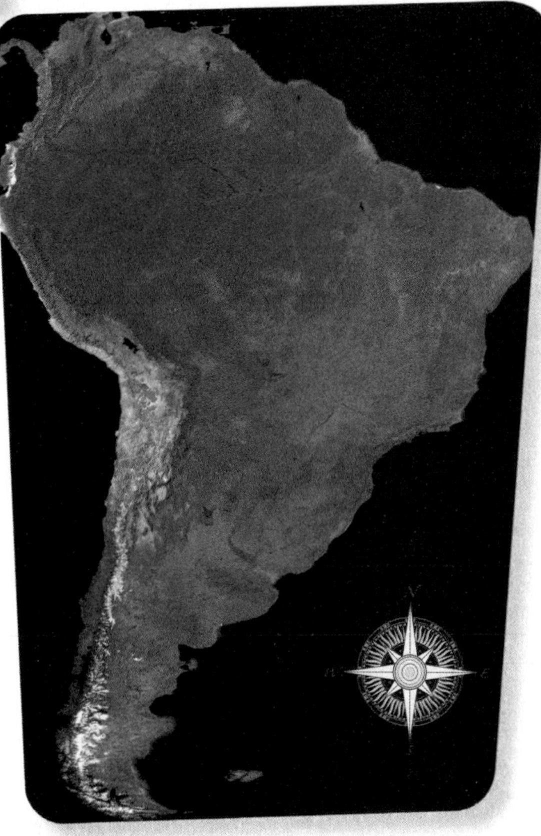

Esta foto fue tomada desde un satélite que se mueve en órbitas alrededor de la Tierra.

¿Por qué nuestro país se llama Argentina?

Monedas de oro y mina de plata.

Porque en los tiempos de la Conquista existía una leyenda que ubicaba en nuestro territorio unas minas de plata, como la que vemos en la foto.

Con la esperanza de hacerse ricos, los expedicionarios las buscaron incansablemente. Como en esos tiempos el latín se utilizaba muchísimo y en esa lengua *argentum* significa plata, se empezó a llamar a estas tierras Argentina, nombre que llega hasta nuestros días.

Llegada de inmigrantes al Puerto de Buenos Aires, en Argentina, 1900.

Cuando comenzaba el siglo XX, muchas personas emigraban de España e Italia, en Europa, buscando mejores condiciones de vida. La tierra prometida era nuestro país, Argentina, que recibía a familias completas para que se dedicaran, con la fuerza de su trabajo cotidiano, a construir lo que hoy es nuestra nación. Al principio fue muy duro para los inmigrantes, pero poco a poco pudieron progresar y mejoraron su situación. Muchos cumplieron su propio sueño y el de sus padres.

Los objetos que usaban los inmigrantes nos cuentan sus historias.

LA ARGENTINA ES UN PAÍS QUE SABE DAR BIENVENIDAS.

A vuelta de página

Nuestro país, la Argentina, tiene paisajes espléndidos.

1 Escriban los epígrafes en el folleto turístico.

Argentina:
un país con todos
los paisajes

Las montañas más altas

Epígrafe: ______________________

Las playas más extensas
y hermosas

Epígrafe: ______________________

Los lugares más misteriosos

Epígrafe: ______________________

Epígrafe: ______________________

Paisajes exxtremos en la Argentina.

La Quiaca, ciudad ubicada en el extremo norte de la Argentina.

Aquí encuentran algunas ayudas.

Ushuaia, en Tierra del Fuego. Una ciudad ubicada en el extremo sur de la Argentina.

La cordillera de los Andes, en el oeste de la Argentina.

El mar Argentino baña la costa este de la Argentina.

Nuestro país es único y especial... ¡como todos!

2 Completen la ficha técnica de nuestro país.

Nombre: ....

Significado del nombre: ....

Continente: ....

Países vecinos: ....

Idioma: ....

Moneda: ....

Cantidad de provincias: ....

Primer verso del Himno Nacional: ....

....

Bandera:

3 Describan el paisaje del lugar donde viven.

....

....

4 Entrevisten a un inmigrante, ¿por qué eligió vivir en nuestro país?

....

Preparen en equipo un folleto turístico del lugar donde viven. Cuenten: ¿por qué vale la pena conocerlo?

Hora de jugar: "Te espero en el Parque"

Noticias Frescas- Actualidad- Pág. 20

Se inaugura un parque natural

Un país es un lugar, su gente, su paisaje y todo aquello que le da identidad. Por eso, la organización dedicada a preservar especies en peligro "Argentinos somos todos" consiguió un espacio para crear un parque que sirviera de hogar a distintos animales.
Así fue que se construyó el Parque Natural "Refugio del Aguará".

Ya se han trazado las dos avenidas principales: la Avenida del Hornero y la Avenida de los Ceibos. Ambas se cruzan en la entrada del parque. Alrededor la ciudad va creciendo, casas, calles, negocios... Una oportunidad para todos los habitantes de la región.

Materiales

- 2 dados. Atención: cada puntito del dado vale 100.
- A uno de los dados se le tapan las caras con papelitos pegados:
  - *Tres caras, con un papelito que diga + significa "avanza".*
  - *Tres caras con un papelito que diga – significa "retrocede".*
- El tablero que acompaña al libro de tercero.

Organización del juego

Se juega en parejas. Un jugador se mueve por la Avenida del Hornero y otro por la Avenida de los Ceibos.

267
269

Reglas

1. Cada uno comienza el juego desde "su casa".
2. Por turno, se tiran los dos dados juntos.
3. Se avanza o retrocede en el tablero según las alturas que se indican en el dado.
4. Si sacan , avanzan dos cuadras subiendo en la numeración.
5. Si sacan , retroceden una cuadra, bajando en la numeración.

Si se llega a alguno de los extremos del tablero con un número que no es justo el que falta, se rebota y continúan contando en dirección opuesta.

Gana el primero que llega al parque, con el puntaje justo. Si la maestra indica el término del juego y nadie llegó al parque, gana el jugador que llegó más cerca.

Para después de jugar

1 Resuelvan estas situaciones.

- *Andrés está en la Avenida de los Ceibos al 2100.*

Saca estos dados: [dado 3] [+]

¿A qué altura llega? ....

- *Agustín está jugando también y llega a la Avenida del Hornero al 1700.*

Saca un [dado 5] *y un* [–]

¿A qué altura ha llegado? ....

- *Mariana está en la Avenida del Hornero al 1500 y llega al Parque.*

¿Qué dados ha sacado? ....

2 Miren bien la tabla y completen los datos que faltan para conocer algunos de los movimientos del juego.

Jugador	Estaba	Avanzó/ Retrocedió		Llegó
Paula	2600	–	400	--------
Mariana	2300	+	------	2800
Agustín	----------	+	100	3000
Andrés	3000	–	------	2500

Problemas de suma y resta con distintos sentidos.

Recorriendo el barrio

La mayoría de los colectivos tienen una parada cada dos cuadras.

1 Completen las alturas en las que tendrán que parar los colectivos que recorren el Parque.

- *El colectivo 324 comienza su recorrido en la cuadra que corresponde al 1000 de la Avenida del Hornero.*

800		1200							

- *El 465, en cambio, comienza su recorrido en la cuadra que corresponde al 2100 de la Avenida de los Ceibos.*

2100		2300							

Escalas de 200 en 200. La serie numérica.

2 Recorten los dibujitos que representan cada negocio y péguenlos en el tablero del barrio, según estas referencias.

271

INFORMACIÓN PARA LOS VISITANTES

Avenida del Hornero, entre el número 700 y el 900

Avenida de los Ceibos, entre el número 2100 y el 2300

Avenida de los Ceibos 2500

Avenida de los Ceibos 2700

Avenida del Hornero, a dos cuadras del cine hacia donde sube la numeración.

Avenida del Hornero, entre el número 1100 y el 1300

El cine del barrio

Como era de esperar, no podía faltar un cine para el barrio. El fin de semana que se abrió, fue un éxito total. El lunes siguiente amaneció nublado. Fede y Manu encontraron una entrada tirada y se les ocurrió jugar a los detectives:

¿Habrán podido descubrir las respuestas a estas preguntas?

Tratamiento de la información.

1 Pinten el SÍ o el NO, según corresponda:

FICHA 1

- *¿De qué día es la entrada?* SÍ NO
- *¿Qué película fueron a ver?* SÍ NO
- *¿Cómo se llamaba el empleado de la boletería?* SÍ NO
- *¿Dónde se sentó esta persona?* SÍ NO

2 Escriban preguntas que se puedan responder mirando la entrada del cine.

....

....

....

3 Anoten dos preguntas que los chicos, seguro, no pudieron contestar:

....

....

Te escribo, leeme

1 Lean entre todos esta carta de Drácula a su tía.

Querida tía Brucolaca:

¡Cuánta razón tenían tú y el tío Malmuerto cuando me decían que nunca me asomara de día fuera del Castillo! Te cuento: el jueves puse el despertador como siempre, a las 12 de la noche y sonó a las 12 del mediodía. ¡Qué desgracia! Un rayo de sol me dio en plena cara y, cuando me di cuenta, ya estaba lleno de pecas.

¡Sí, tía! Oíste bien: ¡PECAS!

Es común que eso les pase a los mortales. Pero, como te imaginarás, es terrible para la gente como uno. Ahora los chicos se ríen y bromean a costa mía. Boris, Vampirofredo y el Bebe Colmillo no quieren salir más conmigo de noche. Dicen que soy un plátano mosqueado.

Por favor, tiita, mándame ciento veinte pomos de Pecasen y una crema para la cara, que se me peló un poco. No te demores. Voy a quedarme encerrado hasta que recupere mi saludable color verdoso.

Un beso de tu sobrino que te adora,

Drácula

Ema Wolf, en *Los imposibles*, Sudamericana, Buenos Aires, 1996

2 Piensen... ¿para qué se escriben las cartas?

3 Pregunten a sus conocidos cuándo envían cartas. Registren sus respuestas.

Comunicación escrita. Carta.

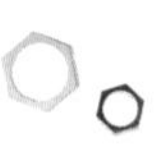

Yo prefiero los mensajes de texto por celular.

4 Lean la respuesta de Brucolaca:

¡Sobrinito! Llamé por teléfono a Farmatutti,
y en el día te entregarán el pedido de Pecasen
en tu castillo. El pedido ya está pago.
La próxima vez que necesites algo urgente
envíame un mensaje de texto, ¡ya tengo celular!

Cariñotes. Brucolaca

5 Conviertan el mail anterior en mensaje de texto. Usen pocas palabras… pero tiene que entenderse todo.

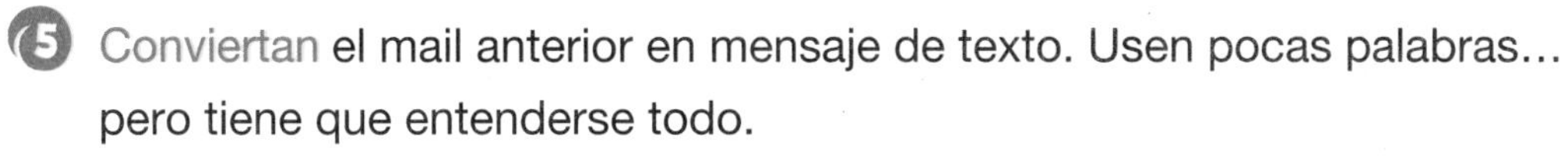

....

....

6 Escriban otras maneras que conozcan de comunicarse por escrito.

....

....

Hay muchos modos de comunicarnos por escrito con quienes no están presentes. La carta fue un medio muy utilizado hasta hace pocos años. Hoy existen además otras posibilidades, como el chat, el correo electrónico, el fax y el mensaje de texto.

En todos estos casos el que inicia la comunicación se llama **emisor** o **remitente**, y el que la recibe, **receptor** o **destinatario**.

Jueguen al amigo invisible. En una carta, cuéntenle a un compañero algo que vieron que él estaba haciendo en la escuela… Por ejemplo, "El jueves te vi cuando pasaste al pizarrón".

Sopa de letras con sustantivos

1 Busquen siete sustantivos que se relacionen con la página anterior.

Las palabras pueden leerse de manera horizontal y vertical.

D	R	Á	C	U	L	A	J	V	C
F	R	D	B	I	O	M	U	V	A
D	R	T	Y	U	P	O	E	H	S
S	O	L	B	H	E	Y	V	G	T
G	D	R	T	U	C	P	E	W	I
E	G	D	C	V	A	P	S	Ñ	L
H	Y	U	A	M	S	R	C	O	L
C	R	E	M	A	E	G	R	A	O
O	S	O	V	E	N	L	Y	D	V
N	I	B	O	R	I	S	R	I	E

....

....

....

....

....

....

....

Sustantivos. La descripción.

2 Lean la descripción de Brucolaca.

Brucolaca es una bruja típica de los libros de cuentos. Destaca en ella su gran nariz ganchuda, acompañada de dos inefables verrugas. Una pronunciada joroba permite que su andar provoque escalofríos a los distraídos; usando su vieja escoba como garrote y bastón. Pero si hay un rasgo característico en Brucolaca es su áspera voz, que mete miedo a los más valientes.

3 Describan a Drácula.

....

....

....

....

....

....

....

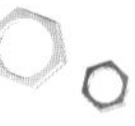

Mensajes sustantivos

1 Completen este pedido a la directora para que les permita traer juguetes a la escuela para jugar en los recreos.

elástico
Directora
juegos
recreos
escuela
chicos
permiso
respuesta
autos
muñecas
cartas

......................., ...
(Ciudad) (Fecha) — Encabezado

Señora ....:

Queremos traer algunos .... a la .... como ...., ..., ... y ....Solamente para jugar durante los .... ¿Nos da.....................para hacerlo? — Mensaje

Esperamos su ....
Los................de tercero... — Despedida

2 Tachen de cada una de las listas la palabra que no es sustantivo.

carta	pelota	directora	Drácula
mensaje	rayuela	maestra	Brucolaca
celular	saltar	alumno	castillo
internet	elástico	aprender	Pecasén
navegar	crucigrama	bibliotecaria	pecoso

Los **sustantivos** son palabras que sirven para nombrar personas, animales, objetos, sentimientos, valores.

3 Escriban un sustantivo en cada tarjeta.

El nombre de un amigo.	Un país que quiero conocer.	Un animal que me gustaría tener de mascota.

Partes de la carta. Sustantivos.

Mi país, nuestro país

La Argentina, Bolivia, Italia… hoy el mundo se organiza en **naciones** o **países**. Actualmente hay 241 países en el mundo, que tienen un territorio delimitado geográficamente y un conjunto de leyes que establecen las formas de gobierno y los deberes y derechos de las personas que habitan en ellos.

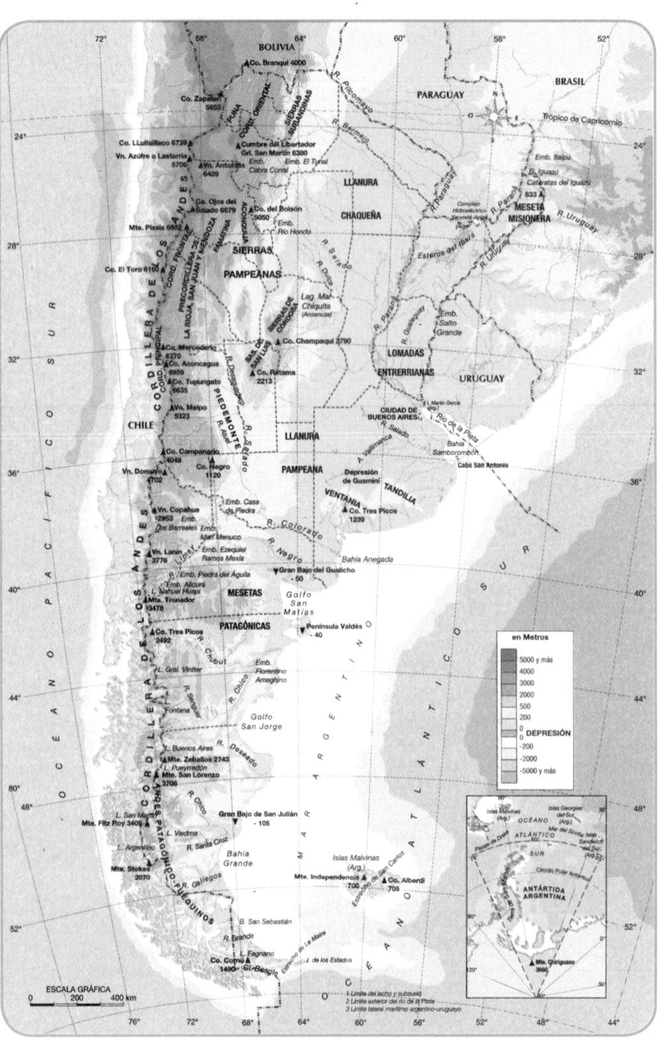

Los **límites** de un país son **acuerdos** con los países vecinos.

A veces se usan elementos naturales, por ejemplo una cadena montañosa, como la cordillera de los Andes, o un río, como el río Uruguay. Estos se llaman **límites naturales**.

Para representar un territorio se usan distintos tipos de **mapas**.

Para leer un mapa físico, hay que saber qué nos dicen los colores.

Escala cromática:

- *Verde: planicie.*
- *Marrón: montañas.*
- *Celeste: ríos, lagunas, mares, océanos.*

1 Observen, piensen y escriban en sus cuadernos.

- *¿Qué otros límites naturales encuentran en la Argentina?*
- *¿Qué tipo de relieve predomina al este?*
- *¿Qué tipo de relieve predomina al oeste?*
- *Encuentren el río más próximo al lugar donde viven.*

País. Límites naturales. Lectura mapa físico.

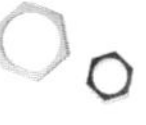

Límites son acuerdos

Algunas veces los límites no coinciden con ningún elemento natural. Entonces, las naciones se ponen de acuerdo para saber hasta dónde se extiende su territorio. Estos **límites** se llaman **convencionales**.

También en la Argentina hay divisiones entre las provincias, así sabemos el territorio que le pertenece a cada una. Las provincias a su vez se dividen en departamentos y estos, en localidades.

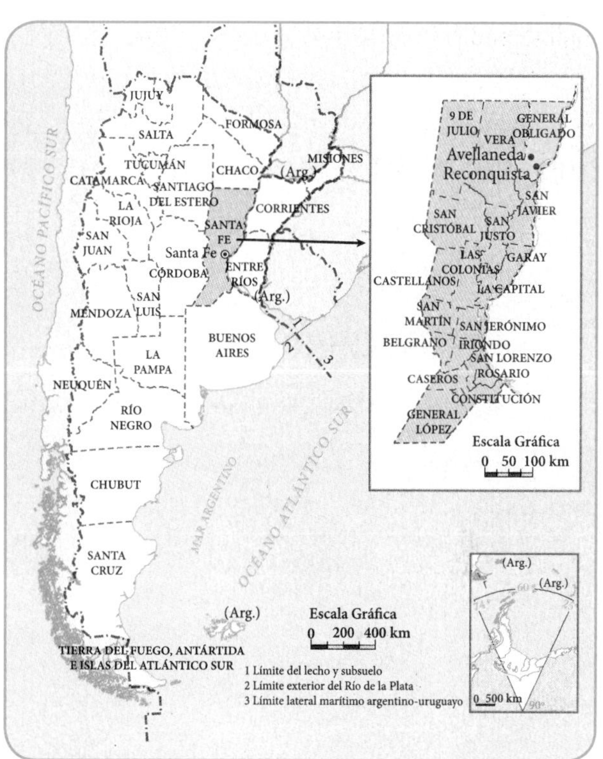

La provincia de Santa Fe tiene varios ***departamentos****, como el de General Obligado, donde encontramos además diversas* ***localidades****, Reconquista, Avellaneda, etcétera.*

1. Localicen en el mapa en qué localidad viven.
2. Cuenten las provincias y territorios nacionales que tiene nuestro país.
3. Respondan: ¿qué provincia de la Argentina les gustaría conocer? ¿Por qué?
4. Tracen una línea que una el lugar donde viven con el lugar que quieren conocer.
5. Midan con la regla y pongan a escala la distancia.

Averigüen en qué país, provincia, departamento y localidad nacieron ustedes. Ubiquen el lugar en el mapa de la página anterior con un punto de color.

Los dos abuelos

¿Qué dirán ustedes
si ahora les cuento
de mis abuelos
con sus barbas viejas?
Pues uno ha nacido
en Galicia bella...
por canción de cuna
oyó una muñeira;
tamboril y gaita
llenaron sus fiestas
en tierra de España...
en tierras gallegas...
Y el otro ha nacido
frente al Mar del Norte,
en tierra germana
de hermosas leyendas...
Su nana fue el canto
del cucú en la selva;
los pinos, de nieve,
en sus Nochebuenas...

Y yo, que orgullosa
me llamo su nieta,
tengo, a veces, ganas
de bailar muñeira,
de vestir un traje
de moza gallega
y andar por las calles
de mi patria nueva...
O de pronto siento
toda el alma llena
al oír palabras
de antiguos poemas,
de música y cantos
de Alemania vieja...
¿Qué dirán ustedes
cuando se den cuenta
que hay dos pajaritos
volando en mis venas?

Elsa Bornemann,
en "El espejo distraído",
Alfaguara.

Inventores de problemas

Las pistas se habían acabado y los chicos seguían aburridos. Entonces comenzaron a inventar preguntas nuevas. Pero para poder contestarlas, había que hacer algunos cálculos. Fueron a buscar lápiz y papel, y comenzaron a desafiarse.

La entrada de los grandes cuesta $25. Si va al cine una familia formada por dos mayores y tres menores, ¿cuánto gastan en entradas?

Elaboración de situaciones problemáticas, uso de datos.

1 Respondan la pregunta de Manu.

....

....

- *Compartan las maneras de resolverlo. ¿Todos hicieron los mismos cálculos?*

2 Fede no se quedó atrás. Él también hizo su pregunta. Para responderla, Manu realizó estas cuentas:

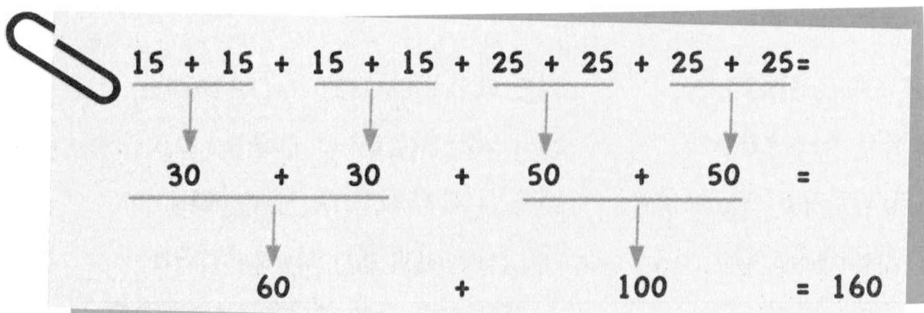

- *¿Cuál habrá sido la pregunta de Fede?*

....

3 Piensen otra pregunta que se conteste haciendo una cuenta. Escríbanla y pásenla a un compañero para que la responda.

....

....

El hall del cine

1 El empleado de la boletería tuvo que hacer muchos cálculos para controlar la recaudación del fin de semana. Completen las tablas.

Sábado 30			
	Mayores	Menores	Total
Mediodía		356	756
Tarde	609		1.209
Noche		130	459

Domingo 31			
	Mayores	Menores	Total
Mediodía	115		255
Tarde	350		701
Noche		220	541

Total de espectadores			
	Sábado 30	Domingo 31	Total
Funciones del mediodía	756	255	
Funciones de la tarde	1.209	701	
Funciones de la noche	459	541	
		Total de espectadores:	

2 En el puesto de pochoclos los empleados trabajan mucho. Armaron tablas como estas, para saber rápidamente cuánto debían cobrar. Completen las tablas.

Pochoclos chicos	
Cantidad	$
1	
2	8
3	
4	16
5	

Pochoclos medianos	
Cantidad	$
1	6
2	
3	
4	
5	

Pochoclos grandes	
Cantidad	$
1	
2	16
3	
4	32
5	

Interpretación de datos: tablas.

En el Parque Natural

Este es el plano que les dan cuando ingresan.

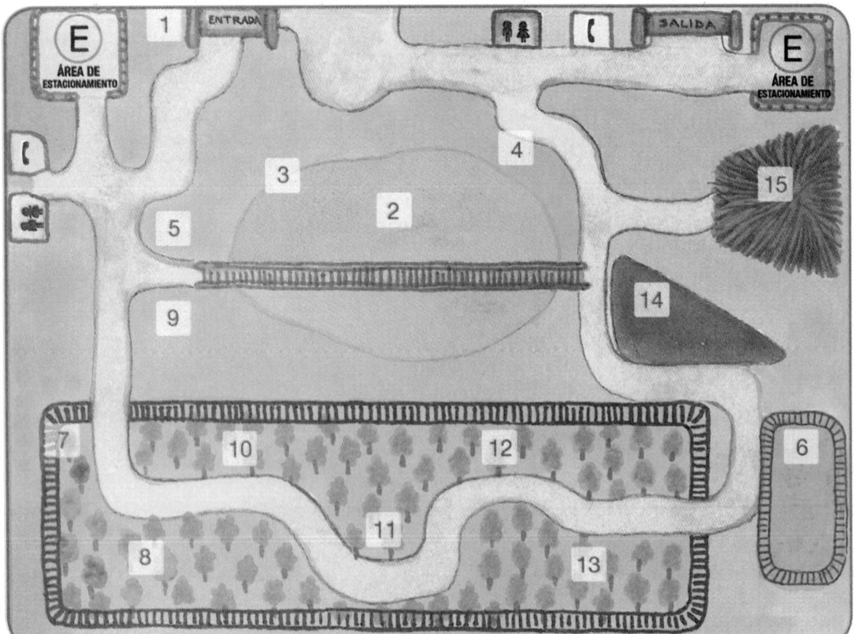

Referencias	
1	Boletería
2	Lago
3	Castor
4	Tortuga
5	Tatú carreta
6	Aguará guazú
7	Bosque
8	Tapir
9	Cuis
10	Oso hormiguero
11	Martín pescador
12	Venado de las Pampas
13	Hornero
14	Parque de Juegos
15	Confitería

Lectura de planos. Producción y comunicación de trayectos.

1 Respondan mirando el plano.

- *¿Qué animal se encuentra más cerca de la entrada?*

....

- *¿Cuál es el único animal que está cercado?*

....

2 La familia de Santino visita el Parque. Marquen el recorrido en el plano.

- *Para ver al tatú carreta, salieron de la boletería y siguieron derecho por el camino. Después, doblaron a su derecha.*

- *Al salir de ahí pensaron en ir a ver al castor. Rodearon el espacio del tatú y caminaron hasta llegar a la mitad del puente.*

Paseando por el Parque

1 Escriban cómo tienen que hacer Santino y su papá para ir desde el lugar del tapir al venado de las pampas.

2 Expliquen cuál es el camino más corto para llegar desde el sector del oso hormiguero hasta el baño.

3 Valentín y su familia están en el sector del aguará guazú. Van a pasar por el bosque hasta llegar al estacionamiento que está junto a la boletería. Escriban qué animales verán en el camino.

4 Elijan un lugar del parque.

- *Escriban en una hoja cómo llegar hasta allí desde la entrada.*
- *Pásenle a otro grupo los mensajes para que descubra qué lugar eligieron.*

¡Un desafío para ustedes!

5 Conversen.

- *¿Llegaron al destino indicado?*
- *¿Faltó alguna indicación en los mensajes?*
- *¿Por qué algunos mensajes resultaron más claros que otros?*

Lectura de planos. Producción y comunicación de trayectos.

Cartas de ayer para leer hoy

1 Lean la siguiente carta de una inmigrante italiana a su hija.

Me parece que está extrañando...

Argentina, 4 de noviembre de 1900

Querida hija:

Tu carta ha llegado el 10 de agosto, pero nosotros no hemos podido ir a buscarla porque estábamos trabajando muy lejos del pueblo, en el campo.

Tú me preguntas si me gusta la Argentina, y sí, querida mía, me gusta porque hay trabajo y futuro. En mi país, Italia, economizaba y aquí también debo hacerlo para no tener deudas que no podamos pagar. Siempre guardo la esperanza de que pronto estaremos mejor, y que podré mandar por ti, para volver a estar juntas.

Dime si es verdad que la tía Sofía ha estado enferma. Saluda a la nona, los tíos, las tías y a todos. Tengo lágrimas en los ojos cada vez que pienso en ustedes y lo lejos que estamos.

Tu madre, que te quiere,
Carolina

La carta, sustantivos.

2 Piensen y respondan en sus cuadernos.

- *¿Cuándo se escribió esta carta?*
- *¿Quién la escribió?*
- *¿Qué problemas plantea?*

3 Formen equipos y busquen en la carta todos los sustantivos.

- *Anoten cuántos encontraron.*

....

- *¿Todos los equipos tienen la misma cantidad? Comparen sus listas.*

Por siempre, chistes

1 Lean en voz alta y piensen.

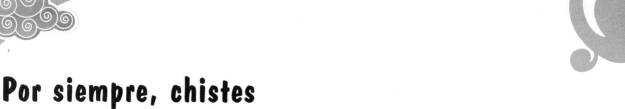

La lista de palabras

Luz y Abril jugaban,

–Hagamos una lista de palabras que se escriban con "mp" –propuso Abril.

A ver quién gana –dijo Luz y escribió un nombre: Olimpia.

Después, su amiga escribió "Amparo y campana".

Sin darse por vencida, Luz agregó "empañar y campo".

Abril que no quería perder, pensó un rato y puso "compañeras".

Cuando leyó la última palabra, Luz escribió "empate".

Entonces las dos se abrazaron y dejaron de competir.

Noemí de Renzis

¿Qué aprendieron de Luz y Abril?

2 Encuentren en cada lista una palabra que no sea un sustantivo.

En el campo y la ciudad los inmigrantes se encontraron con:

bombillas	invitados	empanadas
bombachas	invierno	campamentos
bombos	inventos	pampa
embutidos	conversación	empezar
zambas	conversar	pampero
sembrar	envidia	campo

3 Escriban la regla ortográfica para el uso de la mb y nv.

....

....

Vuelvan a leer las cartas que aparecen en este capítulo. ¿Qué tienen en común? ¿En qué se diferencian?

Carta, sistematización de la lengua, uso de mb, nv y mp.

Las migraciones en la Argentina

Son muchas las razones por las cuales alguien decide irse de un lugar. Algunas veces las personas atraviesan momentos difíciles porque no consiguen trabajo o viven situaciones de violencia en su país. Otras veces pueden querer conocer nuevos horizontes.

Nuestro país a lo largo de su historia ha recibido **inmigrantes** que buscaban mejorar su situación y también ha visto **migrar** a sus ciudadanos por razones políticas o económicas.

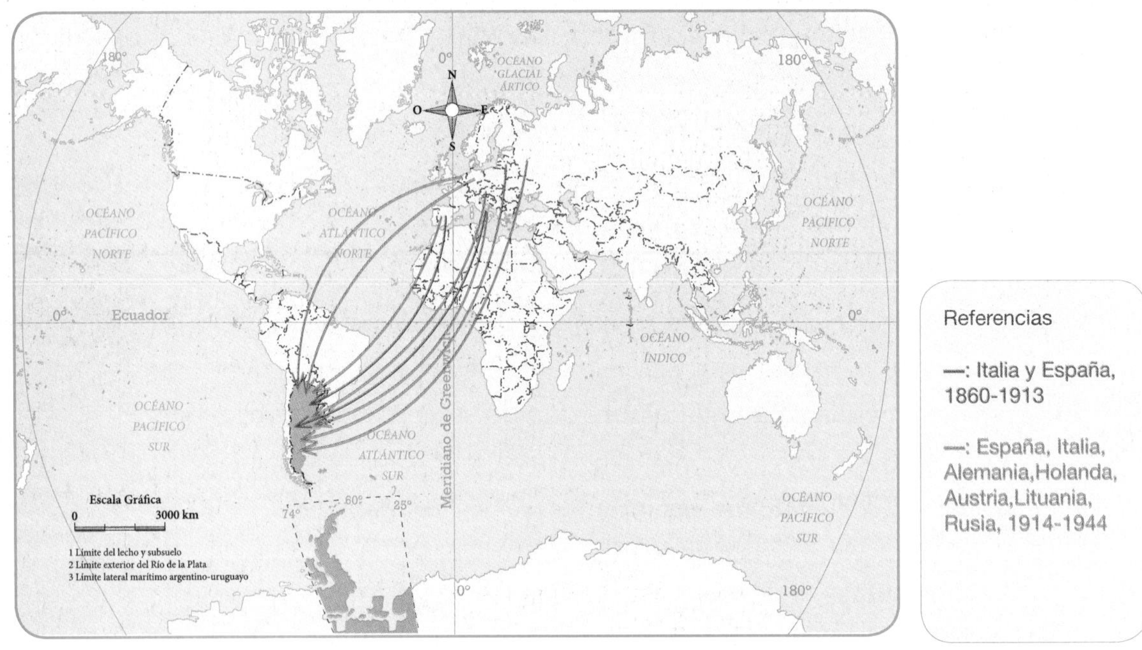

Los inmigrantes, a partir de su trabajo y del aporte de saberes, experiencias y costumbres, contribuyeron con nuestra cultura y con el país del cual hoy formamos parte.

1 Busquen la información en la línea del tiempo y respondan.

- *Entre qué años la Argentina recibe la primera inmigración europea.*
- *En qué años migraron muchos argentinos por causas políticas.*
- *En qué año muchos argentinos se fueron porque no tenían trabajo.*
- *Año actual.*

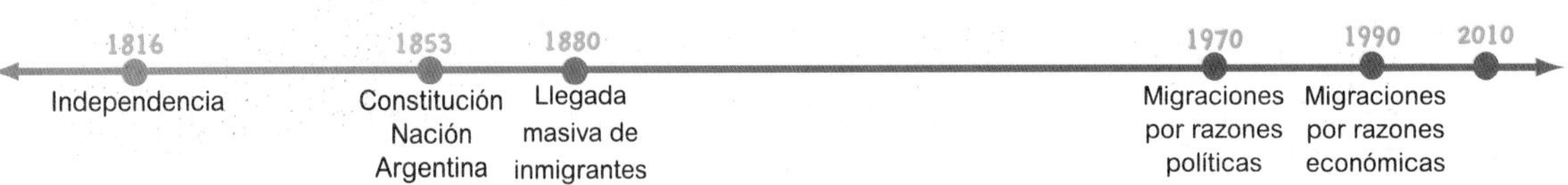

Nuevos horizontes

Dejar su tierra no fue nada fácil. Muchos inmigrantes emprendieron el largo viaje sin sus familias, carentes de comodidades y con muchos interrogantes. Desembarcaban en el puerto de Buenos Aires o Rosario sin que nadie los estuviera esperando. Tampoco tenían dinero para vivir, por lo que debían trabajar apenas llegaban.

En la Argentina todo era novedoso para ellos, las costumbres y en muchos casos también el idioma... Era una nueva vida, una nueva patria.

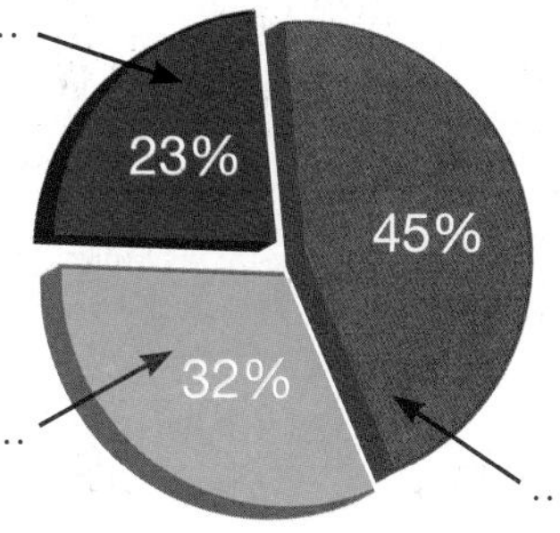

Composición de la inmigración en la Argentina[1]

Origen	Porcentaje sobre el total
Italia	45%
España	32%
Resto de Europa	23%
Total	100%

[1] Datos extraídos de la Dirección Nacional de Migraciones.

 Lean el gráfico.

- *¿Desde qué países llegaron los inmigrantes?. Escriban los nombres en el gráfico.*
- *La mayoría de los inmigrantes ¿qué nacionalidad tenían?*

En las ciudades, debido a la llegada de inmigrantes y a las escasas construcciones, comenzaron a utilizarse amplias casonas, desocupadas desde los tiempos de la fiebre amarilla. Así nacieron los **conventillos**.

 Conversen y escriban en sus cuadernos.

- *¿Han visto algún conventillo?*
- *¿Cómo creen que era vivir en uno?*
- *¿Cuáles serán los aspectos que los caracterizan?*

Averigüen entre sus familiares si alguno ha cambiado de país.

- **¿Cómo se llama la persona de la familia que migró?**
- **¿De qué lugar vino o a qué lugar se fue?**
- **¿En qué año lo hizo?; ¿por qué?**

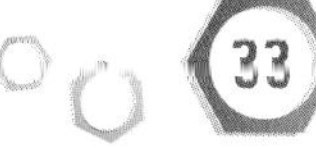

Viajando desde el interior de nuestro país

La mayoría de los inmigrantes del siglo pasado vinieron desde Europa. Más tarde, alrededor de 1930, muchos argentinos que vivían en las provincias del interior decidieron migrar a las grandes ciudades, en busca de trabajo y mejores condiciones de vida.

A diferencia de los inmigrantes que llegaron de Europa, la mayoría hombres, ahora se trasladaban familias enteras, soñando con trabajar, estudiar y tener la casa propia.

Junto con cada nuevo habitante llegaban a las ciudades nuevas costumbres y experiencias que fueron enriqueciendo la vida de todos.

Esta nueva ola migratoria se instaló en el cordón industrial de las ciudades como Buenos Aires.

1 Escriban algunos consejos para una familia que viene a radicarse al lugar donde viven ustedes.

....

....

2 Completen en la tabla los aspectos positivos y negativos de ir a vivir a otro país.

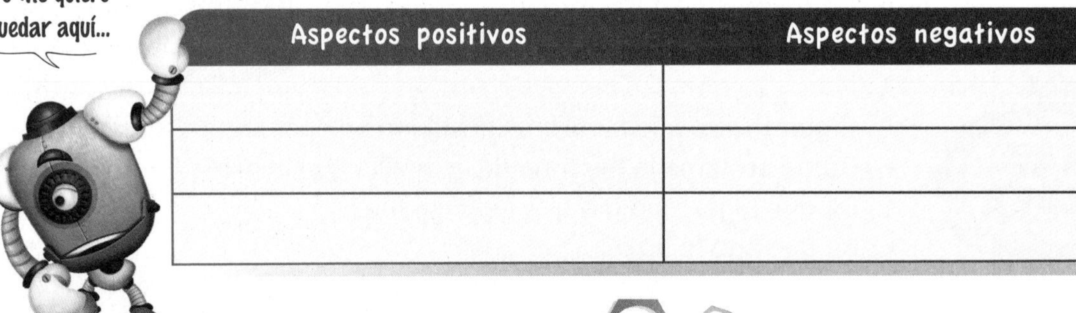
Yo me quiero quedar aquí...

Aspectos positivos	Aspectos negativos

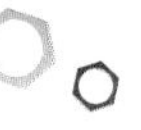

Desde los países vecinos

Muchos inmigrantes asiáticos eligen abrir sus propios locales de venta.

A fines de la década del 90, con la promesa de un país en desarrollo y mejores oportunidades, se produjo la llegada de nuevos inmigrantes.

Esta vez ya no llegaban de Europa ni de las provincias del interior, ellos lo hacían desde países vecinos, como Bolivia, Chile, Paraguay, Perú y también desde Asia y Europa oriental. Pero a diferencia de los inmigrantes europeos, estos nuevos inmigrantes no siempre fueron tan bien recibidos. Aunque nuestra Constitución se reformó en 1994, el artículo 25 continúa enunciando que "El Gobierno Federal fomentará la inmigración europea". Y nuestros vecinos son latinoamericanos, como nosotros.

Según el censo realizado en el año 2001, el 5% de la población argentina está constituida por bolivianos, el 4% por chilenos, el 1% por paraguayos, entre otras nacionalidades.

Seguramente ustedes conocen a alguien que vino de otro país.

1. Escriban algunas costumbres de su lugar de origen.

2. Busquen recetas típicas.

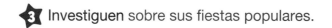

3. Investiguen sobre sus fiestas populares.

Murga uruguaya por las calles de San Telmo en la Ciudad de Buenos Aires.

LO DIFERENTE NOS HACE CRECER.

Investiguen sobre las fiestas típicas de los países que limitan con la Argentina. Con esa información elaboren una cartelera.

Luces y sombras

Pintor argentino. Nació en 1867 y falleció en 1927. Vivió la época de las grandes migraciones hacia las ciudades. Le gustaba mucho enseñar

1 Aprender a mirar

Observen con atención la siguiente pintura.

"Sin pan y sin trabajo", Ernesto de la Cárcova.

2 A pensar y comentar

- ¿Qué está haciendo cada una de las tres personas de la pintura?
- ¿Cómo les parece que se sienten? ¿Por qué? Relean el título de la obra.
- ¿En qué lugar están? ¿Qué se ve por la ventana?
- ¿Cómo hizo el pintor para que parezca que la luz entra por la ventana?

Fíjense en las luces y las sombras del cuadro.

¿Me pongo
protector solar?

3 Manos en acción

- *Necesitan un día de sol.*
- *Busquen una botella u otro objeto fácil de dibujar y pónganla a la vista de todos.*
- *Observen qué lado está más iluminado y cuál lo está menos.*
- *Pinten la botella utilizando color amarillo para las partes más iluminadas y color violeta para las menos iluminadas.*

4 Aprendamos jugando

Para seguir jugando con las luces, les proponemos armar un teatro de sombras.

Materiales

- Tela blanca o de color claro
- Siluetas de personajes de ayer o de la actualidad
- Una luz potente

Pasos a seguir

1. Dibujen figuras humanas sobre el cartón o cartulina.
2. Píntenlas de negro y recórtenlas.
3. Colóquenles una varilla perpendicular a cada figura (para poder moverlas).
4. Entre dos compañeros, sostengan la tela.
5. Coloquen la luz por detrás.
6. Las figuras irán entre la luz y la tela.

HAY
TAREA

Escriban pequeños diálogos para representarlos en un teatro de sombras.

Formas figurativas y recortadas. La luz en la producción plástica.

El cuervo y el zorro

Cuentan las viejas historias, aquellas que se contaban en los tiempos en que los animales hablaban, que un pobre cuervo había encontrado, en el campo, una hermosa horma de queso.

Apenas la vio, miró para un lado y miró para el otro, y divisó a lo lejos a un pastor caminaba junto a su rebaño rumbo al pueblo. Ni lento ni perezoso, tomó el queso en su pico, riéndose del distraído pastor que había dejado caer tan sabroso manjar.

Loco de contento, el cuervo voló hasta su nido. Tan feliz estaba con su botín que no advirtió que era observado por un zorro que se ocultaba tras un frondoso árbol. Hambriento, olfateaba el aromático queso.

Viendo la situación, el zorro, que era muy astuto, ideó un plan para conseguir aquel queso, y salió de su escondite.

-Muy buenos días, señor cuervo -saludó amablemente el zorro.

El cuervo, movió la cabeza con educación para responder el saludo, pero sin abrir el pico.

-Es un espléndido día para salir a pasear, ¿no le parece? -insistió el zorro, tratando de que el cuervo abriera el pico para responderle y así dejara caer el queso.

Desde su nido, y un poco asustado por la situación, ya que los zorros no son amigos de los cuervos, voló hasta una rama más alta para asegurarse una prudente distancia.

–¡Pero qué fantástico! Observándolo volar he descubierto el maravilloso plumaje que luce señor cuervo. ¡Y qué decir de su elegancia majestuosa! –lo aduló el zorro–. En verdad le digo que si su canto es tan bello como su plumaje, usted merece ser reconocido como el rey entre todas las aves del lugar.

El cuervo se emocionó con los halagos del zorro, y creyó sus palabras. Entonces se irguió sobre la rama, desplegó su plumaje vulgar y estiró lo más que pudo su cuello corto para maravillar al astuto con su estampa y su voz. Respiró profundamente y abrió el pico desde donde salió un feo y áspero graznido –mientras el queso caía a los pies del zorro.

–Aprenda, señor cuervo, la lección, que el halagador vive a costa del vanidoso que necesita los halagos mentirosos.

Y el ladino se fue a su cómoda madriguera, muy campante, a comerse el queso ganado con argucias.

Y acurrucado en su nido se quedó el señor cuervo, viendo con tristeza cómo el zorro se alejaba con su queso. Se sintió tonto y engañado; se avergonzó de su vanidad y se prometió contar esta historia a sus hijos para que ellos nunca se dejaran engatusar por zorros astutos y aduladores.

Una fábula de Esopo.

A vuelta de página

1 Escriban en los recuadros qué puede estar sucediendo.

2 Encuentren en las sopas de letras siete características de cada personaje.

El zorro es: ....

Encontré ☐ características.

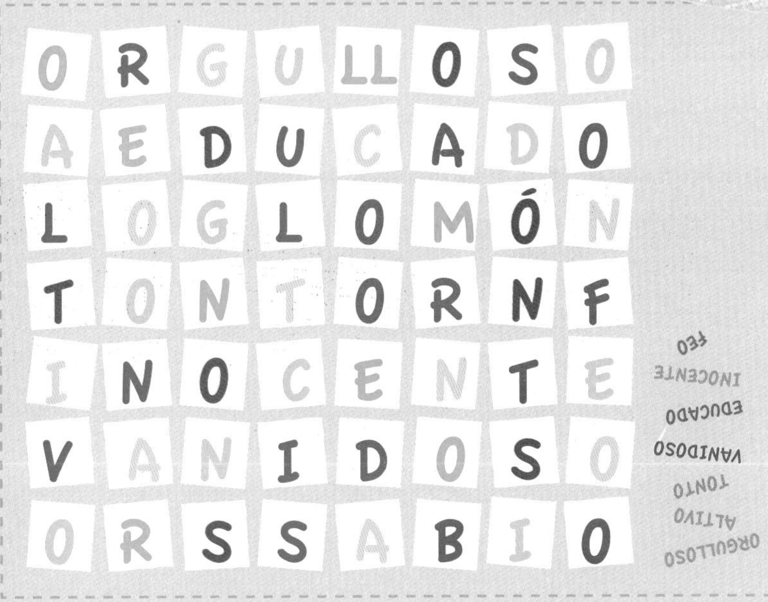

El cuervo es:

Encontré ☐ características.

3 Relean la fábula y encuentren la trampa que utilizó el zorro para engañar al cuervo.

En esa fábula no está escrito qué hace el zorro con el queso al llegar a la madriguera.

4 Voten un final posible que cuente en qué trampa cae el zorro. ¿Cuál ganó por mayoría?

Finales posibles

De retorno a su hogar, triunfal y sonriente, el zorro está listo para deleitarse con su exquisita horma de queso cuando…

- *Un ratoncito lo engaña y se lleva el queso.*
- *Otro zorro más viejo y astuto que él, lo engaña y se lleva el queso.*
- *El zorro se encuentra con el pastor, quien lo engaña y se lleva el queso.*

¡Quiero vengar al pobre cuervo!

Renarración para variar la resolución.

Las fábulas

1 Lean la información y formulen tres preguntas que se respondan con este texto.

Las **fábulas** son relatos cortos y ficticios que transmiten una enseñanza a la que llamamos **moraleja**. Sus protagonistas son **animales** que actúan, hablan y piensan como humanos. Existen desde antes de que se inventara la escritura, cuando la gente se reunía a escuchar con interés el relato de los hábiles narradores. Mucho tiempo después, y para no olvidarlas, comenzaron a escribirlas, entre otros, los griegos y así fue que llegaron hasta nuestros días.

....

....

....

Fábulas. Sus características. Personajes.

2 Busquen y lean en la biblioteca fábulas en donde el zorro sea uno de los protagonistas. Anoten aquí sus títulos.

....

....

....

....

Engañador engañado: el zorro suele ser en las fábulas un personaje muy astuto que termina engañando a otros inocentes animales. Pero no siempre resulta así. A veces el zorro es engañado por otro zorro más viejo, incluso puede ser engañado por animales inesperados, como en la fábula de "El zorro y la cigüeña".

3 Completen el cuadro.

Título de la fábula	Personajes	Quién engaña es...	El engañado es...
El zorro y el cuervo	zorro, cuervo	zorro	cuervo

Para escribirte mejor

1 Señalen con color la parte de esta narración donde se incluye un diálogo.

De retorno a su hogar, triunfal y sonriente, el zorro está listo para deleitarse con su exquisita horma de queso, cuando, por debajo de su mesa, se asoma un ratoncito que le dice:

–Zorro, amigo..., ¿me darías ese queso?

–No quiero, es mío. ¡Yo se lo gané al cuervo!

–Como quieras, querido zorro, pero intentaba hacerte un favor.

–¿Por qué lo dices, pequeño ratoncito?

–Porque el pastor que odia a los ratones envenenó el queso y no me gustaría que cayeras en su trampa.

–¡Pues llévatelo lejos, no vaya a ser que se envenene algún incauto!

El ratón cargó el queso tranquilamente mientras el zorro respiraba aliviado pensando que una vez más su inteligencia lo había salvado.

Signos de puntuación

La raya de diálogo: se utiliza para indicar que se reproduce una conversación. En una narración se usa cada vez que los personajes comienzan a hablar.

Signo de interrogación: se utiliza para indicar entonación de pregunta. Deben escribirse al comenzar y al terminar la oración.

Signo de exclamación: cuando es necesario indicar una entonación más intensa, se emplean estos signos. Pueden señalar sentimientos como enojo o admiración, o indicar una orden.

2 Dibujen en sus cuadernos al zorro y al ratón. En grandes globos, escriban un posible diálogo entre los personajes.

Escriban ahora en forma de relato la misma situación que pensaron para la actividad anterior. ¡Usen los signos de puntuación!

Narración y diálogo. Uso de signos de interrogación y exclamación.

Ecosistema

Todos los seres vivos estamos **interrelacionados** y dependemos unos de otros para sobrevivir. Este sistema de relaciones se denomina **ecosistema**, y está formado por los **seres vivos** que interaccionan en un **medio físico**, el lugar donde viven, denominado **ambiente**. Los animales, las plantas, las bacterias, el agua, la tierra, la luz del sol, el aire son parte del ecosistema.

1 Nombren tres seres vivos y tres elementos no vivos de la laguna de abajo.

....

....

En los ecosistemas existen **cadenas tróficas** o alimentarias. Todos los seres vivos comen o son comidos por otros.

2 Observen el esquema de un ecosistema del río Paraná. Pinten los carteles:

- *en amarillo las etiquetas de los productores.*
- *en verde la de los herbívoros.*
- *en rojo la de los carnívoros.*
- *en marrón la de los omnívoros.*

3 Miren el esquema; piensen y digan en voz alta quién come a quién.

Adaptaciones al medio ambiente

1 Observen las características externas de estos animales.

2 Completen en una cartulina un cuadro como el de abajo, con los nombres de animales de la actividad anterior. ¡Pueden agregar otros!

Nombre del animal	Cantidad de			Tipo de cobertura				
	Patas	Alas	Aletas	Pelos	Plumas	Escamas	Piel	Escamas y placas
Rana								

Los seres vivos han desarrollado **adaptaciones** en su organismo que les permiten vivir en determinados ambientes y no en otros. Los peces, por ejemplo, para habitar en el agua tienen **aletas** en sus extremidades, y escamas y placas en su piel que les permiten desplazarse con facilidad.

Las aves han desarrollado **alas** cubiertas de **plumas** que hacen posible el vuelo. Los animales terrestres poseen **patas** adaptadas según el hábitat para correr, saltar, galopar o caminar. Hay especies que no han desarrollado **extremidades**, como muchos **reptiles**, pero poseen cuerpos musculosos y flexibles que les permiten desplazarse con movimientos ondulantes por medios terrestres y acuáticos.

3 Completen la red conceptual con el nombre común de las especies.

271

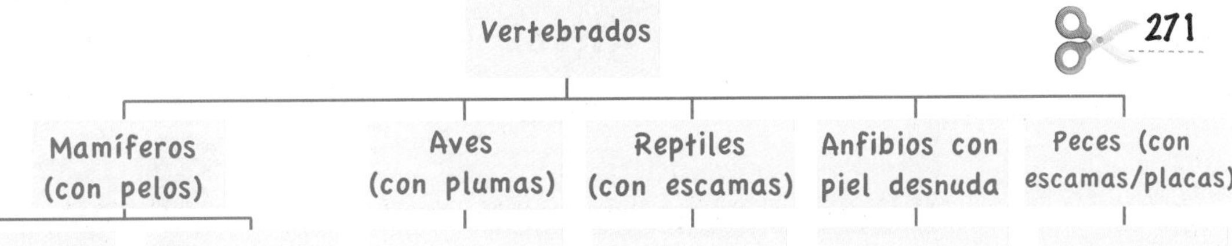

Observen el jardín de una casa, el parque de una plaza o la ribera de un río o laguna. Registren los datos en la ficha de observación.

Las entradas

Todos los sábados por la tarde, en el Parque Natural Refugio del Aguará ofrecen una función de títeres para promover el cuidado de las especies en peligro.

1 Completen los números de los lugares sombreados que corresponden a las entradas vendidas de un sector de la sala.

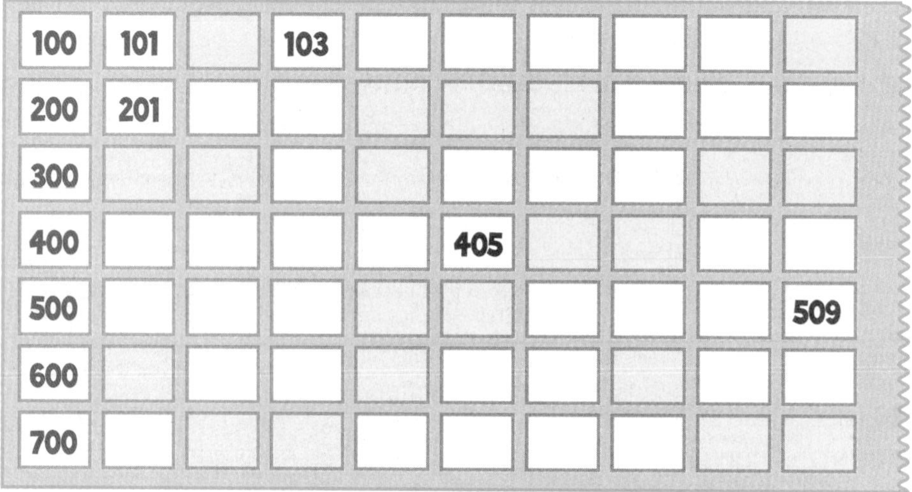

100	101		103						
200	201								
300									
400					405				
500									509
600									
700									

2 Coloreen en el cuadro las entradas que se fueron vendiendo:

- *Todas las entradas de este sector que terminan con 7.*
- *Las dos entradas que le siguen a la que tiene el 400.*
- *Las entradas que tienen un 2 en el lugar de los cienes.*

3 Observen, a Pedro se le mojó su entrada y no se ve bien qué número de asiento tiene. ¿Cuál puede ser?

Función de títeres
Asiento
03

¡Me voy a la función!

- *Escriban todas las posibilidades.*

....

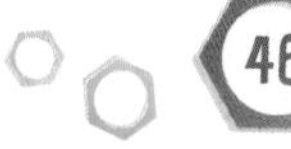

Más cuadros para completar

1 Escriban en sus casilleros los números que indican las pistas.

Pistas:

- *El que está entre el 325 y el 327.*
- *Los dos anteriores a 228.*
- *Los tres siguientes a 522.*
- *Todos los de la primera fila.*

120		122							
220									
320									
420				424					
520									529

2 Completen los cuadros con todos los números que faltan. En el cuadro de la izquierda hay números pares y en el de la derecha, impares.

650	652	654	656	658
660				
690				

651				
661				
			677	
		685		
691				

3 **Busquen** y marquen los errores que se cometieron en este cuadro de números del 700 al 799.

700	701	702	703	704	705	706	707	708	709
710	711	713	713	714	715	761	717	718	719
720	721	722	723	724	725	726	727	782	729
730	731	732	733	734	734	736	737	738	739
740	741	742	742	744	745	746	747	748	749
750	751	752	753	755	755	756	757	758	751
760	762	762	763	763	765	766	767	768	769
770	771	772	773	774	775	775	777	778	779
780	781	782	783	784	785	786	778	788	789
790	791	792	793	794	765	797	797	798	799

Ayudita: miren tanto las filas como las columnas.

4 Desafío:

- *¿Cuántos números del cuadro anterior tienen la cifra 4 en algún lugar del número?*
- *¿Pasará lo mismo con la cifra 2? ¿Y con la cifra 5?*

¡Formo mil!

Materiales

- Tarjetas de cartulina con los siguientes números: 250 – 250 – 250 – 250 – 500 – 200 – 200 – 100 – 450 – 350 – 100 – 100 – 300 – 400 – 150 – 150

Organización del juego

Equipos de 4 jugadores

Reglas

1. Repartan cuatro cartas a cada participante. Cada jugador tiene que conseguir cuatro cartas que sumen 1.000.
2. No se dan nuevas cartas, sino que cada jugador se descarta de una carta, y él decide cuál es la carta que le conviene descartar.
3. La carta elegida la pasará, tapada, sobre la mesa, al compañero que está sentado a la derecha. Este paso debe ser realizado por todos los jugadores a la vez.
4. Seguirán jugando así hasta que alguien consiga sumar 1.000 con sus cuatro cartas. Entonces avisará que lo consiguió gritando ¡MIL! y colocando su mano en el centro de la mesa.
5. Si hay empate, el primero que apoye su mano en la mesa se anotará el punto. Por cada punto ganado se anota una letra de la palabra Mil. Gana el primero que forma la palabra completa.

Al terminar de jugar se plantearon algunas discusiones.

Prueben jugar ustedes y ayuden a los chicos a resolver los problemas.

1 Completen la carta que le falta a Carolina para formar mil.

2 Respondan:

- *Lucas formó mil con 4 cartas iguales. ¿Qué cartas eran?* ....
- *A Tomás le pasaron la carta con el 350 y cantó "mil". ¿Cuánto había sumado con las otras tres cartas?* ....

....

Ideas para sumar

1 Calculen: ¿cuáles de estos chicos ganaron a "Formar mil"?

Participante	Cartas	¿Ganó?
Mary	200+350+150+400	
Patricia	500+400+200+50	
Mauro	600+150+10+150	
Román	450+100+250+300	

Los chicos compartieron sus ideas sobre cómo hacer para sumar más rápido sus cartas.

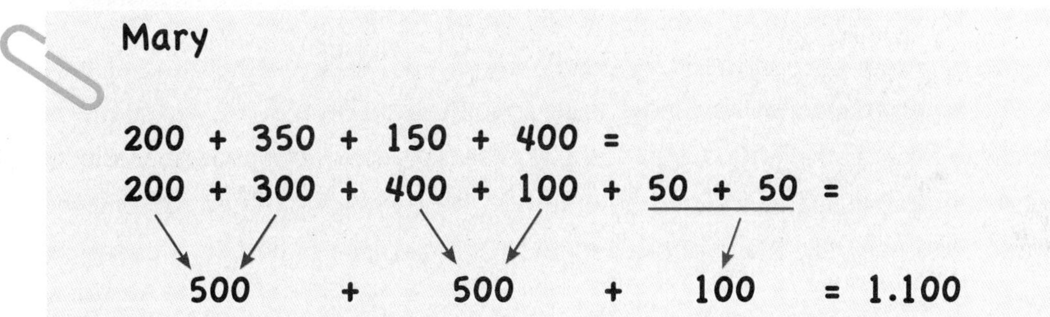

Mary
200 + 350 + 150 + 400 =
200 + 300 + 400 + 100 + 50 + 50 =
500 + 500 + 100 = 1.100

- *¿Qué habrá explicado Mary?*
- *¿Por qué habrá decidido acomodar los números en este orden?*
- *¿De dónde salieron los dos 50 que hay al final de la suma?*

3 ¿Cómo harían ustedes para sumar fácilmente las cartas de Román? Prueben y escriban algunos consejos.

Yo sumaría primero todos los cienes juntos...

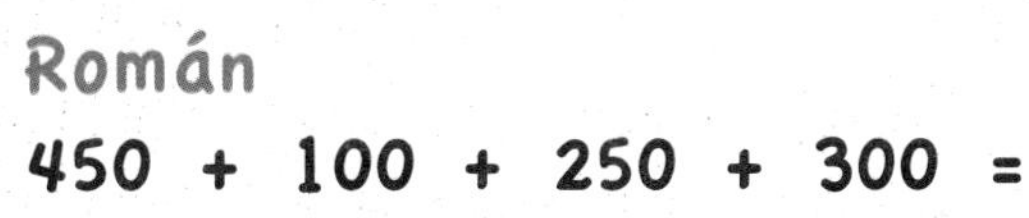

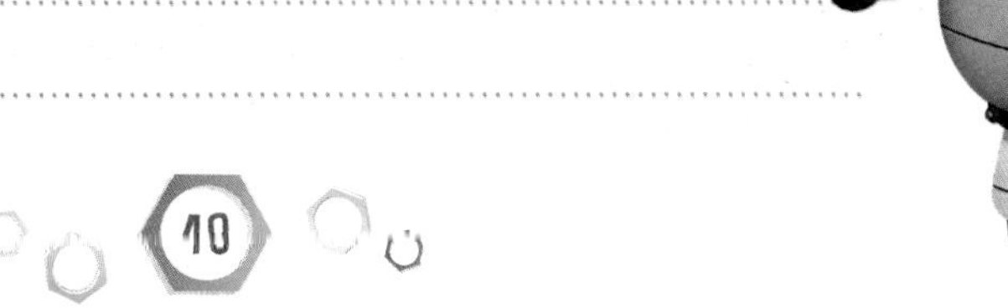

Orden alfabético

Hay diversas informaciones en la vida cotidiana que se organizan por orden alfabético.

1 Observen y escriban debajo de cada uno qué elemento es.

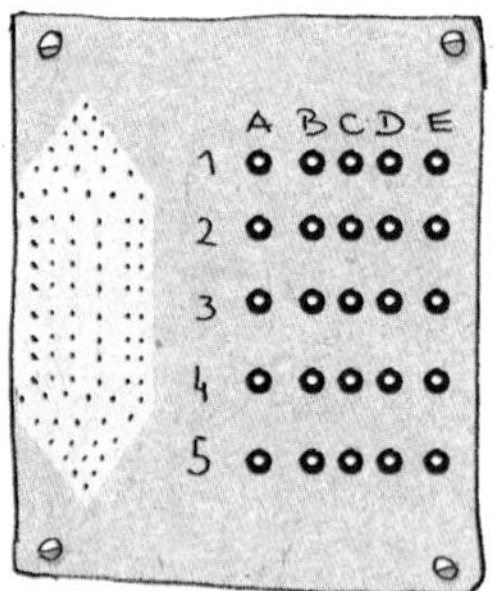

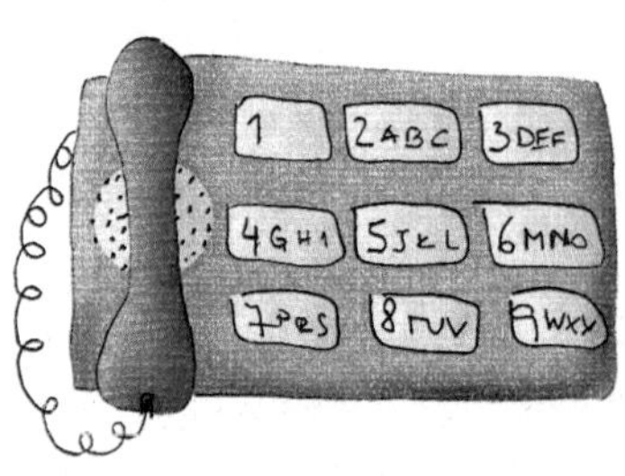

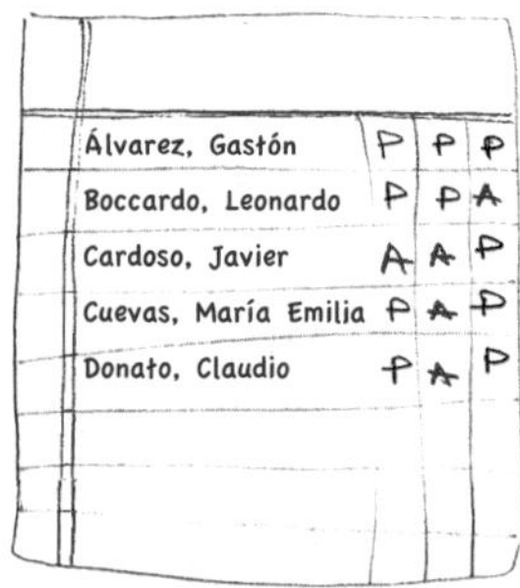

....

....

Diccionario, definición, orden alfabético.

2 Escriban otro uso del orden alfabético.

....

El **diccionario** es un libro en el que encontramos de manera ordenada las palabras de nuestra lengua con sus posibles significados y usos. Los diccionarios se actualizan periódicamente ya que las palabras pueden cambiar por el uso. Además, con los avances tecnológicos siempre hay nuevas cosas por nombrar.

3 Busquen en el diccionario y escriban en las listas las dos palabras anteriores y las dos posteriores.

Ya todos saben el orden alfabético, ¿no?

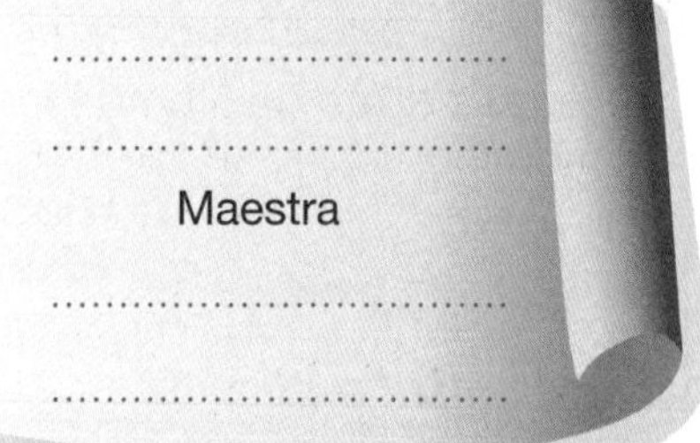

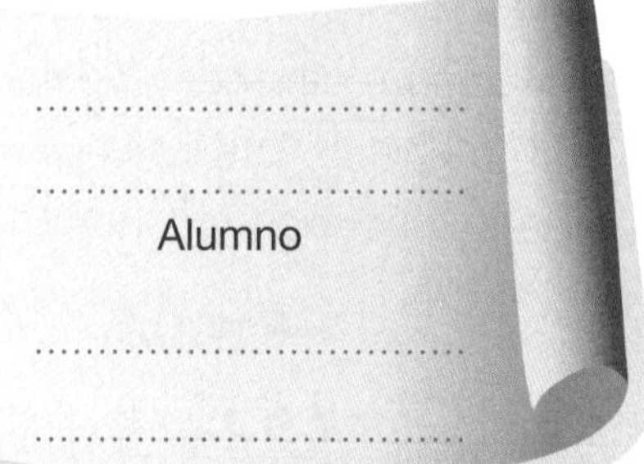

4 Ordenen alfabéticamente esta familia de palabras y comparen cómo las ordenaron sus compañeros.

helar - heladería - helada - helarse - heladora - heladero - heladera

Enciclopedias

La **enciclopedia** es una obra que contiene información sobre las ciencias. Se puede organizar por temas o materias como, biología, historia, geografía, o por orden alfabético. En estos libros se describen los objetos, hechos y personas, entre otras tantas cosas.

1 Lean las siguientes notas de enciclopedia.

Zorro

Se conocen también como raposos o raposas. Son mamíferos que se caracterizan por tener orejas triangulares, el hocico puntiagudo, el pelaje espeso y la cola larga. La alimentación es variada y consiste en pequeños roedores, huevos, fruta y, en ocasiones, insectos. Tiene una excelente vista, oído y olfato, y un carácter cauteloso, lo que le permite vivir en lugares habitados sin que el hombre lo advierta. De ahí su fama de astuto.

Cuervo

Son aves de plumaje negro. Su pico es fuerte, grueso y ligeramente curvado. Las plumas del cuello pueden ser marrones o gris pálido. Se alimentan de carroñas, insectos, cereales, frutas y pequeños animales. Por eso se encuentra entre los omnívoros. Se ha observado cómo los cuervos dirigen a otros animales para que trabajen para ellos, por ejemplo, llamando a los zorros al lugar de una carroña para que estos la abran con sus filosos dientes y así poder acercarse luego para comer.

Enciclopedia. Notas de enciclopedia.

2 Comparen las notas de arriba con las definiciones del diccionario.

Yo uso enciclopedias virtuales.

Zorro. m. Mamífero carnicero, de hocico agudo y pelo abundante; caza de noche y persigue a las aves de corral.
Cuervo. m. Pájaro de plumaje negro que suele alimentarse de carne descompuesta.

3 **Indiquen** en qué casos utilizarían un diccionario (D) y en cuáles, una enciclopedia (E).

☐ *Para entender qué significa una palabra.*

☐ *Para buscar información sobre un tema.*

☐ *Para despejar una duda ortográfica.*

☐ *Para buscar imágenes de un tema.*

Sustantivos sustanciosos

1 Escriban los nombres de diez objetos que los rodean en este momento.

....

....

2 Completen el cuadro con el nombre y el lugar de nacimiento de cinco compañeros.

Nombre y apellido de mi compañero	Lugar de nacimiento

Los **sustantivos** son palabras que nombran personas, animales, plantas, lugares y objetos. Los sustantivos **comunes** nombran seres y objetos, por ejemplo: ventana, maestra, paloma. Siempre se escriben con minúscula.

Los **sustantivos propios** son nombres de personas, personajes y lugares, por ejemplo: Mar del Plata, Bolivia, Marcelo. Siempre se escriben con mayúscula inicial.

3 Comenten cómo saben jugar al tutifruti. Escriban un reglamento para que todos estén de acuerdo.

Tuti fruti sustantivo

Letras	Sust. propios		Sust. comunes		Puntos
////	Nombres	Países	Objetos	Comidas	////

Clasificación de palabras. Sustantivos comunes y propios.

Problema sustantivo

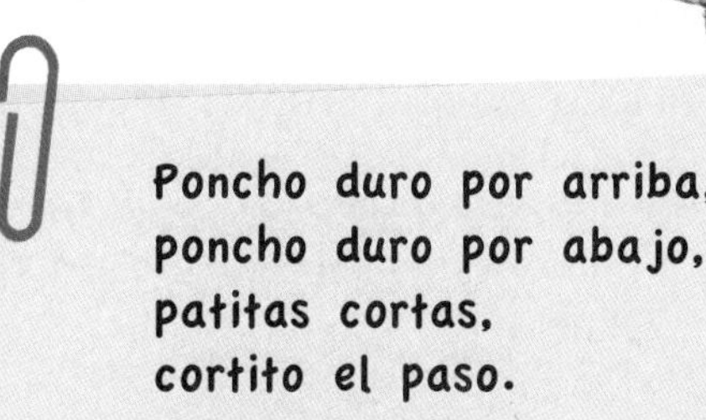

1 Resuelvan las adivinanzas.

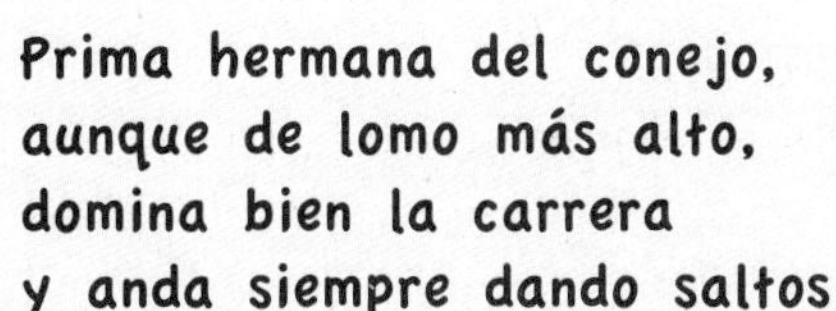

Prima hermana del conejo,
aunque de lomo más alto,
domina bien la carrera
y anda siempre dando saltos.

Poncho duro por arriba,
poncho duro por abajo,
patitas cortas,
cortito el paso.

....

2 Completen los sustantivos comunes que se volaron del texto.

La .... es un reptil marino o terrestre. Tiene un .... muy duro que cubre la mayor parte del cuerpo. Algunas se alimentan de vegetales y otras son carnívoras. La .... es un mamífero con cabeza pequeña, ... muy desarrolladas y los .... alargados. Animal corredor que se alimenta exclusivamente de vegetales.

3 Busquen en el diccionario cómo se le dice al conjunto de...

peces	aves	perros	vacas	hormigas
....	....	....	....	....

Hay sustantivos que nombran a un conjunto de seres o cosas. Se llaman sustantivos **colectivos** y se escriben con minúscula.

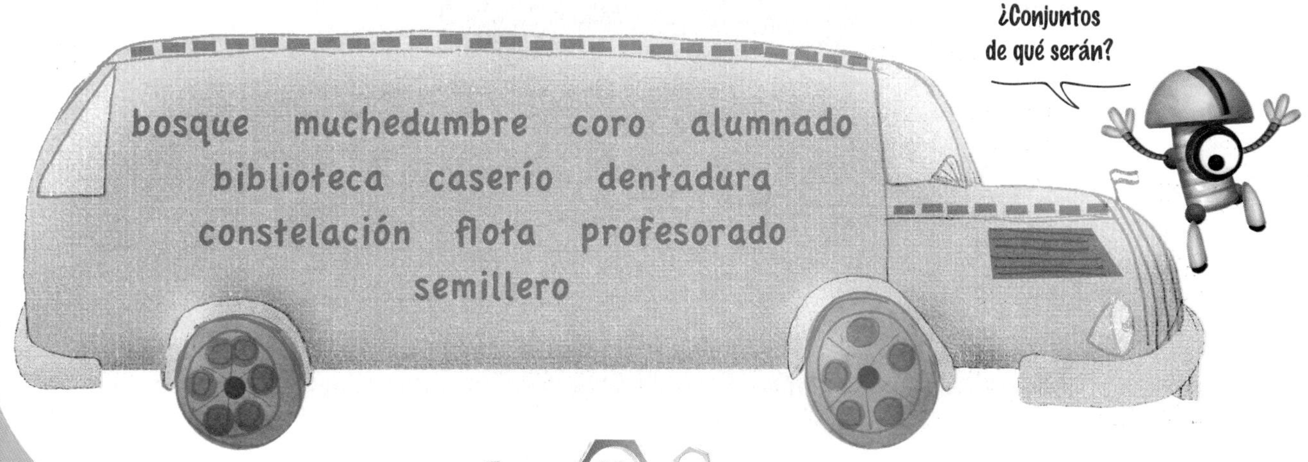

¿Conjuntos de qué serán?
bosque muchedumbre coro alumnado
biblioteca caserío dentadura
constelación flota profesorado
semillero

Recuerdos del Parque

Después de un largo día visitando el Parque Natural Refugio del Aguará, Giselle entró al local de recuerdos y eligió un juego de cartas de animales.

Estas eran las reglas de "Competencia de animales".

271

Recorten las cartas de los "Recortables".

Materiales
- Cartas de animales del Parque.

Organización del juego
Participan dos jugadores.

Reglas
1. Se mezclan las cartas y se reparten en partes iguales.
2. Forman un mazo cada uno, sin mirarlas.
3. Se ponen de acuerdo en qué aspecto del animal van a comparar: la altura o la cantidad de ejemplares vivos.
4. Dan vuelta la primera carta de su mazo simultáneamente.
5. Comparan los números que corresponden a la característica elegida.
6. El que tiene el número más alto se lleva las dos cartas y las coloca al final de su mazo.
7. Gana el que termina con todas las cartas o el que tiene más cuando la maestra indica que se terminó el tiempo.

Lectura y comparación de números "grandes".

1 Encierren el número ganador de cada par. Expliquen cómo se dan cuenta.

Número	Número	Nos fijamos en...
315	21.260	
4.000.320	8.800.000	
789	719	
9.500	950	

2 Descubran cuál es la cifra que no se ve, sabiendo que en esta vuelta ganó Ani.

Giselle

Ani

- *¿Encontraron una única posibilidad? Escriban todas las soluciones posibles.*

Problemas en el local de recuerdos

Uno de los artículos que más éxito tiene es la remera con la imagen de alguno de los animales del Parque.

El domingo al mediodía ya se habían vendido:

- 276 remeras del aguará guazú
- 197 remeras del tatú carreta

Cuando el Parque cerró, las remeras vendidas en todo el día habían sido estas:

Remeras	Total vendidas
Aguará guazú	560
Tatú carreta	310
Hornero	215
Oso hormiguero	187

Problemas de suma y resta con distintos sentidos.

1 Subrayen en el problema los datos necesarios para responder esta pregunta, ¿cuántas remeras se vendieron en total antes del mediodía?

• *Hagan los cálculos necesarios para responderla.*

2 Respondan: ¿cuántas remeras se vendieron durante todo el domingo?

....

3 Resuelvan: 19 de las remeras del oso hormiguero fueron adquiridas por un grupo de jubilados que fue a conocer el Parque Natural.

• *¿Cuántas son las que compró el resto del público?*

....

¡Yo quiero una remera!

4 Ayuden a las amigas. Victoria dice que el problema anterior se resuelve con una resta. En cambio Gaby asegura que a ella le sirvió hacer una suma.

• *¿Puede ser que las dos tengan razón?* ....

• *¿Qué números habrán sumado y restado cada una?*

....

El monumento del aguará guazú

Los arquitectos diseñaron este monumento al aguará guazú para ubicar en el centro de la ciudad.

1 Copien este diseño sobre el papel cuadriculado. Pueden usar la regla.

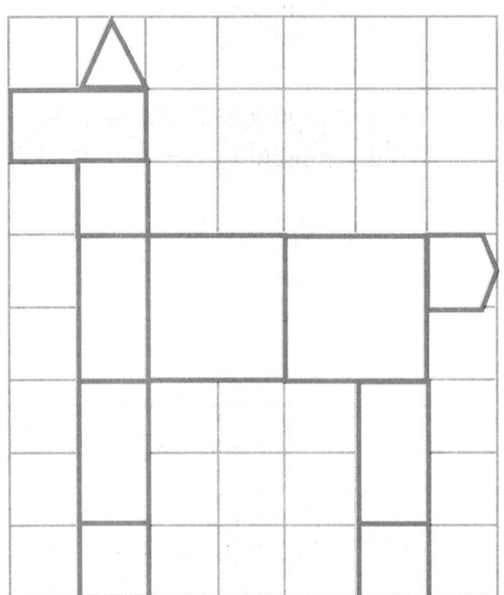

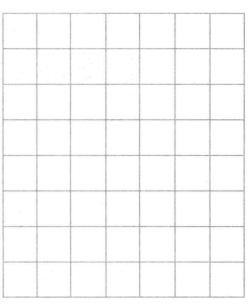

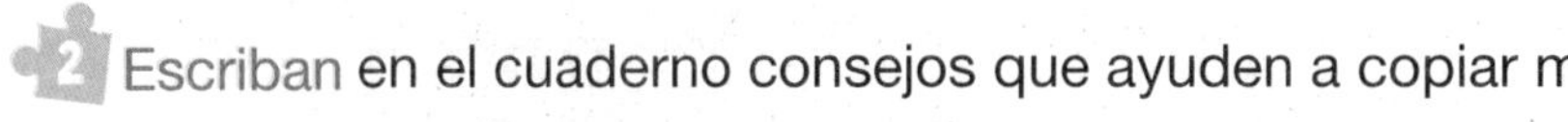

2 Escriban en el cuaderno consejos que ayuden a copiar mejor la figura.

3 Lean las instrucciones y descubran cuál es el diseño de otro documento que está diseñando el arquitecto.

- *En la base, colocar los dos triángulos enfrentados.*
- *Encima poner un cuadrado.*
- *Sobre el cuadrado, ubicar el trapecio haciendo coincidir la base del trapecio con el lado superior del cuadrado.*
- *Superponer el triángulo grande sobre el cuadrado de modo que el lado más largo coincida con el lado más largo del trapecio.*

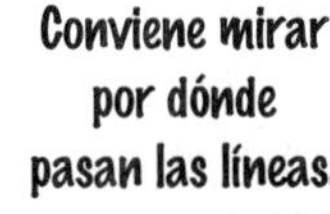

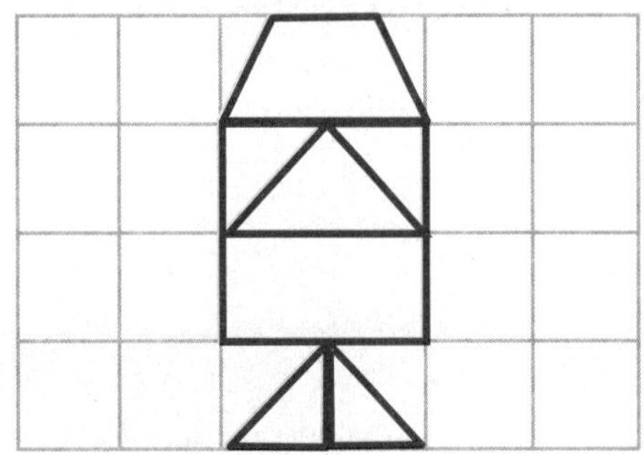

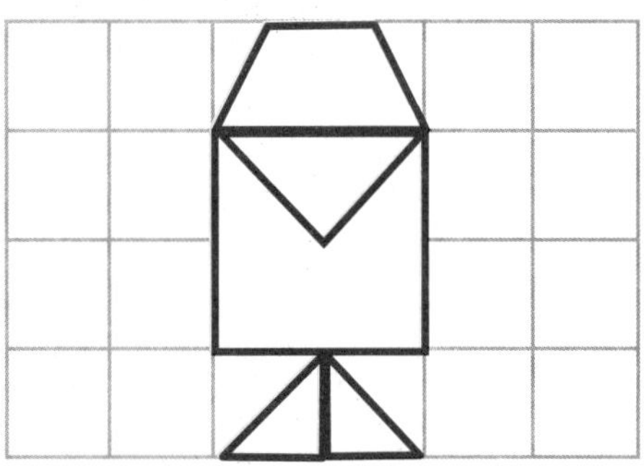

Conviene mirar
por dónde
pasan las líneas.

El escudo del Parque

En la escuela de la ciudad se hará un concurso de escudos. El elegido por votación será colocado en la bandera del Parque Natural.

1 Elijan 5 de las figuras geométricas de los recortables y con ellas diseñen un escudo para la bandera del Parque.

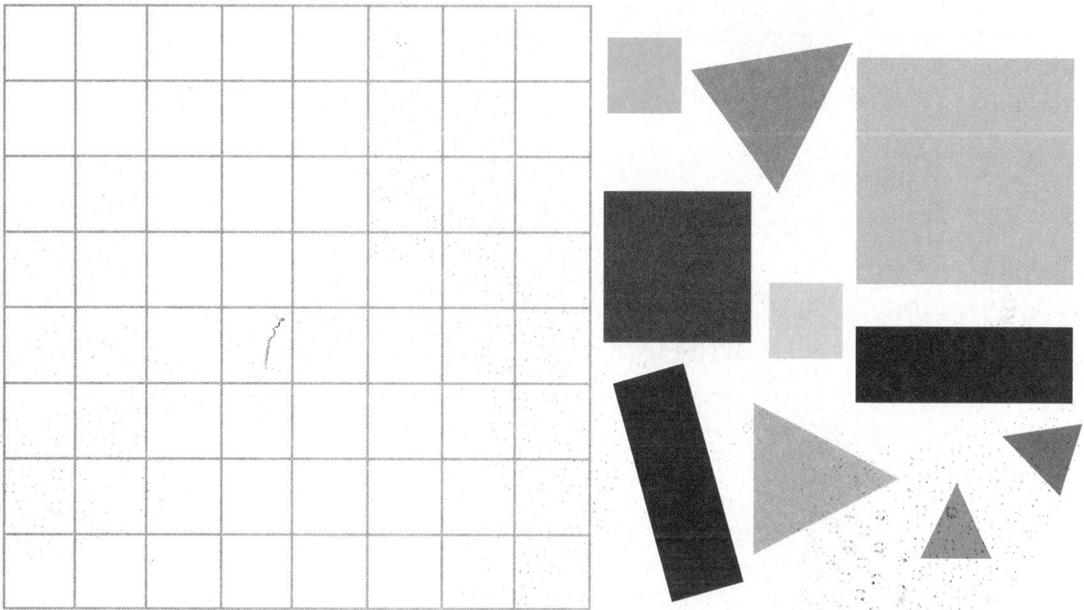

2 Escriban las instrucciones en un papel y pásenselo a un compañero para que intente obtener un escudo igual al de ustedes.

3 Dibujen aquí el escudo que pensó el compañero de ustedes, siguiendo las instrucciones que les dio.

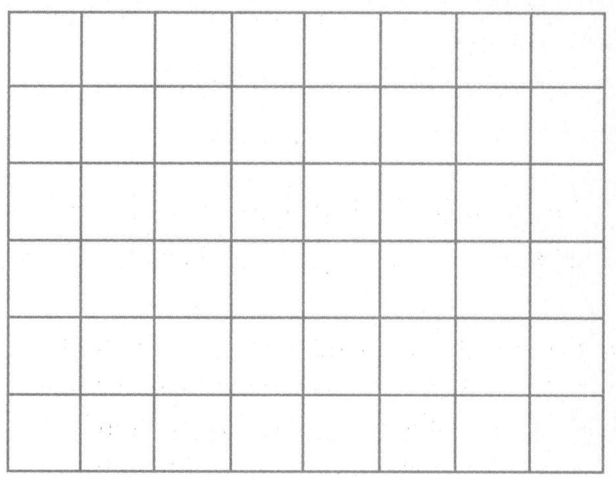

Características y elementos de las figuras geométricas.

Dientes y dietas en los mamíferos

De acuerdo con el tipo de alimentación de cada especie, tienen **adaptaciones** en su boca, dientes y sistema digestivo que les permiten aprovechar los nutrientes de su dieta.

1 Relacionen la imagen de cada animal con la ilustración de su cráneo.

- *¿Por qué son tan diferentes las dentaduras de estos animales?*

Los **herbívoros**, como la vaca, poseen **labios carnosos**, una **boca** con **pequeña apertura** y una **lengua gruesa** y **muscular** que los ayuda a masticar el alimento. Sus dientes incisivos son amplios, planos y con forma de palas, que les permiten cortar las plantas.

Los **carnívoros**, como el yaguareté, poseen una **amplia boca** que les permite sostener, matar y descuartizar a su presa. Los **dientes incisivos** son cortos y puntiagudos, y los utilizan para atrapar y destrozar. En cambio los caninos tienen forma alargada y parecen una daga, "funcionan" como un puñal.

Los **omnívoros**, como el oso y también los seres humanos, poseen una **dentadura variada**, con cuatro incisivos, dos caninos, cuatro premolares y seis molares en cada mandíbula. Su **sistema digestivo** les permite aprovechar **nutrientes de vegetales y animales.**

2 Unan cada especie con su dieta.

OSO	alfalfa, avena, pasturas
LINCE	peces, miel, raíces, frutas
VACA	roedores, carpinchos, yacarés

Picos y dietas en las aves

¡Qué piquitos!

El pico es la parte saliente de la cabeza de las aves. Está formado por dos piezas córneas, una superior y otra inferior, que les sirven para tomar el alimento. El pico es rígido y fuerte. Como las aves no tienen dientes, no mastican su alimento.

La forma del pico nos indica sus costumbres alimentarias. Por ejemplo, la cigüeña tiene un pico fino, largo y curvo en el extremo. Su dieta consiste en ranas y peces.

Los guacamayos tienen un pico grueso, corto y curvo que utilizan para abrir frutas y nueces.

Los colibríes tienen un pico fino en forma de tubo que les permite extraer el néctar.

Los picos no son exclusivos de las aves, pues estos también se encuentran en el ornitorrinco.

1. Observen el pico y busquen en el recuadro las palabras adecuadas para completar el cuadro.

semillas y frutos - largo fuerte y con bolsa - peces - delgado y corto - curvo fuerte y con forma de gancho - animales muertos - fuerte y afilado con forma de gancho - semillas de girasol - frutas - pan

Especie	Características del pico	Se alimenta de

Las plantas y sus cambios

1 Lean en voz alta el gráfico de la vida de las plantas.

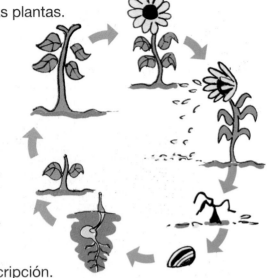

Ciclo de vida de una planta de girasol

Las plantas son **seres vivos**: nacen, crecen, pueden reproducirse y finalmente, mueren.

Pero... ¿qué comen la plantas? ¿Agua? ¡No! Las plantas no comen, **elaboran su propio alimento**. Con el agua, los nutrientes de la tierra y el dióxido de carbono, siempre en presencia de luz solar, preparan la savia de la que se alimentan.

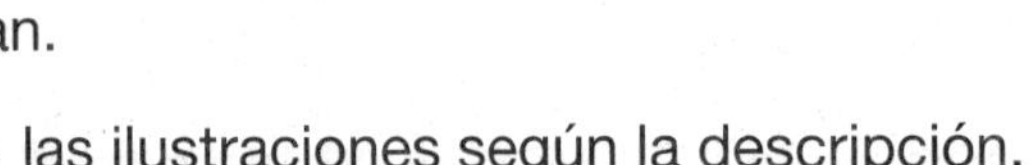

2 Completen las ilustraciones según la descripción.

21 de septiembre a 20 de diciembre

21 de diciembre a 20 de marzo

21 de marzo a 20 de junio

21 de junio a 20 de septiembre

3 Recolecten muestras de hojas, frutos y semillas de diferentes plantas.

- *Armen un álbum de todo el grado, y anoten el nombre de la planta, si lo conocen; el lugar donde consiguieron la muestra, la fecha y sus observaciones.*

Las plantas y todos los demás

Las plantas, además de ser la fuente de elaboración del oxígeno que hace posible la vida, son alimento y refugio de muchas especies animales.

1 Peguen en los círculos los animales que viven en este algarrobo.

273

Plantas y animales establecen relaciones de **cooperativismo**. Por eso, cualquier cambio en el **hábitat** tiene graves consecuencias para todos los que lo habitan.

2 Respondan: ¿qué sucedería con estos animales si talaran todos los algarrobos?

....

En los montes santiagueños, la **tala indiscriminada del algarrobo** tiene como consecuencia que este árbol sea una de las especies en **peligro de extinción**.

- **Formen equipos y busquen información sobre especies en peligro de extinción en nuestro país. Piensen y escriban: ¿qué podemos hacer, como sociedad, para ayudarlas? Elaboren un afiche con la información obtenida.**

Sinónimos y antónimos

1 Encuentren y pinten la palabra intrusa de cada lista. Expliquen en sus cuadernos por qué la eligieron.

1	2	3
dicha	astucia	vanidad
felicidad	zorrería	orgullo
alegría	torpeza	altanería
desdicha	cautela	soberbia
placer	sagacidad	humildad

Los **sinónimos** son palabras diferentes que significan lo mismo, por ejemplo: bella, linda, hermosa. Cuando escribimos, es importante usar sinónimos para no repetir siempre la misma palabra.

Los **antónimos**, en cambio, son palabras que tienen un significado contrario u opuesto, por ejemplo: grande-chico, triste-alegre.

2 Encierren con un mismo color cada par de antónimos.

inoportuno
infeliz
directo
despoblar
favorable
disciplina
oportuno
feliz
deshabitar
indisciplina
desfavorable
habitar
indirecto
poblar

3 Escriban: ¿cómo se formaron estos antónimos?

Para robot, ¿hay sinónimos?

....

....

¿Qué otros antónimos pueden formar?

....

4 Consigan un diccionario de sinónimos y antónimos. Copien algunos que les llamen la atención.

....

....

....

Campos semánticos. Sinónimos. Antónimos.

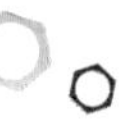

El diccionario del aula

1 Armen un diccionario para el aula.

- *Si aprenden el significado de una palabra desconocida, anótenla en la hoja que corresponda.*
- *El diccionario se irá completando a medida que en sus trabajos escritos aparezcan repeticiones o dudas sobre algunas palabras y deban ser reemplazadas por sinónimos.*

¡Con diccionario se escribe mejor!

Materiales
- Hojas rayadas N° 3
- Una carpeta N° 3
- 27 separadores de cartulina de colores

Pasos a seguir
1. Colóquenle una letra a cada hoja de cartulina (en orden alfabético). La Ch y la Ll no llevan hoja, porque aunque son letras, no tienen lugar propio en los diccionarios.
2. Detrás de cada separador, pongan varias hojas rayadas.
3. Armen la carpeta.
4. Dividan con escuadra y marcador grueso en cuatro partes las hojas rayadas.

Atención, por favor.

En el diccionario pueden encontrar abreviaturas como estas:

f. femenino adj. adjetivo
m. masculino v. verbo

2 Lean y completen la lista de lo que no puede faltar en el diccionario del aula.

- *Palabras difíciles de entender*
- *Palabras difíciles de escribir*
- *Palabras nuevas*
- *Palabras raras*

....

Según de qué tipo de diccionario se trate, encontraremos diferente información. Entre otros hay: **diccionarios de la lengua**, son los que explican el significado de las palabras; **diccionarios de idiomas**, son los que traducen el significado de una palabra extranjera; **diccionarios de sinónimos y antónimos**, en ellos se relacionan palabras de sentido similar u opuesto.

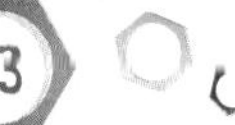

Simetría en la naturaleza

1 Aprender a mirar

Observen estas imágenes de animales y plantas.

2 Para pensar y comentar

- *Tracen una línea por el centro de la imagen y observen cada parte.*
- *Respondan: ¿son iguales o diferentes?*

Simetría.

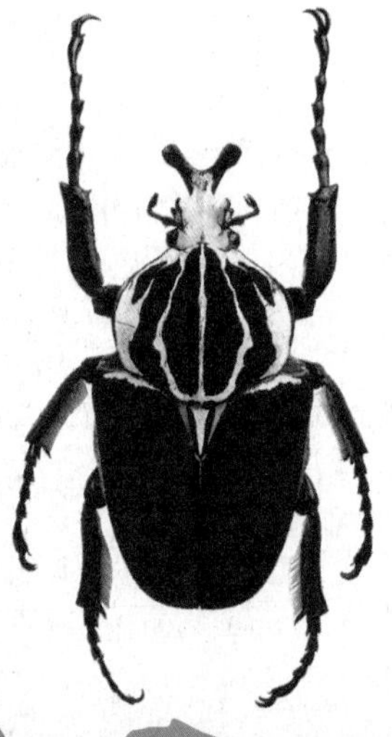

Los artistas también utilizan la simetría en sus obras.

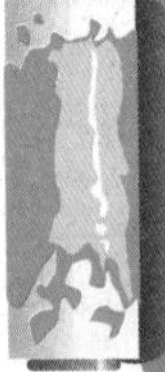

Para saber más

Una forma es simétrica si se puede dividir en dos partes iguales con una línea recta imaginaria por su centro o eje.

3 Manos en acción

Completen el dibujo para que sea simétrico.

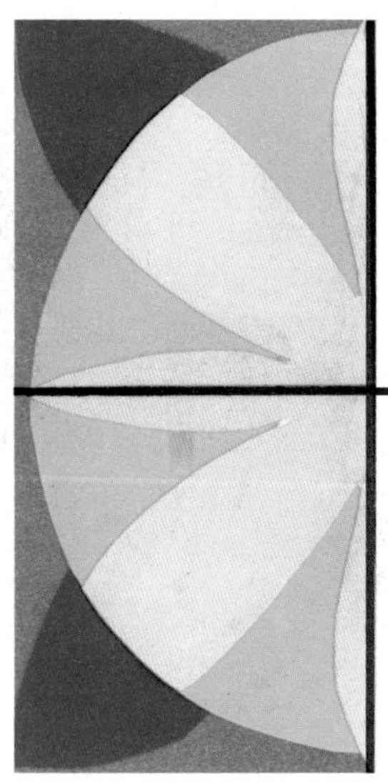

4 Aprendemos jugando

Diseñamos y armamos animalitos simétricos de papel.

Materiales
- Hojas blancas
- Lápiz y goma
- Tijera
- Plasticola de colores

Pasos a seguir

1. Doblar una hoja por la mitad y volver a abrirla.
2. Dibujar un animal visto de frente, pero solo la mitad y empezando en la línea del doblez.
3. Recortar el dibujo manteniendo la hoja doblada.
4. Abrir la hoja y decorar un solo lado con plasticola de colores.
5. Doblar nuevamente las dos partes para traspasar los colores de un lado a otro lado y abrir rápidamente, antes de que seque.

Hora de comer

Alimentos de origen vegetal

Las plantas fabrican su propio sustento pero además sirven de alimento a muchas especies del reino animal.

Algunos seres humanos eligen basar su dieta en alimentos de origen vegetal, ya sean **naturales** o **elaborados**.

La lechuga es una hoja.
El tomate es un fruto.
La zanahoria es una raíz.

El té de manzanilla se prepara con la flor de la planta. Las masas se elaboran, entre otros ingredientes, con harina y aceites vegetales.

Alimentos de origen animal

Toda la **carne** que consumimos es de origen animal, como también la leche, los huevos y la miel.

También existen alimentos **elaborados** de origen animal, como el jamón, el queso, el yogur y la manteca, entre muchos otros.

Alimentos de origen mineral

La **sal** se obtiene de las salinas, que son terrenos en donde por la evaporación del agua de mar se concentra a cielo abierto, o se extrae de rocas que contienen este mineral. Se utiliza como condimento y es indispensable en la dieta de los seres vivos.

Cortesía: Secretaría de turismo y cultura de Jujuy.

El **agua potable**, es decir, el agua apta para consumo humano, tiene **minerales** disueltos en ella.

Es esencial para todas las formas de vida, incluida la humana. Contiene algunas sales disueltas, como las de calcio, cloro, hierro y magnesio.

Las aguas minerales contienen una mayor concentración de alguno de estos minerales.

A vuelta de página

1 Hagan una lista completa de todos los alimentos que comieron en el día, desde que se levantaron hasta este momento.

....

....

2 Comenten

- *¿Cuáles son sus alimentos favoritos?*
- *¿Cuáles consumen poco?*

Yo solo consumo alimentos de origen mineral. ¡Glup!

3 Ordenen las letras de cada palabra y completen el cuadro.

- *¿Descubrieron el orden en que se presentaron las letras?*

1	A	A	A	H	I	N	O	R	Z
2	A	A	H	I	N	R			
3	G	O	R	U	Y				
4	E	I	L	M					
5	A	L	S						
6	A	J	M	N	Ó				

7	A	A	G	U				
8	A	A	C	E	I	N	T	U
9	A	A	C	Ú	Z	R		
10	A	A	C	E	M	N	T	
11	A	A	A	B	N	N		
12	A	E	M	O	T	T		

Origen de los alimentos

Animal	Vegetal	Mineral

4 Elijan de estos dos gráficos el que mejor represente lo que ustedes consumen en un día.

Yo consumo

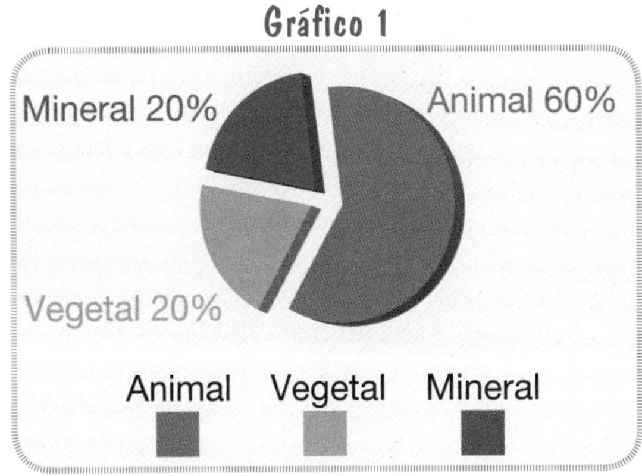

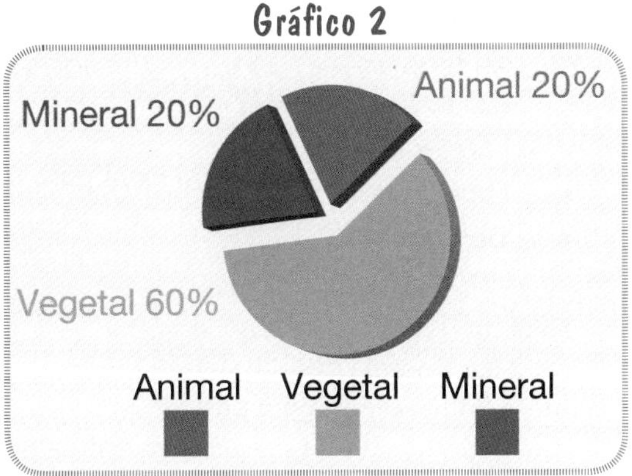

5 Conversen: ¿todos eligieron el mismo? ¿Por qué? Busquen en este capítulo información sobre el consumo adecuado de alimentos.

6 Completen la red conceptual con ejemplos.

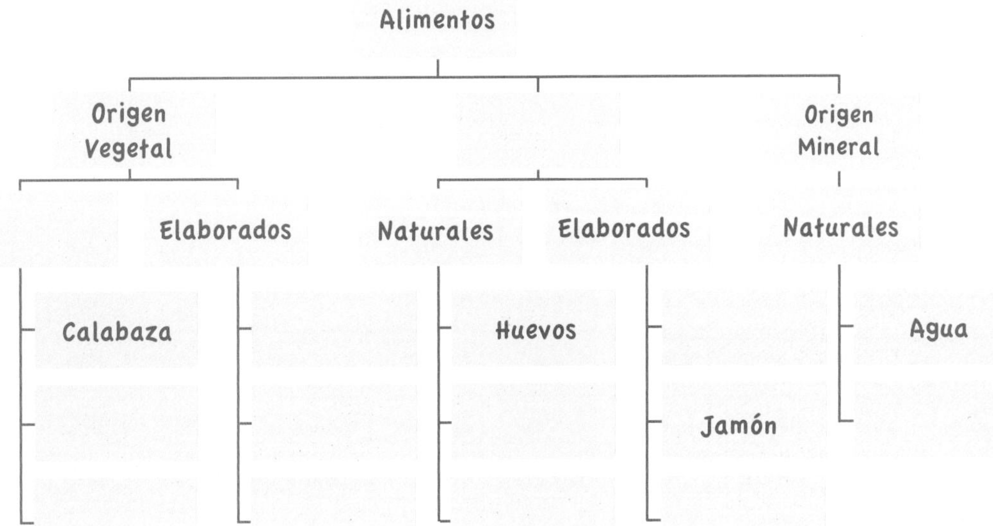

Registren en sus cuadernos el origen de los alimentos que ingieren a lo largo de un día y si son naturales o elaborados. Luego representen esa información en un gráfico, cuadro o tabla.

¿Dónde están los negocios?

Se necesita

- El cuadro de números que está en esta página
- Las 8 figuritas del recortable
- Lápiz y goma
- Un cuaderno o algo que sirva para que un equipo no pueda ver el tablero del otro
- Dos parejas para jugar

Reglas

1. Cada pareja decide dónde poner sus "negocios" y los pega en distintos casilleros del cuadro de esta página.
2. Por turnos, cada equipo va arriesgando dónde tienen ubicados los negocios los chicos del equipo contrario. Para eso, dicen el número donde suponen que hay alguna figurita.
3. Deben ir registrando los resultados en el cuadro de control. Por ejemplo, si no acertaron, hacen una ✘ en el casillero del número arriesgado.
4. Si aciertan, el equipo contrario debe avisarles que encontraron un negocio y cuál es, para que puedan anotarlo en su cuadro de control. Luego le toca arriesgar al otro equipo.
5. Gana el equipo que encontró todos los negocios de los contrarios, o el que haya encontrado más negocios cuando la maestra dé por finalizado el juego.

Regularidades de la serie numérica oral y escrita.

	10	20	30	40	50	60	70	80	90
1.000	1.010	1.020	1.030	1.040	1.050	1.060	1. 070	1.080	1.090
1.100	1.110	1.120	1.130	1.140	1.150	1.160	1.170	1.180	1.190
1.200	1.210	1.220	1.230	1.240	1.250	1.260	1.270	1.280	1.290
1.300	1.310	1.320	1.330	1.340	1.350	1.360	1.370	1.380	1.390
1.400	1.410	1.420	1.430	1.440	1.450	1.460	1.470	1.480	1.490
1.500	1.510	1.520	1.530	1.540	1.550	1.560	1.570	1.580	1.590
1.600	1.610	1.620	1.630	1.640	1.650	1.660	1.670	1.680	1.690
1.700	1.710	1.720	1.730	1.740	1.750	1.760	1.770	1.780	1.790
1.800	1.810	1.820	1.830	1.840	1.850	1.860	1.870	1.880	1.890
1.900	1.910	1.920	1.930	1.940	1.950	1.960	1.970	1.980	1.990

Para después de jugar...

1 Lean lo que están haciendo estos chicos y conversen.

Para marcar el 1.750 en la grilla de control, nosotros buscamos la fila del 1.700 y la columna de los 50. Lo encontramos donde se cruzaban.
¿Cómo hacían ustedes para buscar rápido los números que tenían que marcar?

2 Descubran en qué números están ubicados los negocios.

F, V, K (KIOSCO), P

	10	20	30	40	50	60	70	80	90
1.000						V			
1.100		A							
1.200									
1.300									
1.400				P	L				
1.500			F				K		
1.600									
1.700	H								
1.800									
1.900									J

A (ALMACEN), L, J, C (CYBER)

- *¿En qué número pusieron el cíber?* ☐
- *¿Y la farmacia?* ☐
- *¿Y la veterinaria?* ☐
- *¿Qué negocio fue ubicado en un número mayor que 1.750?* ....
- *¿Y en un número menor que 1.400?* ....

3 Lean y respondan.

- *Un equipo colocó un pelotero en un número que tiene un 8 en el lugar de los dieces. ¿En qué número estaba? ¿Hay una sola posibilidad? ¿Cuántas hay?*

....

- *Agreguen una pista más a la que dio ese equipo para que solo haya una posibilidad.* ....

Panadería "Todo rico"

Todos los lunes, de madrugada, llega un camión a la panadería. Don Antonio, el panadero, recibe 286 kilos de harina blanca y 139 kilos de harina integral para elaborar el pan de la semana. ¿Cuántos kilos de harina bajan del camión?

Así lo resolvieron dos chicos de 3º:

Paula

```
   286
+
   139
  ----
    15
+  110
   300
  ----
   425
```

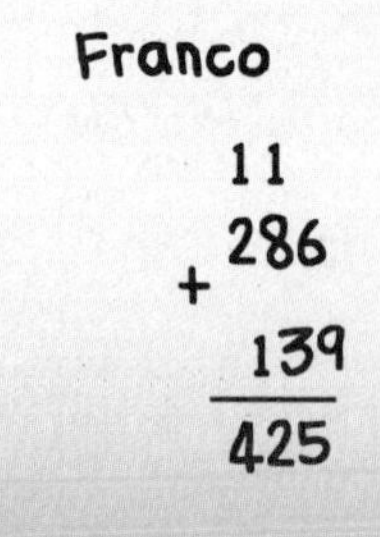

 Conversen sobre cómo pensó su cuenta cada chico.

- *¿Dónde está el 15 en la cuenta de Franco? ¿De dónde salió el 110 en la cuenta de Paula? ¿Y el 300?*
- *¿Alguno de ustedes resolvió la suma de otra manera?*

 Resuelvan estas sumas a la manera de Paula y a la manera de Franco.

178 + 439 **y** 674 + 236

 Resuelvan el problema en el cuaderno.

- *Don Antonio compró 340 bolsas chicas y 280 grandes para entregar el pan. ¿Cuántas bolsas compró en total?*

 Lean el problema y las cuentas que hicieron los chicos para resolverlo.

- *En la panadería quedaron 59 cajas de bombones. Don Antonio recibió más cajas de bombones. Ahora tiene 260 cajas. ¿Cuántas recibió?*

Analía: 260 – 59 = 201	Pablo: 59 + 1 + 200 = 260
Recibió 201 cajas.	Le trajeron 201.

- *¿Están de acuerdo? ¿Los dos lo resolvieron bien? ¿Cómo lo saben?*

  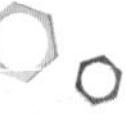

Don Antonio y sus ayudantes prepararon en la primera tanda 659 facturas. Le vendieron 275 al bar "Los arrayanes". ¿Cuántas facturas quedaron para vender en la panadería?

Estas son las cuentas que hicieron otros chicos de 3°:

Agustina

659 - 275 =

9 - 5 = 4

150 - 70 = + 80

500 - 200 = 300

384

Lucio

$$\begin{array}{r} 659 \\ -\ 275 \\ \hline 384 \end{array}$$

5 Miren bien las cuentas de los chicos y conversen.

- *¿Cómo agrupó Agustina los números para restarlos?*
- *¿Por qué usó un 150? ¿De dónde sacó el 500?*
- *¿Dónde están el 150 y el 500 en la cuenta de Lucio?*
- *¿Por qué Agustina hizo también una suma?*

6 Resuelvan estas restas a la manera de Agustina y de Lucio.

752 - 176 =   424 - 277 =

7 Calculen los datos que faltan y completen el cuadro.

- *Estas son las facturas que se elaboraron en "Todo rico" y las que se vendieron al bar "Los arrayanes" el resto de la semana.*

	MARTES	MIÉRCOLES	JUEVES	VIERNES
Cantidad de facturas elaboradas	456	516	1.248	912
Cantidad de facturas vendidas	372	168	468	
Cantidad de facturas que quedan en la panadería				356

Situaciones de suma y resta. Análisis de diferentes algoritmos.

Para comerte mejor

1 Lean esta versión de la receta para preparar niños envueltos.

"Niños envueltos" (para 6 porciones)

¡No! Yo no quiero comer niños... ¡Qué horror!

Ingredientes
- 12 hojas de acelga
- 12 fetas de jamón cocido
- 1 taza de arroz blanco cocido
- 4 cucharadas de queso crema
- 1 lata de salsa para pastas
- Queso rallado a gusto
- 2 cucharadas de perejil picado
- Sal y orégano a gusto

Preparación
1. Pasar las hojas de acelga (previamente lavadas) por agua hirviente y escurrir.
2. Mezclar el arroz cocido, el queso crema y los condimentos en un recipiente.

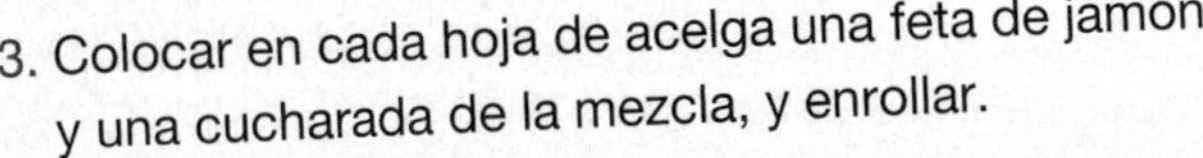

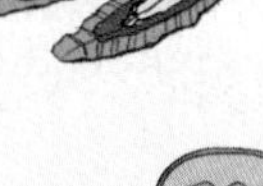

3. Colocar en cada hoja de acelga una feta de jamón y una cucharada de la mezcla, y enrollar.

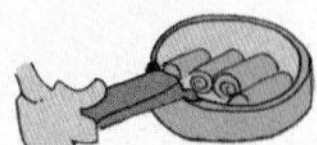

4. Colocar todos los rollitos en una sartén, previamente aceitada, y agregarle salsa y queso rallado.
5. Calentar unos minutos y servir.

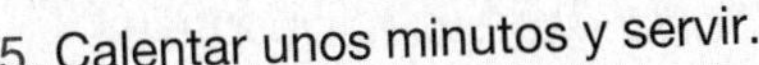

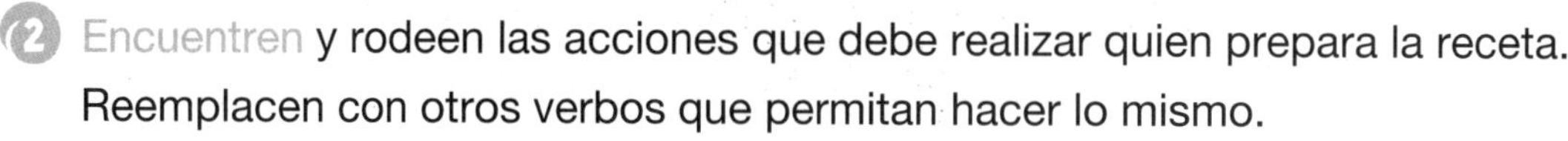

2 Encuentren y rodeen las acciones que debe realizar quien prepara la receta. Reemplacen con otros verbos que permitan hacer lo mismo.

Por ejemplo: Colocar reemplazo por poner.

Un **texto instructivo** orienta y organiza las acciones de las personas para poder realizar algo en particular, ya sea elaborar una comida, participar de un juego, construir un mueble, hacer funcionar un aparato, etcétera.

3 Observen las acciones de otras personas. ¿Qué cosas de la vida cotidiana necesitan instrucciones para hacerlas?

....

....

4 Numeren las instrucciones considerando qué se hace primero y qué después, según la experiencia que tienen en lavar zapatillas.

Instrucciones para lavar zapatillas

Materiales
- Zapatillas
- Cepillo de cerdas duras
- Jabón en polvo (1 vaso)
- Balde
- Agua (cantidad necesaria)

Pasos a seguir:
- [ ] **Colgar** las zapatillas al sol.
- [ ] **Dejar** media hora en remojo.
- [ ] **Colocar** agua en el balde.
- [ ] **Cepillar** las zapatillas.
- [ ] **Introducir** las zapatillas en el balde.
- [ ] **Enjuagar** con agua limpia.
- [ ] **Agregar** jabón en polvo al agua.

Las **acciones** que realizamos, como **correr** o **hablar**, los acontecimientos de la naturaleza, como **nevar** o **llover**, y los estados de ánimo, como **llorar** o **reír**, son palabras que se denominan **verbos**.

Elijan y escriban las instrucciones para...
- **tender la cama**
- **andar en bicicleta**
- **lavarse los dientes**

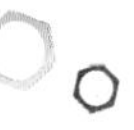

Palabras cruzadas

Instrucciones del juego

Palabras cruzadas es un juego cuyo objetivo consiste en formar palabras de manera horizontal (de izquierda a derecha) o vertical (de arriba abajo). Trabajen en equipo con un compañero.

1. Elijan un tema para escribir las palabras.
2. Escriban en una lista varias palabras relacionadas.
3. Crucen las palabras escribiéndolas en un papel en blanco.
4. Preparen el crucigrama en blanco para que otro equipo juegue.
5. Hagan las pistas: mezclen las letras de cada palabra que usaron.
6. Preparen el cuadro de letras: todas las letras necesarias para formar cada palabra, ordenadas alfabéticamente.
7. Escondan el cuadro resuelto.
8. Pasen la grilla vacía y los cuadros de letras y pistas a los compañeros que ustedes elijan para que la resuelvan.
9. Ellos irán tachando las letras usadas.

1 Jueguen con estas palabras cruzadas que preparó un equipo.

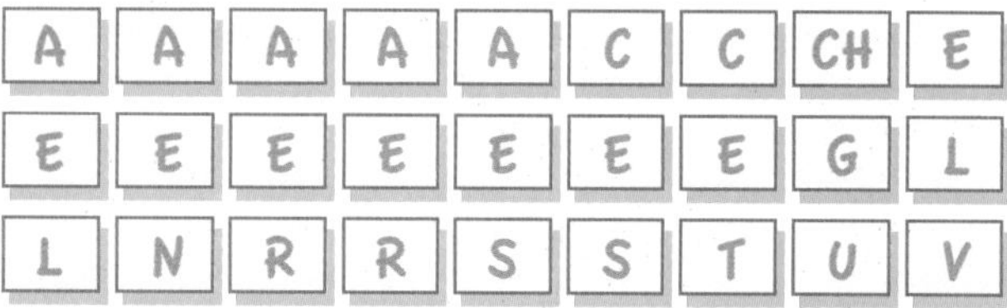

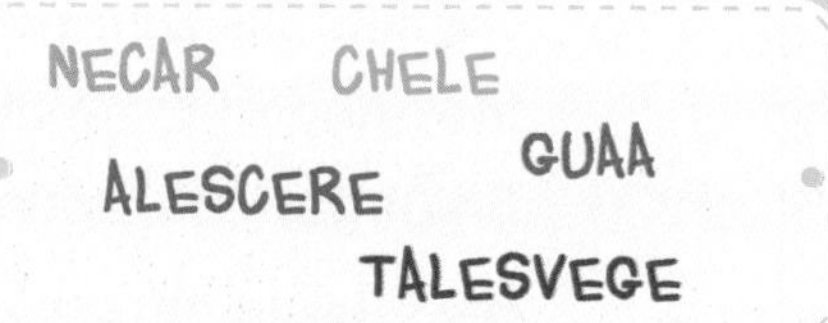

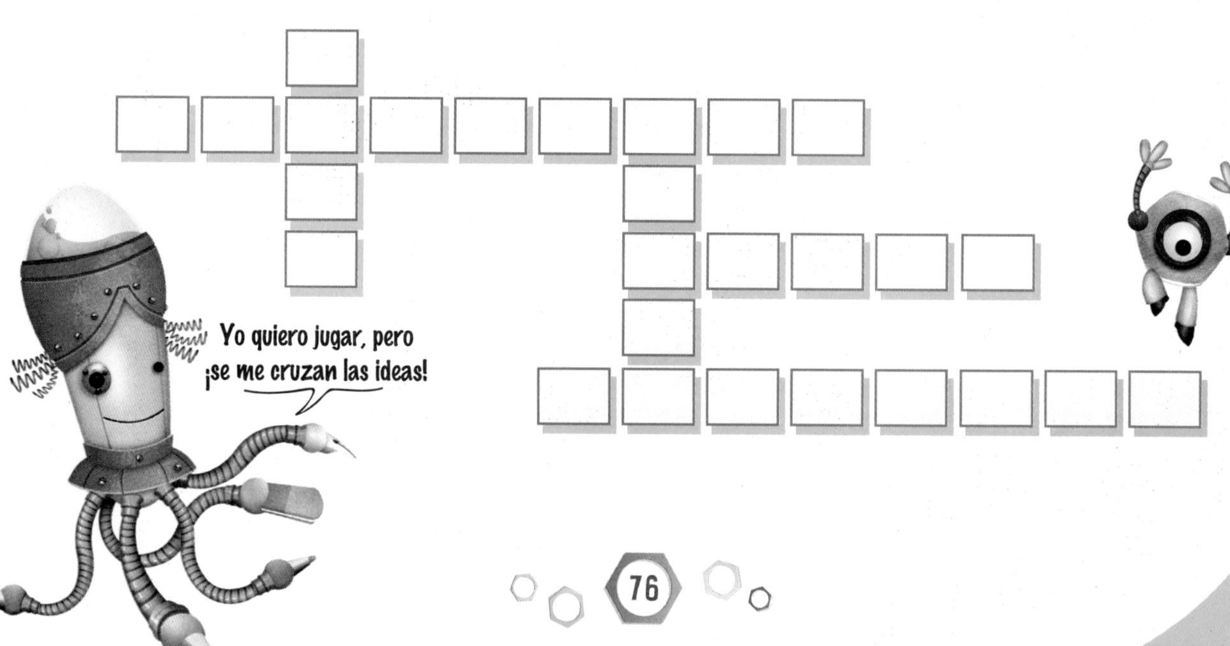

Yo quiero jugar, pero ¡se me cruzan las ideas!

Instructivos comprendidos

A la hora de leer o escribir textos instructivos, no deben faltar elementos clave para poder entenderlos. Por ejemplo, una receta de helado debe tener:

- *Ingredientes (cantidades justas).*
- *Pasos a seguir, es decir, las acciones para cocinar, ordenadas y con detalles.*

1. Piensen entre todos y escriban qué elementos no deben faltar a la hora de escribir o leer un texto instructivo para armar una pista de autos de carrera.

   ....

   ....

   ....

2. Busquen recetas para preparar algo rico en la escuela y que no requiera cocción. Voten una y háganla entre todos.

3. Analicen, luego de hacer la receta:
   - *¿Las instrucciones resultaron claras?*

     ....

   - *¿En qué momento se observaron dificultades?*

     ....

   - *¿Qué mejorarían en esta experiencia?*

     ....

Realicen en sus casas alguna receta dulce. Tráiganla escrita y armen un recetario para compartir con el resto de la escuela.

Nuestro cuerpo

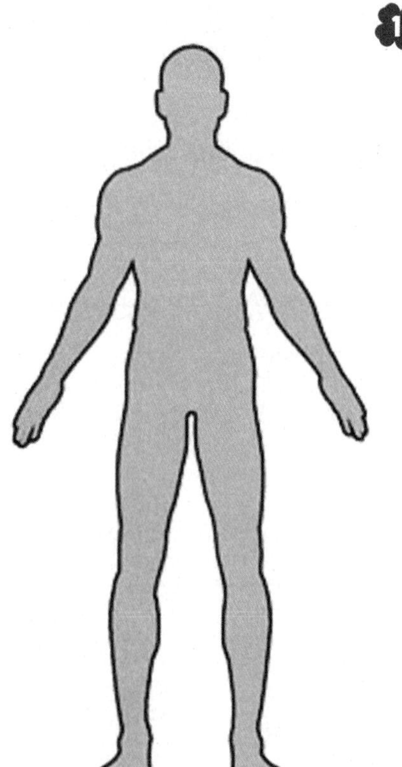

1 Dibujen en la silueta los órganos internos y otras partes del cuerpo que conozcan. Escriban las referencias.

Nuestro cuerpo es un **conjunto de sistemas orgánicos** que nos mantienen vivos. El límite es la **piel**, que funciona como primera barrera frente a las enfermedades.

En el interior del cuerpo están los **órganos** que conforman **sistemas** en interacción y desarrollan diversas funciones. Por fuera, vemos diferentes partes: la cabeza, el cuello, el tronco y las extremidades superiores e inferiores.

En la **cabeza** tenemos **órganos** para percibir el mundo y relacionarnos. Ellos le envían información al **cerebro** por medio de cinco **sentidos**: la vista, el olfato, el oído, el gusto y el tacto. Así, percibimos **estímulos** y respondemos.

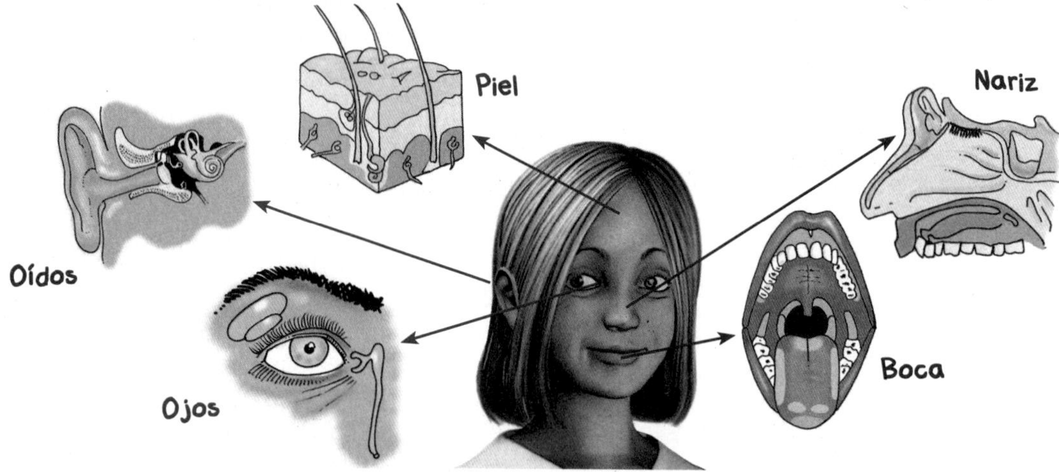

2 Copien este cuadro en sus cuadernos y complétenlo:

ÓRGANOS	SENTIDO	FUNCIÓN: Nos permite...	POR EJEMPLO
OJOS			

La respiración

¿Cómo nos mantenemos vivos? Hay dos acciones claves: **respiramos** y **comemos**.Todo el tiempo **respiramos** y de esta manera **tomamos** el oxígeno del aire y eliminamos un gas que nos resulta tóxico: el dióxido de carbono.

Varias veces al día **comemos**. Así **obtenemos** energía y materiales para funcionar, reparar y crecer. También **eliminamos** las sustancias que nos resultan tóxicas a través de la orina, la materia fecal y la transpiración.

Respirar y comer, dos acciones que le permiten al corazón latir y al cerebro dirigir las funciones de nuestro cuerpo.

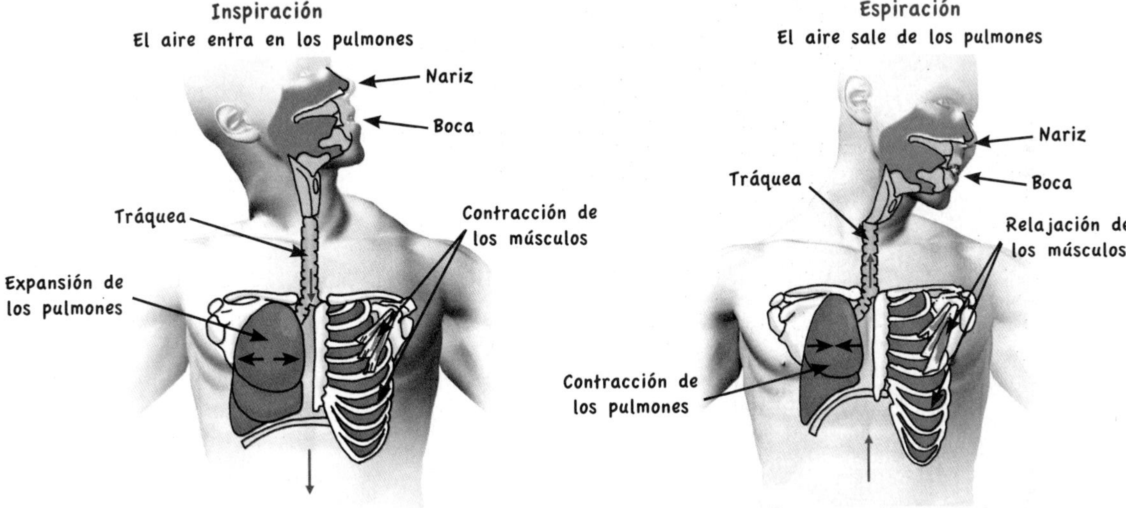

1 Pongan una mano a la altura de su diafragma mientras respiran. Sientan los movimientos de su cuerpo. ¿Qué órganos están en actividad en el interior del tórax?

2 Dibujen dentro de la silueta los órganos que pudieron sentir.

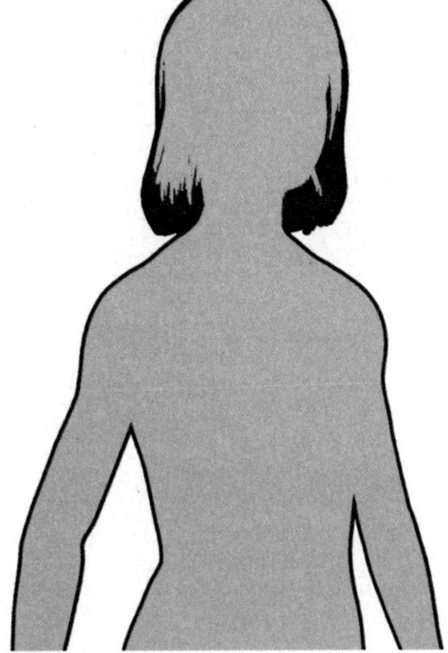

Todos los seres vivos necesitan respirar para poder vivir, aunque algunos no tiene pulmones. Las plantas, por ejemplo, respiran por las hojas; los peces, por las branquias; ¡cada uno a su manera!

Los gustos del día

La mañana tiene gusto a pan tostado.
La tarde... ¡a mandarinas! ¿La han probado?
La noche es muy sabrosa,
me sabe a tantas cosas...
Es un bombón de licor todo estrellado.

Elsa Bornemann, en
El espejo distraído, Alfaguara.

Negocio inmobiliario

La inmobiliaria del pueblo ofrece algunas casas de campo que están en venta. Este es el plano de una de ellas.

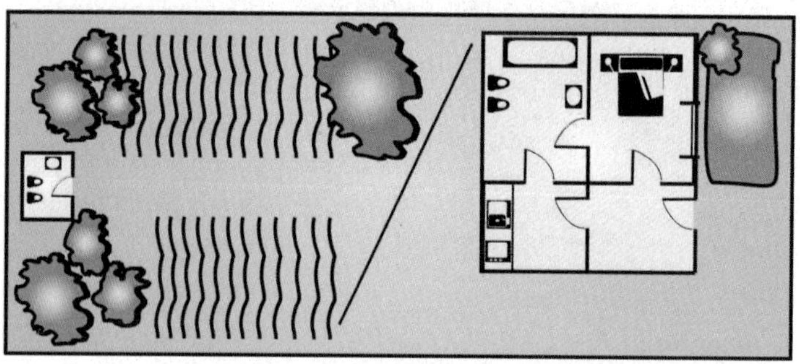

1 Completen la ficha de la casa de arriba.

Dormitorios		Baño	
Cocina	1	Comedor	
Placar		Garaje	
Ventanas		Puertas	
Huerta		Árboles frutales	

Este otro plano pertenece a una casa de la zona urbana.

2 Unan con flechas cada cartel con el lugar de la casa que corresponda.

Comedor

Patio

Dormitorio

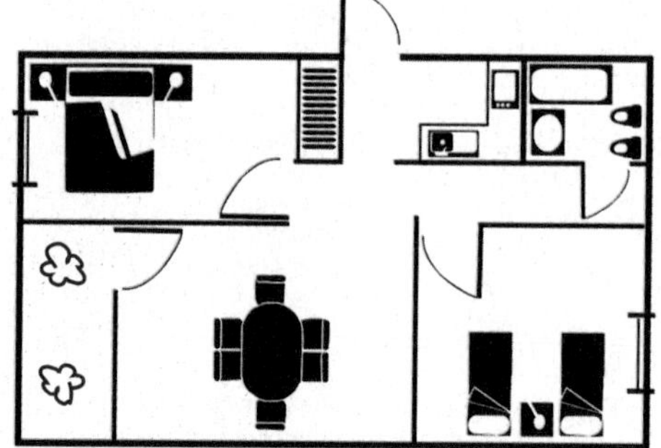

Baño

Cocina

Dormitorio

Placard

3 Respondan.

- *¿Cómo se dieron cuenta dónde estaba el comedor? ¿Y la cocina? ¿Y el baño?*

....

- *¿De qué manera se indica en los planos que hay una puerta?*

- *Conversen: ¿cómo se ven las sillas en el plano? ¿Por qué?*

Producción e interpretación de dibujos y planos.

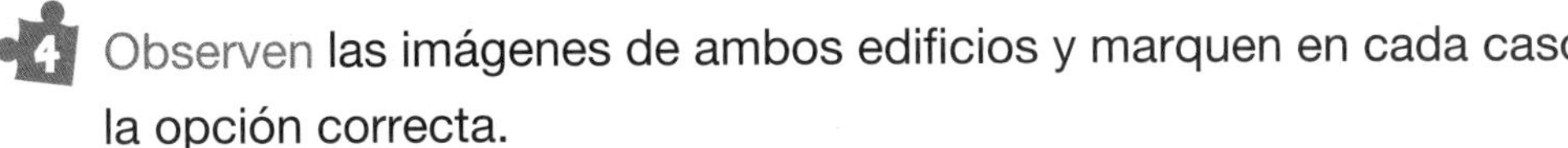

4 Observen las imágenes de ambos edificios y marquen en cada caso la opción correcta.

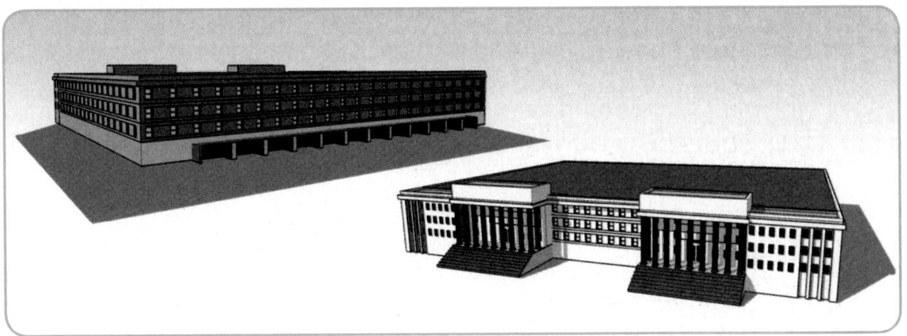

Imagen 1		*Imagen 2*	
Es una imagen del frente del edificio		Es una imagen del frente del edificio	
Es una imagen lateral del edificio		Es una imagen lateral del edificio	
Es una imagen de la parte de atrás del edificio		Es una imagen de la parte de atrás del edificio	

5 Trabajen con estas fotos de un barrio.

- *Señalen con una ✘ dónde estaba el fotógrafo en cada caso.*

- *Paula dice que esta foto se sacó desde un helicóptero. ¿Qué opinan? ¿Cómo se dio cuenta?*

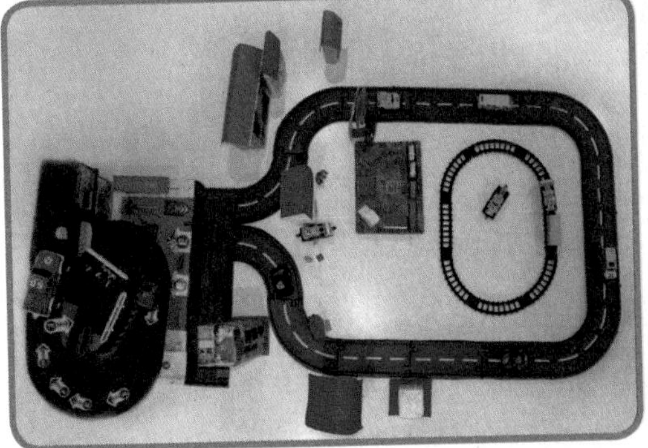

Un señor llamado Pitágoras

Hace muchos, muchísimos años, un matemático llamado Pitágoras propuso una tabla como esta. En ella aparecen organizados todos los productos de los números del 1 al 10.

Esta es una tabla vacía para que la completen siguiendo las consignas de abajo.

¡Vamos a pensar como Pitágoras!

x	1	2	3	4	5	6	7	8	9	10
1										
2										
3										
4										
5										
6										
7										
8										
9										
10										

La tabla pitagórica.

1 Completen en la tabla la columna y la fila del 2.

2 Descubran a qué filas y columnas pertenecen estas porciones de tabla. Cópienlas donde corresponda.

	8	12	16	20	24	28	32	36	

	12	18	24	30	36	42	48	54	

3 Completen estas filas.

Fila del 5	5									50
Fila del 10	10									100

4 Relacionen cada número de la tabla del 5 con el correspondiente de la tabla del 10. ¿Notaron algo? ¿Pueden sacar alguna conclusión?

Más trabajo con la tabla

1 Carlitos dice que si sumamos cada resultado de la columna del 3 con los de la columna del 6 obtenemos los resultados de la columna del 9. Completen las columnas sombreadas. Verifiquen si es cierto.

x	1	2	3	4	5	6	7	8	9
1			3			6			9
2			6			12			
3			9			18			
4			12			24			
5			15			30			
6			18			36			
7									
8									
9									
10									

La tabla del 7 la puedo completar con la tabla del 5 más la del 2.
Florencia

2 Lean lo que dice Florencia y escriban algunos ejemplos que ayuden a comprobarlo.

....

Yo encontré que 7 x 8 es lo mismo que 8 x 7.

3 Completen el resto de la tabla pitagórica ayudándose con las ideas de los chicos.

4 Escriban tres cálculos de la tabla que den el mismo resultado.

....

5 Busquen qué pares de números multiplicados dan estos resultados (escriban todas las posibilidades).

24: .... 36: ....

40: .... 49: ....

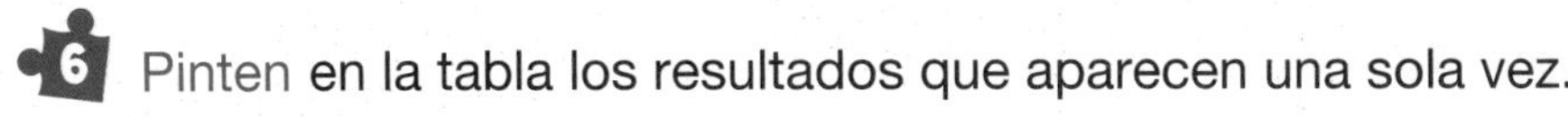

6 Pinten en la tabla los resultados que aparecen una sola vez.

Exploración de relaciones en la tabla pitagórica.

Maestro de instrucciones

El escritor Julio Cortázar, en uno de sus libros, *Historias de cronopios y de famas*, escribió muchas instrucciones, divertidas y alocadas, como “Instrucciones para llorar” o “Instrucciones para subir una escalera”.

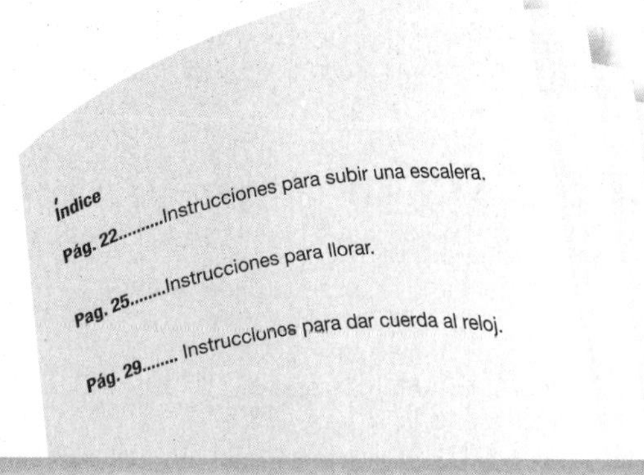

El índice te puede ayudar a encontrar más rápido lo que buscás.

1 Busquen en bibliotecas el libro mencionado y lean juntos alguna de estas instrucciones.

Para saber algo más sobre Julio Cortázar

Estas instrucciones no se parecen a las que han estado encontrando en diarios, libros y revistas, ya que el escritor tuvo la intención de desarrollar una idea propia en forma artística y logró un texto de gran belleza literaria.

Julio Cortázar nació en Bruselas, Bélgica, en 1914. Se educó en la Argentina, donde adoptó su nacionalidad. Estudió Letras y fue maestro rural. Murió en París, en 1984.

2 Elijan y escriban en pequeños grupos instrucciones para conmover al lector.

- *Instrucciones para besar en la mejilla.*
- *Instrucciones para masticar chicle.*
- *Instrucciones para conocer a alguien.*
- *Instrucciones para gritar.*
- *Instrucciones para lavarse los dientes.*

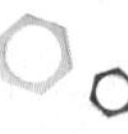

¡A este mensaje le faltan puntos y comas!

Punto y coma

Una niña de tercer grado escribió este mensaje:

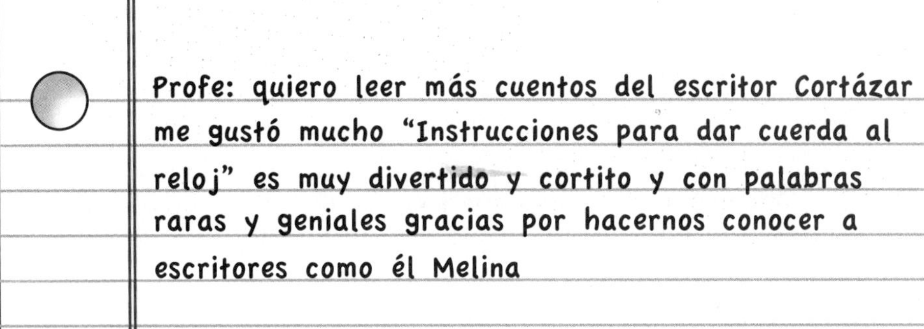

Profe: quiero leer más cuentos del escritor Cortázar me gustó mucho "Instrucciones para dar cuerda al reloj" es muy divertido y cortito y con palabras raras y geniales gracias por hacernos conocer a escritores como él Melina

Los signos de puntuación sirven para dar mayor claridad y sentido a un texto.
Hay tres clases de puntos:
PUNTO Y SEGUIDO: ordena varias ideas que tienen relación.
PUNTO Y APARTE: se utiliza cuando lo que se va a decir no tiene relación con lo anterior. Se escribe en el renglón siguiente, dejando sangría.
PUNTO FINAL: se usa al terminar un texto.
Otro signo de puntuación es la **COMA,** que indica una pausa breve en el interior de la oración. Muchas veces sirve para enumerar.

1 Coloquen los signos de puntuación correspondientes para que se entienda el mensaje de la niña.

Entrevisten a cinco personas adultas y pregunten si saben quién es Julio Cortázar. Por cada respuesta afirmativa marquen un casillero. Por cada respuesta negativa, otro.
Comparen resultados en el aula y saquen sus conclusiones.

SÍ					
NO					

Nuestros sistemas

En el interior del cuerpo encontramos diferentes **sistemas** que están todos **interconectados** y funcionan de manera **interrelacionada**.

- El sistema circulatorio conduce la sangre, transportando el oxígeno y los nutrientes por nuestro cuerpo; el corazón es la bomba que la impulsa y la lleva hacia los pulmones para que la oxigenen.
- El sistema digestivo se encarga de tomar y procesar los alimentos en el estómago para aprovechar los nutrientes. Luego, desde los intestinos ingresan a la sangre.
- El **sistema excretor** nos permitirá eliminar las toxinas de la sangre que filtran los riñones.
- El sistema respiratorio es el que permite oxigenar nuestro cuerpo eliminando el dióxido de carbono.
- El sistema óseo artromuscular está conformado por huesos, músculos y articulaciones. Funciona como sostén de toda nuestra estructura, y nos permite movernos y estar erguidos.
- El sistema nervioso también interviene en las funciones de movimiento y en el procesamiento de la información en el cerebro.

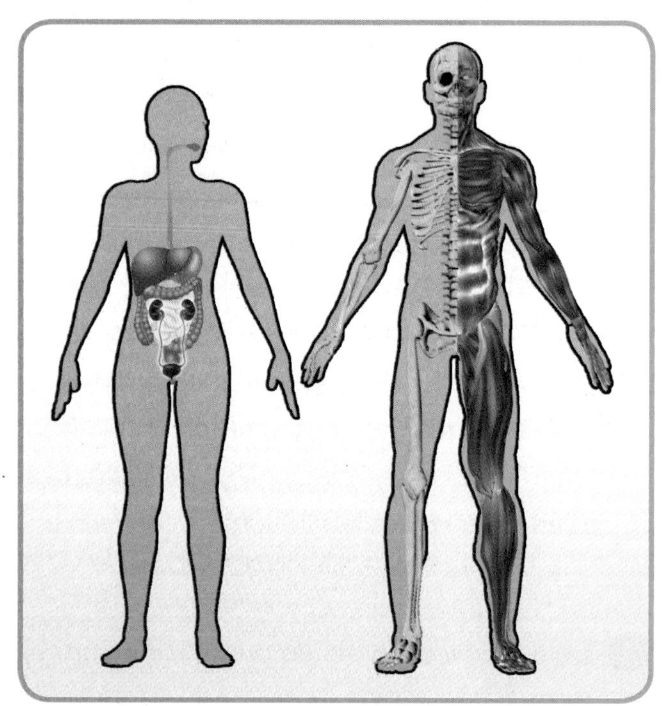

Nocián de sistemas. Estructuras y funciones.

1 Listen en sus cuadernos los órganos del recuadro.

- Escriban al lado de cada uno a qué sistema pertenece.
- Luego, hagan otra flechita y escriban cuál es su función.

corazón ⟶ **sistema circulatorio** ⟶ **impulsa la sangre por el cuerpo**

CORAZÓN RIÑONES MÚSCULOS INTESTINO PULMONES HUESOS ESTÓMAGO

Comer y alimentarse

¡Desde la boca hasta el ano el tubo digestivo de un adulto mide más de 11 metros!

Para nutrir nuestro cuerpo es necesario transformar los alimentos para que puedan ser aprovechados; el **sistema digestivo** es el encargado de realizar esta función.

Está compuesto por órganos especializados que son: la **boca**, la **faringe**, el **esófago**, el **estómago** y los **intestinos delgado** y **grueso**.

La **boca** y los **dientes** son los encargados de triturar los alimentos y la saliva los humedece. Lo que tragamos ya es diferente de la comida que teníamos en el plato, y cada bocado se ha transformado en un **bolo alimenticio** que pasa por la **faringe** y el **esófago** hasta llegar al **estómago**.

Allí, como la ropa que está dentro del lavarropas, es agitado, mezclado y mojado nuevamente, pero esta vez por jugos gástricos. El bolo alimenticio se transforma en **quimo**, una pasta blanda. El quimo pasa al **intestino delgado** donde recibe nuevas descargas de jugos, la bilis y los jugos del páncreas.

El quimo se convierte en **quilo**, una pasta más líquida. Otros nutrientes se desprenden, atraviesan las paredes del intestino delgado y pasan a la sangre. Lo que no es aprovechado como nutriente, sigue hasta el **intestino grueso**, donde se elimina a través del **ano**.

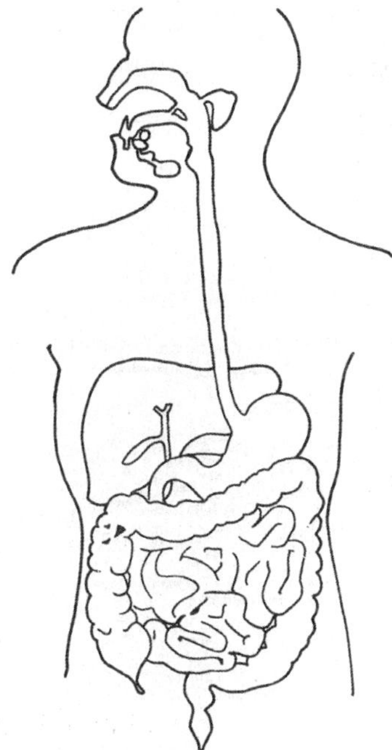

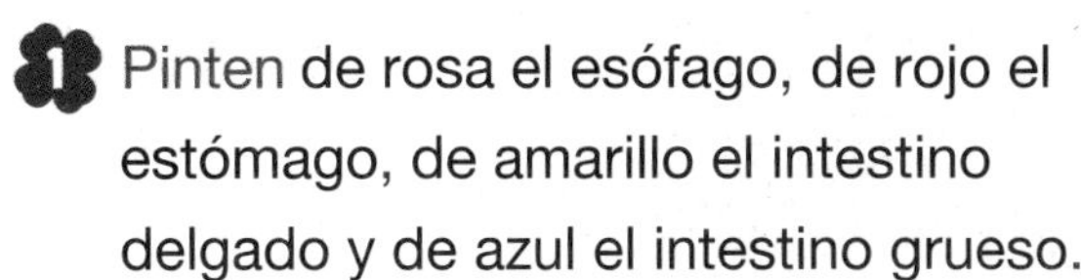

1 Pinten de rosa el esófago, de rojo el estómago, de amarillo el intestino delgado y de azul el intestino grueso.

Observen y describan qué ocurre en la boca cuando mastican una galletita o un alfajor.

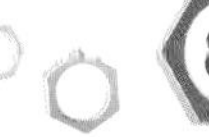
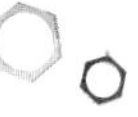

Nutrición

Dentro de la gran variedad de alimentos posibles para ser consumidos, existen algunos más saludables que otros. La cantidad y los aportes que cada grupo nos aporta están representados en el **óvalo de la nutrición**.

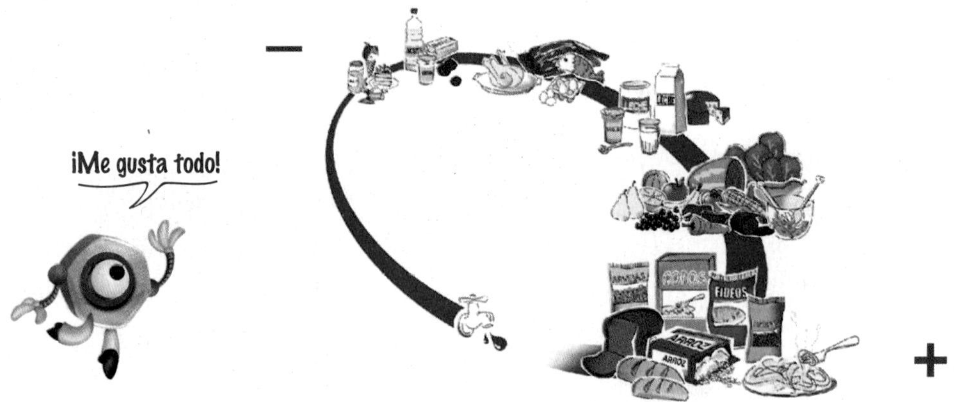

El secreto del óvalo está en el grosor de la línea: donde es más gruesa, significa que hay que consumir mayor cantidad de alimentos de ese tipo, y donde es más angosta, menor cantidad. El orden es, entonces, de mayor a menor cantidad de legumbres y cereales naturales y elaborados, luego frutas y verduras, lácteos, en menor proporción carnes, aceites y grasas, y finalmente azúcares elaborados. En todo momento y con todo tipo de alimentos, consumir agua.

1. Observen el óvalo nutricional y completen el cuadro con ejemplos para cada grupo de alimentos.

Grupo 1: Cereales y legumbres	Grupo 2: Frutas y verduras	Grupo 3: Lácteos	Grupo 4: Carnes	Grupo 5: Aceites y grasas	Grupo 6: Azúcares

2. Pinten con verde la columna del grupo de alimentos que se puede consumir en mayor cantidad y con rojo la columna de los que se deben consumir en menor cantidad.

Aprendemos a alimentarnos

Nuestro cuerpo es único e irreemplazable. Por eso hay que cuidarlo mucho, para que siempre funcione correctamente. Para ello no solo es necesario incorporar **nutrientes** que favorezcan nuestra alimentación, sino que también tenemos que cuidar su conservación e higiene. En los alimentos elaborados es fundamental leer la fecha de elaboración y vencimiento. También su composición, que está en todas las etiquetas.

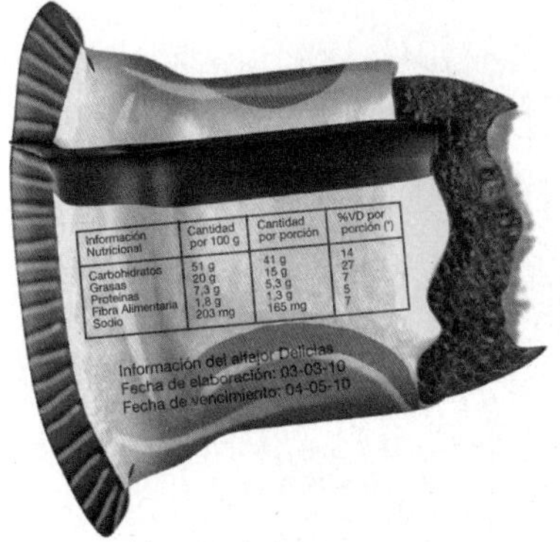

Información Nutricional	Cantidad por 100 g	Cantidad por porción	%VD por porción (*)
Carbohidratos	51 g	41 g	14
Grasas	20 g	15 g	27
Proteínas	7,3 g	5,3 g	7
Fibra Alimentaria	1,8 g	1,3 g	5
Sodio	203 mg	165 mg	7

Información del alfajor Delicias
Fecha de elaboración: 03-03-10
Fecha de vencimiento: 04-05-10

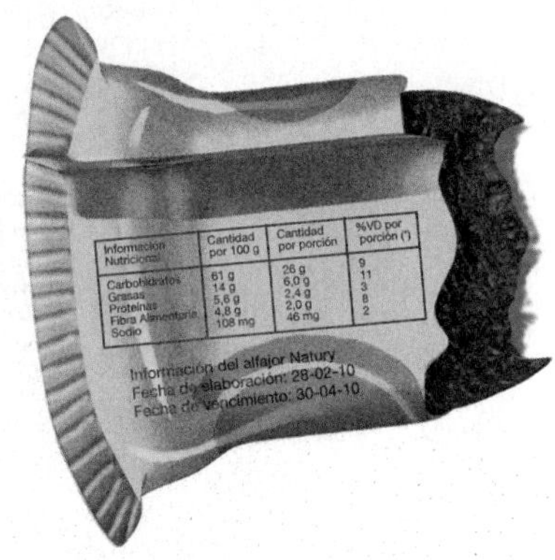

Información Nutricional	Cantidad por 100 g	Cantidad por porción	%VD por porción (*)
Carbohidratos	61 g	26 g	9
Grasas	14 g	6,0 g	11
Proteínas	5,6 g	2,4 g	3
Fibra Alimentaria	4,8 g	2,0 g	8
Sodio	108 mg	46 mg	2

Información del alfajor Natury
Fecha de elaboración: 28-02-10
Fecha de vencimiento: 30-04-10

1 Observen las etiquetas.

- *¿Cuál es el alfajor que vence antes?*
- *¿Cuál se elaboró primero?*
- *¿Cuál contiene menos grasas?*
- *¿Cuál contiene más azúcares?*
- *¿Cuál elegirían para comer y por qué?*

Para prevenir enfermedades y favorecer el cuidado de nuestro cuerpo es importante tener en cuenta la higiene personal y la de los utensilios que utilizamos para alimentarnos, ya que por la boca además de alimentos pueden ingresar bacterias y otros microorganismos que suelen provocar enfermedades. Hay alimentos que para conservarse necesitan frío, y no pueden consumirse si han sido dejados a temperatura ambiente. A este grupo pertenecen por ejemplo los lácteos, las carnes y otros alimentos frescos que son rápidamente contaminados por bacterias. En las etiquetas se indica cuándo es necesario mantener el producto refrigerado.

Dibujen dentro de una heladera los alimentos que necesitan frío para conservarse.

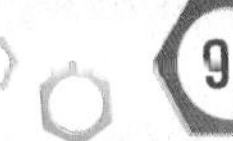

¡A tocar los alimentos!

Los alimentos que consumimos, como los objetos que nos rodean, tienen diferentes texturas: algunos son suaves o ásperos, otros son rugosos o lisos, pero todos siempre nos dicen algo cuando los tocamos.

1 Aprender a mirar y a tocar

¿Qué textura tiene cada uno de estos alimentos?

....

....

2 Para conversar entre todos

Pudieron responder porque tienen **memoria táctil**, es decir, recuerdan haber tocado cada alimento con su manos... ¡pero también con su lengua! Por eso, al ver los alimentos, recordaron sensaciones táctiles, llamadas **texturas**.

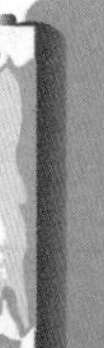

Para saber más

Las texturas son visuales cuando solo pueden ser captadas por la vista, pero no responden al tacto.

Las texturas son táctiles cuando las percibimos por medio del tacto.

Creando texturas

En el arte, algunos materiales sirven para crear texturas táctiles, como las témperas espesas, las colas de pegar de colores, el engrudo...

Pero también podemos crear texturas visuales con pocos elementos.

1 Manos en acción

La moneda escondida

Reconocemos la textura táctil al tocarla con la mano, y la visual, al verla.

Materiales
- Lápices de colores
- Hojas en blanco
- Monedas

Pasos a seguir
1. Coloquen la moneda debajo del recuadro, dando vuelta la página del libro.
2. Pinten suavemente con un color en el lugar donde se encuentra la moneda.
3. Verán como aparece el dibujo de la moneda.
4. Repitan los pasos con otras monedas y colores.
5. Pueden hacerlo también en hojas en blanco.

¡Ahora tienen dinero para jugar!

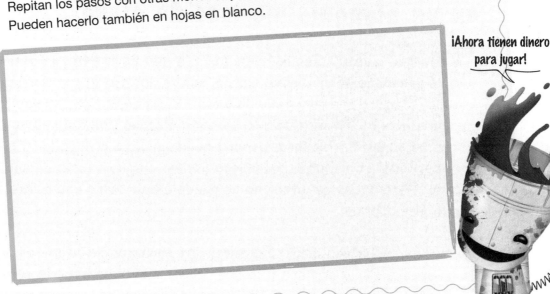

Exploración de procedimientos para crear texturas.

HAY TAREA

Tomen impresiones de juntas de baldosas, paredes, suelas de zapatillas y todo lo que se les ocurra. Luego, intercámbienlas y jueguen a adivinar dónde las consiguieron sus compañeros.

Un punto negro en un blanquísimo mar de nieve

Si te digo "oveja", ¿en qué pensás? Te doy un ratito... ¿Ya está? ¿A qué pensaste en un animal tierno, suave, lanudo y, por supuesto, blanco? Seguro que pensaste "blanco". Y sin embargo, yo soy la prueba de que no todas las ovejas son blancas. Porque yo nací negra. Como la noche más negra y sin luna, oscura como un pozo profundo. ¿Qué le voy a hacer?; así soy. Quizá, si hubiera podido elegir, habría decidido ser blanca. Pero antes de nacer no se puede elegir cómo uno quiere ser, nadie puede. Por suerte...

Ya desde chiquita empecé a sentir las miradas clavadas en mí, la diferente: fui la primera a la que retaban cuando ocurría algún accidente, la primera a la que le tomaba las tablas la maestra oveja, la primera en la que se fijó el nuevo perro pastor (que, en vez de cuidarme, parecía querer comerme). Apenas se me acercaba alguien, yo sentía que venía a reírse de mí. Así que, para pasar inadvertida, me convertí en una oveja solitaria. Diferente y solitaria.

Y todavía soy diferente, lo sé. Pero ya no me importa. Y no solo no me importa: ahora estoy orgullosa de serlo. Fue así.

Era invierno, un crudo invierno, y mi pastor estaba entretenido en su cabaña leyendo una novela de misterio. Tan concentrado estaba, que no vio que empezaba a nevar, a nevar mucho, copiosamente. Tanto que, si no hacíamos algo, quedaríamos sepultadas bajo la nieve. Entonces recordé mi refugio, una cueva en la que solía esconderme para estar sola y pensar. Y allí guié al rebaño, a salvo.

Pero nevó toda la noche y la nieve tapó la entrada. ¿Qué podíamos hacer? Explorando las paredes de la cueva, encontré un estrecho y largo pasadizo que me llevó al exterior. ¡Estábamos salvadas! Pero ninguna oveja se atrevió a meterse en la pequeña galería que me había conducido a la salvación. Las oía llorar y lamentarse, miedosas, pero ni una sola se animó a salir.

Miré el paisaje. La nieve había tapado los senderos que yo conocía. Desanimada, me senté frente a la cueva. Y escuché un ladrido: ¡nuestro perro pastor corría hacia mí! ¿Quién me defendería de sus fieros colmillos? Justo antes de huir, divisé a nuestro pastor, acercándose con una gran pala y una enorme sonrisa. Me había visto a lo lejos, un punto negro en un blanquísimo mar de nieve.

-¡Qué suerte tener una oveja negra en el rebaño! ¿No te parece, Sultán? -dijo alegremente.

Sultán no le respondió, porque los perros no hablan.

Y yo nunca más volví a sentirme triste por ser diferente. Ahora soy una orgullosa oveja negra.

Diana Briones

A vuelta de página

1 Enumeren los hechos del cuento de 1 a 7 para ordenar cómo ocurrieron las cosas.

( ) *La oveja encontró un pasadizo hacia el exterior.*

( ) *La oveja negra guió al rebaño hasta su refugio.*

( ) *La nieve tapó la entrada del refugio.*

( ) *El pastor estaba leyendo, distraído.*

( ) *Las otras ovejas no se animaron a salir.*

( ) *El pastor divisó a la oveja negra y fue a salvarlas.*

( ) *Era invierno y comenzó a nevar.*

2 Reflexionen y escriban.

- *¿Por qué al principio la oveja negra se sentía tan mal y se aisló?*

- *Cuenten algún episodio en el que se hayan sentido despreciados.*

- *¿Qué harían para ayudar a alguna persona que se siente despreciada por otros?*

Comprensión lectora.

¡Esto es el colmo!

1 Conversen:

- *¿Qué creen que es un colmo?*
- *¿Conocen alguno?*

2 Lean y marquen la palabra correcta.

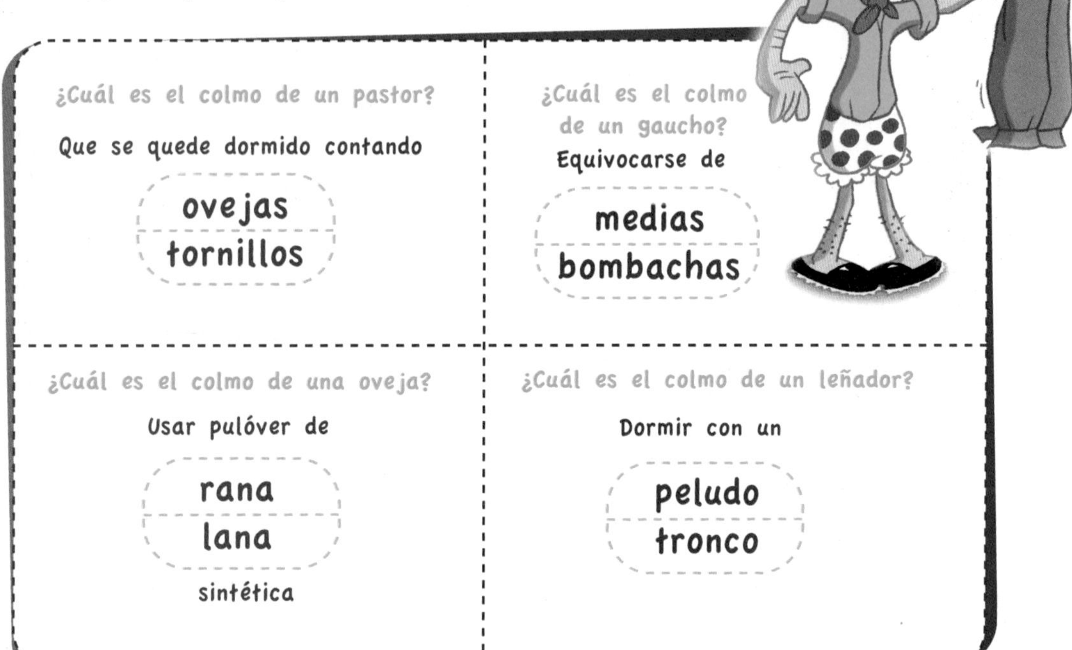

¿Cuál es el colmo de un pastor? Que se quede dormido contando ovejas tornillos	¿Cuál es el colmo de un gaucho? Equivocarse de medias bombachas
¿Cuál es el colmo de una oveja? Usar pulóver de rana lana sintética	¿Cuál es el colmo de un leñador? Dormir con un peludo tronco

3 Inventen algunos colmos.

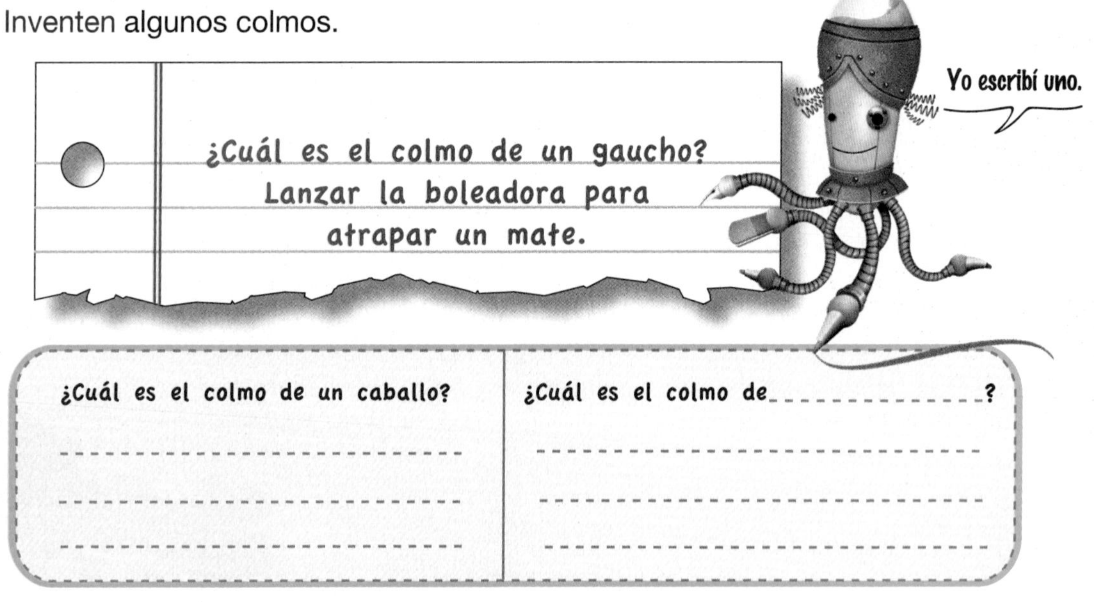

Yo escribí uno.
¿Cuál es el colmo de un gaucho?
Lanzar la boleadora para
atrapar un mate.

¿Cuál es el colmo de un caballo?	¿Cuál es el colmo de_____________?
______________________	______________________
______________________	______________________
______________________	______________________

Lectura asidua de diversos textos. Colmos.

Para pensar

1 Busquen las palabras escondidas.

N	P	H	A	B	L	A	B	A	C
A	E	B	N	E	S	T	A	B	A
D	N	A	D	S	U	A	Ñ	P	M
A	S	E	A	A	L	C	D	S	I
B	A	T	B	B	O	A	G	A	N
A	B	I	A	A	Ñ	M	M	L	A
M	A	O	L	A	C	P	T	T	B
R	E	C	O	R	D	A	B	A	A
S	O	Ñ	A	B	A	B	E	B	Y
L	L	O	R	A	B	A	H	A	J

Reflexión sobre el lenguaje. Terminación ABA.

2 Comparen las palabras que encontraron.

- *¿Qué tienen en común?*
- *Redacten en una cartulina una regla para recordar cómo escribir las palabras terminadas en ABA.*

3 Completen el chiste de acuerdo con la regla que pensaron.

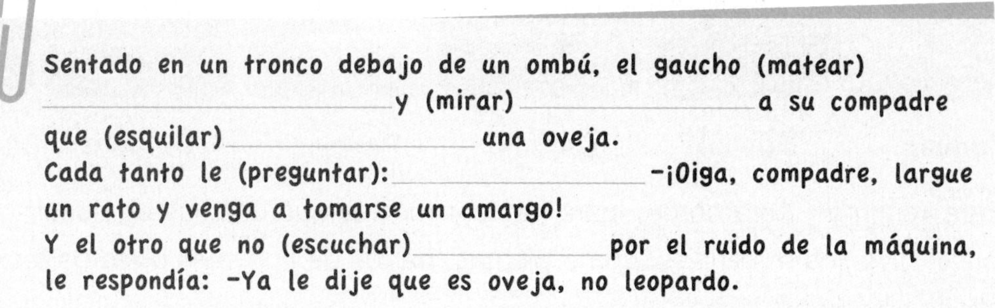

Sentado en un tronco debajo de un ombú, el gaucho (matear) __________ y (mirar) __________ a su compadre que (esquilar) __________ una oveja.
Cada tanto le (preguntar): __________ -¡Oiga, compadre, largue un rato y venga a tomarse un amargo!
Y el otro que no (escuchar) __________ por el ruido de la máquina, le respondía: -Ya le dije que es oveja, no leopardo.

Pregunten a sus conocidos algunos colmos u otros juegos de palabras para hacer una cartelera.

Materias primas

Cuando las personas aprendieron a sembrar y a criar el ganado, pudieron asegurar su alimento y vestimenta. Quedarse en un mismo lugar, asentarse, mejoró mucho su calidad de vida. En nuestro país, el desarrollo de la producción *agrícola* (plantar y cosechar) y *ganadera* (criar animales) es la base de la economía.

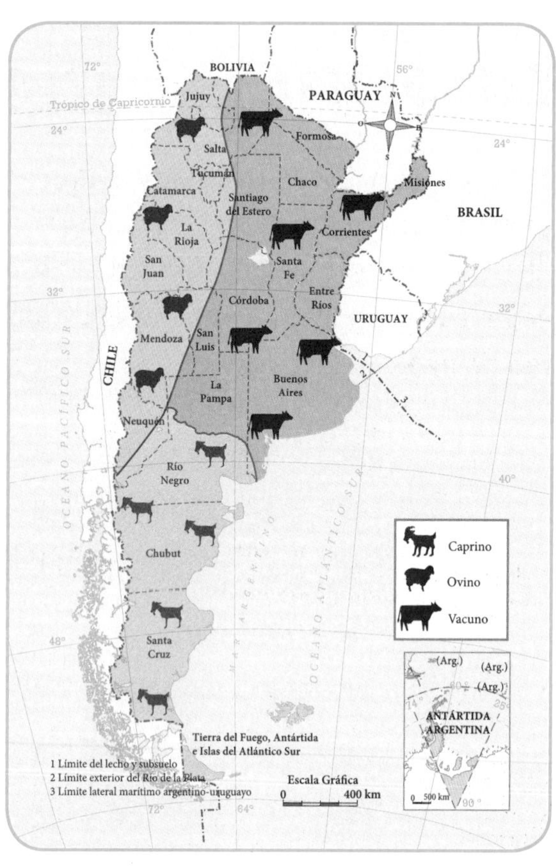

Distribución de la producción del ganado en la Argentina

1 Observen el mapa y preparen listas de provincias.

- *Provincias en las que se produce leche, carne vacuna y cuero.*
- *Provincias en las que se produce lana y cuero.*

Existen diferentes tipos de ganado y aves. En nuestro país encontramos:

Vacuno | Bovino | Caprino | Porcino | Avícola | Camélido

Para vestirnos, para comer, para fabricar todo lo que usamos en nuestra vida, se emplean diversos materiales, como plantas, partes de animales o restos fósiles para la fabricación de plásticos.

A los elementos de la naturaleza que se usan para la fabricación de productos se los llama **materias primas**. Todo comienza en el campo.

2 Escriban en sus cuadernos con sus palabras qué son las materias primas y para qué se usan.

Del campo a la ciudad y de la ciudad al campo

La **producción** ganadera consta de varias etapas. En el campo, con modernas tecnologías se garantiza que la calidad del ganado sea óptima para el consumo: los animales deben estar sanos, bien alimentados y cuidados. Cuando se decide vender el ganado o alguno de sus productos, como la leche o la lana, se despliega toda una red de trabajo también en la ciudad que permite su uso y comercialización.

1 Respondan:

- *¿Qué significa "comercializar"?*
- *¿Cómo deben vivir los animales para que luego puedan ser consumidos por las personas?*

2 Completen las viñetas.

¿Qué se hace en el campo con el ganado?

¿Para qué se transporta?

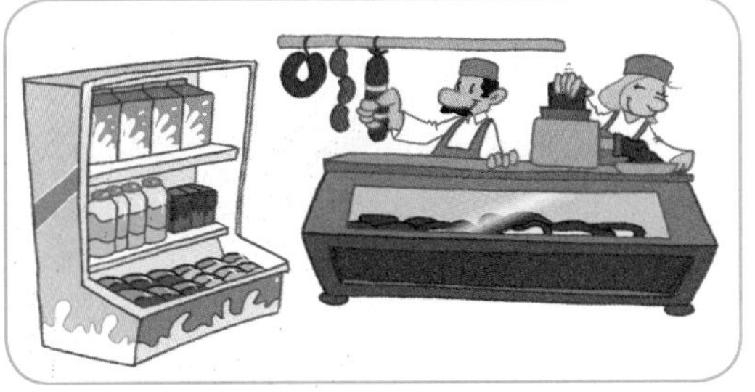

¿Qué se hace en la ciudad con las materias primas?

¿Qué se hace en la ciudad con los productos elaborados?

- **Busquen imágenes del campo argentino e investiguen qué se produce en él.**
- **Peguen las figuritas del álbum de este capítulo.**

La entrada al Parque

En la entrada del Parque Natural hay un molinete que permite el paso del público que ya sacó su entrada. Tiene un contador que registra la cantidad de visitantes que recibe el parque por día. Cada vez que una persona pasa por el molinete, van cambiando los números.

1 Miren bien y respondan:

- *¿Cuántas personas entraron en el parque hasta ahora?*

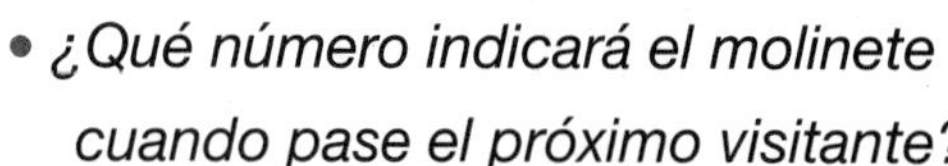

- *¿Qué número indicará el molinete cuando pase el próximo visitante?*

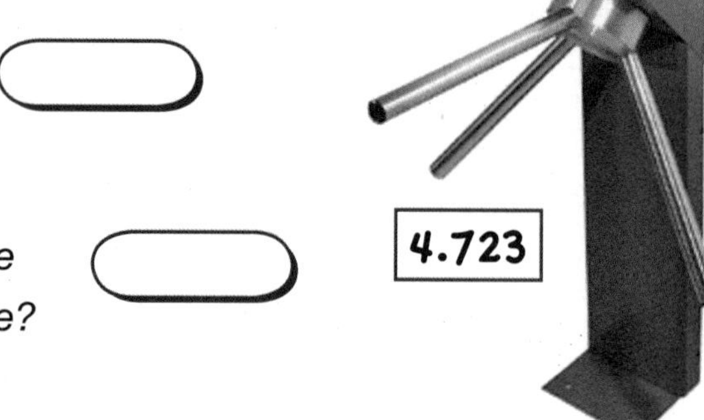

Germán observó que cada 10 visitantes que entran hay una cifra que cambia.

2 Respondan, ¿cuál es la cifra que cambia?

....

3 Completen la tabla.

Si el contador marca...	+ 10
4.562	
5.790	

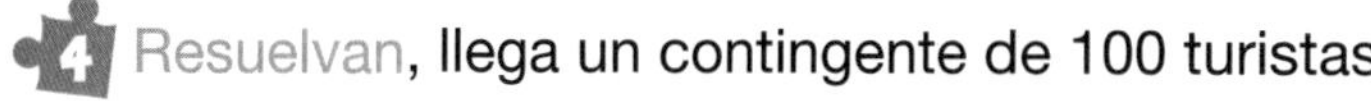

4 Resuelvan, llega un contingente de 100 turistas.

- *El molinete marca* 5.908

- *¿Qué número marcará al terminar de pasar el último turista?*

Problemas de sumas y restas para analizar el valor posicicnal.

5 Completen transformando el número del molinete en cada caso.

	+ 1	+ 10	+ 100	+ 1.000
8.209				
6.180				
10.921				

Sol y Andrés dicen que descubrieron una manera de calcular rápidamente qué números hay que escribir en la tabla anterior.

6 Conversen entre todos y escriban un consejo para resolver fácilmente estos cálculos.

....

....

7 Revisen si el consejo que escribieron para sumar 1, 10, 100 y 1.000 a un número sirve también para restar. Modifíquenlo para que sirva.

....

....

8 Completen las tablas y fíjense qué pasa con los números cuando le restan 10 o 100.

	-10
2.647	
5.691	
6.500	

	-100
2.899	
4.106	
7.025	

- *La seño de Juan Martín le pidió que haga esta cuenta:*

8.539 - 1.000

Es fácil, al 8.000
le saco 1.000. Me da 7.000.
El resto queda igual.
Entonces, es 7.539.

- *Conversen: ¿están de acuerdo con lo que pensó Juan Martín? ¿Cuál es el lugar del número que cambia cuando sumamos o restamos 1.000?*

Embocando

En la escuela de Facundo estuvieron jugando al emboque.

Materiales

- 4 aros (un aro de cada color). Cada color tiene un puntaje distinto.
- 4 tubos con bases
- Lápiz
- Papel

Organización del juego

Equipos de 2 o 3 integrantes.
Juegan dos equipos contrarios.

Reglas

1. Cada jugador, en su turno, toma los aros.
2. Lanza, de a uno, tratando de embocarlos en el tubo.
3. Por cada aro que emboca, gana un puntaje correspondiente a ese aro.
4. Calcula el puntaje de la vuelta y lo anota.
5. Sigue un jugador del otro equipo, y así sucesivamente.
6. Luego de tres rondas de juego, cuentan los puntajes totales.
7. El que tiene más puntos, es el equipo ganador.

Pueden armar el juego y... ¡a jugar!

 Resuelvan estas situaciones.

- *En la primera ronda, el equipo de Facundo embocó 2 aros de 1 punto, 3 de 10 puntos, 1 de 100 puntos y 2 de 1.000 puntos. ¿Cuántos puntos anotaron?*

....

- *En cambio, el equipo de Mariana embocó 4 aros de 1 punto, 5 de 10 puntos, 3 de 100 puntos y 3 de 1.000 puntos. ¿Cuántos puntos anotaron?*

....

- *¿Cuántos aros de cada color embocó el equipo de Johana si obtuvo 5.671 puntos?*

  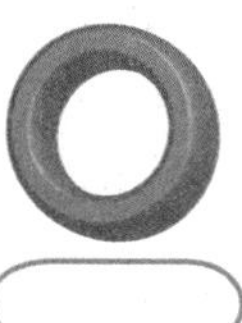 

Después de jugar, los chicos escribieron en el cuaderno algunos cálculos parecidos a los que usaron para calcular los puntajes.

Al equipo de Evangelina le tocó formar el número 3.573.

2 Marquen con una **X** los cálculos correctos:

1.000 + 1.000 + 1.000 + 500 + 70 + 10 + 1 + 1 + 1	
3.000 + 100 + 100 + 100 + 100 + 100 + 10 + 10 + 10 + 10 + 10 + 10 + 10 + 1 + 1 + 1	
1.000 + 1.000 + 1.000 + 300 + 300 + 50 + 20 + 3	
3 x 1.000 + 5 x 100 + 7 x 10 + 3 x 1	

La maestra les pidió a los chicos que pensaran de qué maneras se puede armar el número 7.494. Algunos chicos anotaron así:

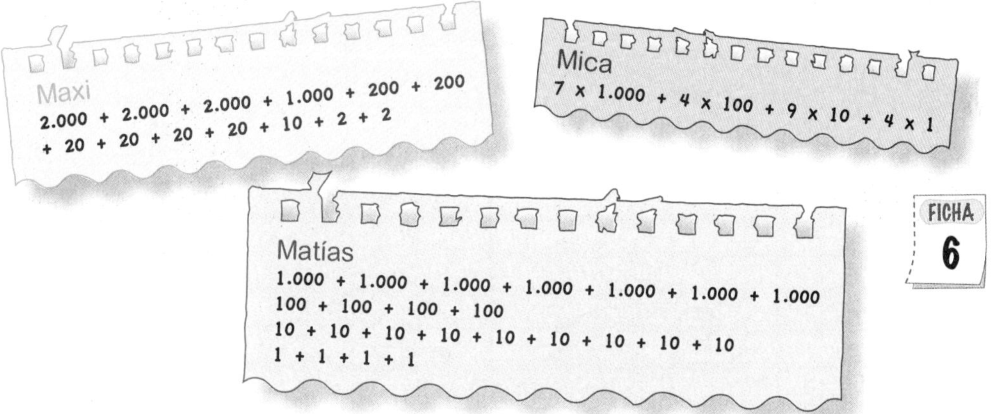

Maxi
2.000 + 2.000 + 2.000 + 1.000 + 200 + 200
+ 20 + 20 + 20 + 20 + 10 + 2 + 2
Mica
7 x 1.000 + 4 x 100 + 9 x 10 + 4 x 1
Matías
1.000 + 1.000 + 1.000 + 1.000 + 1.000 + 1.000 + 1.000
100 + 100 + 100 + 100
10 + 10 + 10 + 10 + 10 + 10 + 10 + 10 + 10
1 + 1 + 1 + 1

FICHA 6

3 Conversen

- *¿Dónde está el 7 x 1.000 que puso Mica en la cuenta de Matías?*
- *¿Dónde está el 400 en cada cuenta?*
- *¿Cuál es la forma más corta de escribir el número 7.494?*

4 Armen en el cuaderno el número 5.555 como lo hicieron Maxi, Mica y Matías.

5 Completen en esta tabla los casilleros sombreados:

Número	1.000	100	10	1
9.369	9			
	8	5	4	1
6.702				
	1	0	9	9
4.669				

Un poquito de humor

1 Lean la historieta.

©Joaquín S. Lavado - Quino

Lectura de historietas. Inferencias de contenidos a partir de una secuencia de imágenes.

2 Conversen entre todos qué sucede en cada cuadro.

> En las **historietas**, especialmente cuando no tienen texto, los **personajes** deben ser muy expresivos, para que el lector comprenda qué sucede.

3 Observen al diablo en puntas de pie y cómo se cubre con la capa.

- *Busquen otros detalles en las ilustraciones, como el pastor y su flauta.*

4 Escriban en sus cuadernos: ¿por qué el pastor se convirtió en oveja?

En las historietas se narra una historia a través de una serie de dibujos. Pueden tener texto o no, en ese caso leemos las ilustraciones. Cuando tienen texto, hay distintos tipos de **globos** que indican si el personaje está hablando o pensando.

Cada cuadro de la historieta se llama **viñeta**.

En este caso la gallina está

hablando

pensando

5 Completen el diálogo que tuvo la gallina de la historieta cuando volvió al gallinero y le contó a su amiga qué había visto en el cuadro.

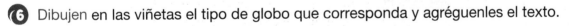

6 Dibujen en las viñetas el tipo de globo que corresponda y agréguenles el texto.

Todos hablan a la vez

Le declara su amor

Busquen historietas en sus casas y en la biblioteca. Pueden aparecer en diarios, revistas o libros.

Conozcan a Mafalda

1 Observen cada cuadro sin leer los globos.

- *¿Qué les parece que expresa la imagen de la nena en cada caso?*

2 Lean la historieta.

- *¿Con quién está hablando Mafalda?*

Sin sopa, se va a quedar chiquita.

3 Escriban cómo convencerían a su familia para que no les preparen más la comida que menos les gusta.

....

....

....

....

La historieta. Lectura e interpretación.

Les presentamos a Quino

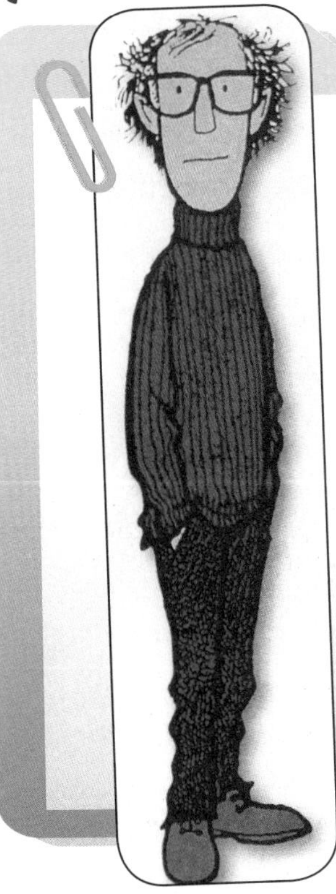

Ficha personal

Las historietas que aparecen en este capítulo las escribió Joaquín Salvador Lavado, más conocido como Quino. Nació el 17 de julio de 1932 en San Rafael, provincia de Mendoza.

En su juventud estudió Bellas Artes y luego se instaló en Buenos Aires donde comenzó su carrera como humorista gráfico. En 1963 creó a Mafalda, la historieta de una nena que incomoda a sus padres con constantes preguntas. Al público le encantó, así fue que Mafalda se tradujo a sesenta idiomas y aún hoy la leemos los niños y los adultos del mundo.

1 Lean esta ficha de recomendación.

Título: Mafalda
Autor: Quino
Se trata de: una nena muy preguntona y sus amigos.
La recomiendo porque: me parece muy divertida, y a mí, como a Mafalda, no me gusta para nada la sopa.

2 Elijan una historieta que les haya gustado para recomendársela a sus compañeros.

Título: ....
Autor: ....
Se trata de:
....
La recomiendo porque: ....
....
....

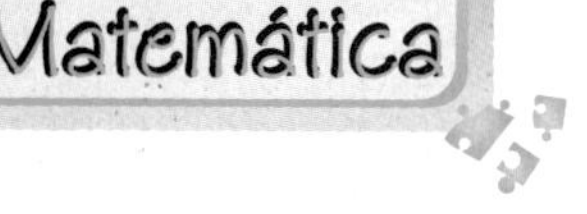

La ciudad crece...

Algunas familias compraron terrenos en un nuevo barrio para construir sus viviendas e instalar más negocios. En una cuadrícula como esta se representaron las porciones de terreno que compró cada familia. **Todos los terrenos tienen forma rectangular.**

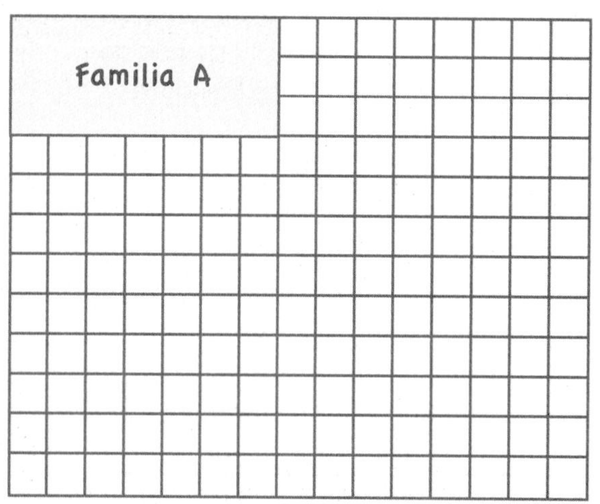

¿Se acuerdan cómo son los rectángulos?

Y en esta tabla está la información sobre el tamaño de cada terreno:

Familia	A	B	C	D	E	F	G	H
Cantidad de cuadraditos de su terreno	21	10	32	18	9	20	16	24

1 Elijan algunos de los terrenos. Ensayen maneras de dibujarlos en la cuadrícula.

Yo armé un rectángulo con 16 cuadraditos de esta manera.

2 Lean y respondan.

- *Fernando y Magalí pintaron rectángulos diferentes para representar el terreno de la familia D.*

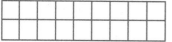

Fernando 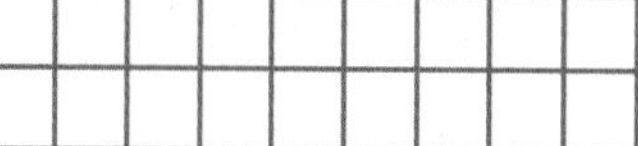 Magalí 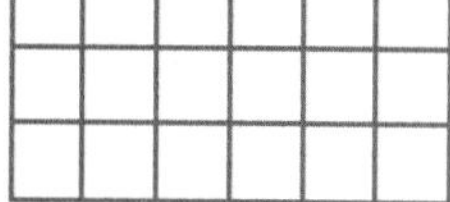

- *¿Cuál es el correcto? ¿Por qué?*

....

Problemas multiplicativos de organizaciones rectangulares.

El Circo de los Hermanos Luna va a instalar su carpa cerca de la ciudad.

Necesita una porción de terreno que represente un rectángulo de 36 cuadraditos en el plano.

3 Piensen en varias maneras posibles. Ensáyenlas en este plano de terreno.

4 Pinten los cálculos que representan un rectángulo de 30 cuadraditos.

3 x 9	10 x 3	5 x 6	4 x 8	7 x 5	6 x 5	12 x 3	3 x 10	15 x 2	6 x 6

Otra de las grandes parcelas que rodean a la ciudad se dividió de esta manera:

Plaza
Casa del intendente
Parque de diversiones
Club deportivo
Fábrica de dulces
Teatro
Estación de servicio

5 Completen la tabla donde se anotó cuántos cuadraditos se destinarán a cada emprendimiento.

Emprendimiento	Casa del intendente	Parque de diversiones	Club deportivo	Plaza	Estación de servicio	Fábrica de dulces	Teatro
Cantidad		10 x 7= 70				4 x 6=	

La fábrica de dulces

La gente que visita la ciudad no deja de pasar por la fábrica de dulces. Con las frutas más ricas que cosechan allí se preparan exquisitos dulces que se venden en envases muy llamativos.

Tarritos individuales (sabor a elección) $9

Canastitos con 3 frascos de dulce surtido $24

1 Resuelvan: un cliente compró 12 tarritos individuales de distintos sabores para probarlos todos.

- *¿Cuánto pagó?*

Miren cómo hicieron las cuentas Luis y Marta:

Así calculó Luis:

12 = 10 + 2
× 9   × 9
90 + 18 = 108

Así calculó Marta:

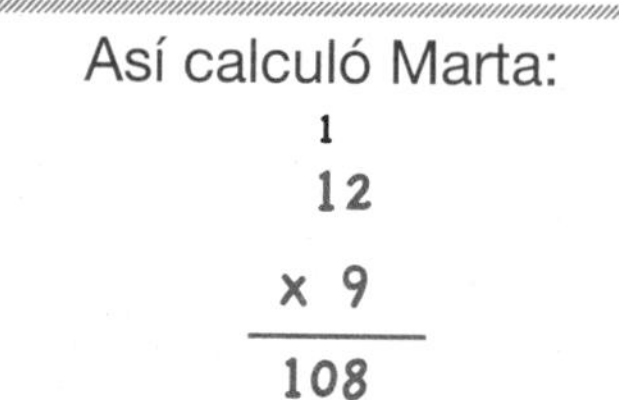

1
12
× 9
108

2 Piensen entre todos.

- *¿Qué estrategia usó Luis para hacer la cuenta?*
- *¿Dónde está el 18 en la cuenta de Marta? ¿Aparece el 90 en su cuenta? ¿Dónde?*
- *Otra señora, encantada con la presentación de las canastitas, decidió llevar 6 de ellas para regalar a sus amigas. ¿Le alcanzó con $150?*

3 Prueben calculando como lo hicieron Luis y Marta.

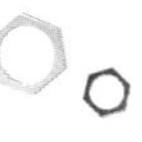

Envasado de leche

En otro de los sectores rurales próximos a la ciudad se instaló una envasadora de leche. Desde allí, todas las semanas parten camiones llevando la producción de leche a las ciudades cercanas, para su venta.

Esta mañana, un camión transportó 5 canastos con 30 cartones de leche entera cada uno y 7 canastos con 24 cartones de leche descremada.

1 Calculen de qué tipo de leche salieron más cartones.

....

2 Completen esta tabla, sabiendo que en un canasto entran 30 cartones de leche entera.

Canastos	1	2	3	4	10
Cartones de leche entera	30	....	....	....	....

3 Cada día se guarda un total de 546 litros de leche.

- *¿Cuántos litros llegan a acumularse en 6 días?*

En el grado de Jimena algunos chicos pasaron al pizarrón a mostrar cómo resolvieron la situación que plantea el ejercicio 3.

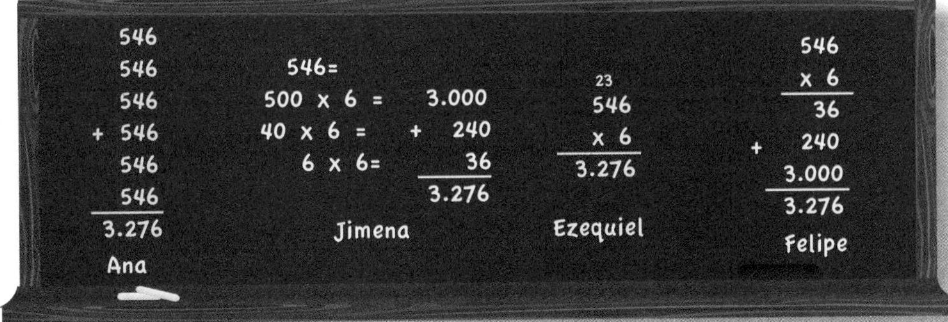

4 Conversen:

- *¿Dónde está el 3.000 en las cuentas de Ana, Jimena y Felipe?*
- *¿Por qué Felipe dejó un lugar cuando multiplicó 40 x 6?*
- *¿Dónde está el 36 que escribió Felipe en la cuenta de Ana?*
- *¿Y en la de Ezequiel?*

Circuito de la lana

Vamos a conocer cuál es el trayecto que realiza la lana hasta llegar a ser este pulóver tan abrigado.

1 Lean atentamente y listen las etapas del circuito productivo de la lana.

8 Producto terminado

1 Para comenzar, tenemos a las ovejas, que son criadas especialmente para que nos provean de lana. La **esquila** se realiza al finalizar la primavera, para que el siguiente invierno ¡no encuentre a las ovejas sin lana que cubrirse! Este proceso debe realizarse con mucho cuidado para garantizar el corte de la lana sin lastimar a las ovejas.

7 Una vez que la lana está teñida y seca, se utiliza para **tejer**. Hay diversas maneras de hacerlo.

A mano

En el telar

Con nuevas tecnologías

6 Cuando el hilado está listo, se procede a su **teñido**, que también varía según cómo se realice el proceso: de manera artesanal o industrial.

Etapas del circuito productivo, industrial y comercial de la lana.

2

Luego, la lana obtenida debe **lavarse** para quitar todos los restos y basuritas que pueda tener.

3

Para **secar** la lana limpia es necesario extenderla en una superficie amplia. Si el proceso es artesanal, se realiza al aire libre; si es industrial, existen máquinas para su secado.

4

Una vez seca, está lista para lo que se denomina **escarmenado**, proceso que consiste en separar las fibras hasta que su textura se torne más suave y permita el hilado más fácilmente. Luego se enfarda y se distribuye para su procesamiento.

5

El **hilado** puede realizarse de manera artesanal, utilizando una rueca, o de manera industrial, mediante las máquinas preparadas para este fin. El proceso de hilado nos da como resultado una madeja, que es nuevamente lavada.

El grosor del hilado dependerá del uso que se le dará. En la industria textil suelen realizarse hilados de diferentes medidas de acuerdo con la calidad de la tela que se vaya a producir.

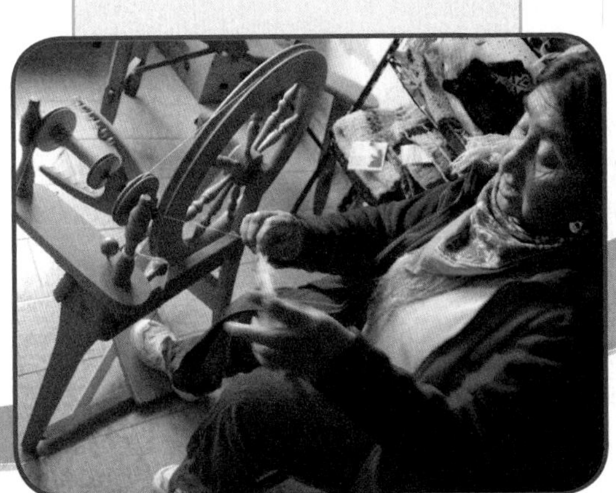

Etapas del circuito productivo, industrial y comercial de la lana.

Actores que intervienen

Una de las características del proceso productivo es la cantidad de gente que interviene en la realización de este pulóver.

1 Dibujen a los trabajadores que intervienen en cada etapa del proceso.

Cría de ovejas: primer paso en el proceso de producción	Esquila	Traslado a lavadero industrial
Lavado y secado	Hilado	Teñido
Traslado para su tejido	Diseño de prendas	Tejido
Traslado a locales	Comercialización	Consumidor

Y cuantos más personas y trabajo se requiera para la producción del producto, más aumenta su costo final.

2 Respondan en sus cuadernos.

- *¿Cómo afectaría a los trabajadores un año de sequía?*
- *¿Cómo afectaría a los trabajadores un año de buenas pasturas?*
- *¿Quienes viven en vcv la ciudad sentirían los efectos? ¿Por qué?*

Actores involucrados en el circuito de producción.

Ahora, como antes

1 Escriban las ventajas y desventajas de cada modo de producción.

	Ventajas	Desventajas
- Tejido a mano	....	....
- Tejido en telar	....	....
- Tejido industrial	....	....

Aún existe la producción de lana tal como lo hacían nuestros antepasados. El hilado artesanal y la elaboración de prendas artesanales no solo resultan una manera de mantener viva nuestras tradiciones, sino que son una fuente de trabajo importante para muchas familias de nuestro país. En Tilcara, Jujuy, por ejemplo, existen numerosas tejedoras que realizan sus trabajos de la manera tradicional. Con telares artesanales, tejen las prendas de vestir que los cubren durante el frío invierno. Las que no utilizan, las venden para comprar otras cosas necesarias.

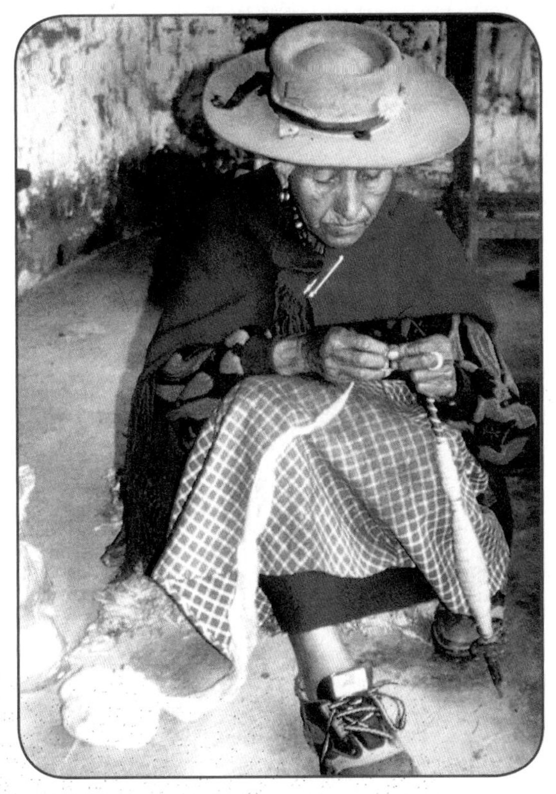

Producción artesanal.

La lana la obtienen principalmente de la llama y la oveja, que son animales de la zona. La característica más importante de esta producción artesanal es que, desde el comienzo del proceso, la cría y esquila de los animales, hasta el producto final, el pulóver, por ejemplo, lo realiza la misma familia o persona.

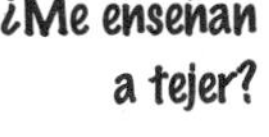

2 Piensen y describan otros procesos artesanales que conozcan.

Averigüen si hay algún tejedor en sus familias. Pídanle que les explique cómo se hacen los puntos Santa Clara, arroz u otro que conozcan. Escriban las instrucciones en sus cuadernos.

A ver quién lleva la contra

1 Lean la poesía.

Guerra y paz

El gato mira la luna,
ronronea divertido
mientras el perro le ladra
porque se siente aburrido.
El cachorro es blanco, blanco;
negro como noche el gato.
Duerme el perro en una manta,
y el minino, en un zapato.
De pronto los dos se miran,
"¡Guerra!" grita el gato audaz,
pero el cachorro lo mima
y todo termina en paz.

Olga Drennen

Ficha de presentación.

2 Imaginen la situación de la que habla la poesía y escriban qué otras cosas podrían suceder.

....

....

....

....

....

3 Lean estas descripciones.

Perro	Gato
El perro (can) es un mamífero carnívoro. Su forma, pelaje y figura cambia según su raza. El perro doméstico puede localizar y socorrer a personas perdidas o lastimadas. Por lo general, es un amigo noble y afectuoso.	El gato (felino) es un mamífero carnívoro. Su forma, pelaje y figura cambia según su raza. Existen gatos salvajes y domésticos. El gato es limpio, independiente y un hábil cazador. Como mascota, se muestra simpático y mimoso.

4 Busquen en las descripciones anteriores las palabras que aludan a cada término de esta lista.

- *Ayudar.*
- *Que está extraviado.*
- *Compañero inseparable.*
- *Amoroso.*
- *Que no es doméstico.*
- *Aseado.*
- *Libre.*
- *Experto.*
- *Cariñoso.*

5 Encuentren los antónimos en la poesía de Olga Drennen.

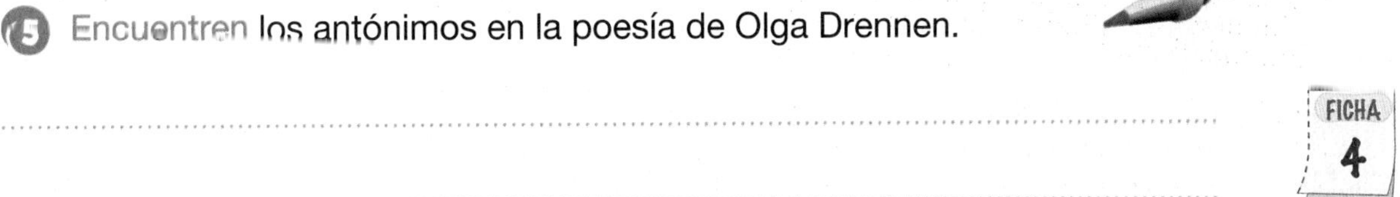

6 Reescriban las descripciones de PERRO y GATO de la página anterior en sus cuadernos. Pero... cambien todas las palabras que puedan por sus antónimos. Usen esos antónimos para describir un perro y un gato en el siguiente cuadro:

Perro	Gato

Telares de mi tierra

El tejido en telar se utiliza desde hace muchísimo tiempo. La primera noticia acerca del telar hace referencia a los egipcios.

Con el tiempo, la técnica del telar fue modificándose, llegando a construirse muchos modelos de telares.

1 Aprender a mirar

- Observen estos telares.

Muchos pueblos originarios de América tejían y aún tejen en telares.

Para saber más

La lana es uno de los hilos más usados para tejer en telar. En el telar se pueden realizar diferentes prendas, como pulóveres, bufandas, vestidos, etc., y tapices, que son obras de arte hechas con hilos.

3 Aprendemos jugando

- Encierren las fotografías de prendas confeccionadas con telar.

4 Manos en acción

Tapiz con lana

Materiales
- Cartón rígido de 20 cm x 10 cm
- Retazos de lanas de varios colores
- Cola de pegar
- Tijera
- Lápiz negro
- Ganchito para cuadros

Pasos a seguir
1. Dibujar un diseño en el cartón.
2. Pegar las lanas de colores, según el diseño elegido. La idea es que no queden espacios vacíos para que no se vea el cartón.
3. Dejar secar.
4. Colocar el ganchito para poder colgar el tapiz.

Una mezcolanza

La leche es una bebida muy conocida por nosotros… ¿Pero es realmente tan conocida? ¿Sabías que la leche es una **mezcla** de agua con diminutas partes de otras sustancias sólidas, gaseosas y líquidas?

La leche que más consumimos es la leche de vaca.

¡Esta espuma se ve deliciosa!

Sobre la superficie de la bebida que está en la taza podemos observar espuma de leche. La espuma aparece cuando una sustancia **líquida**, como el agua que contiene la leche, se **mezcla** con un **gas**. Para obtener esta espuma se usa un vaporizador que le insufla aire a la vez que la agita.

¡Qué susto con las sustancias!

Para preparar un postre en casa, sacamos de la caja un polvo sólido, que luego se mezcla bien con la leche. Cuando está preparado, ¡ya no se puede volver atrás! Fue un gran **cambio**. Ya no se puede deshacer.

De chocolate, de vainilla... ¡todos son ricos!

Hay veces que las mezclas se pueden separar. Por ejemplo, cuando mamá pone los fideos en agua caliente. Una vez que están blanditos, los pasa por el colador... ¡y a la mesa!

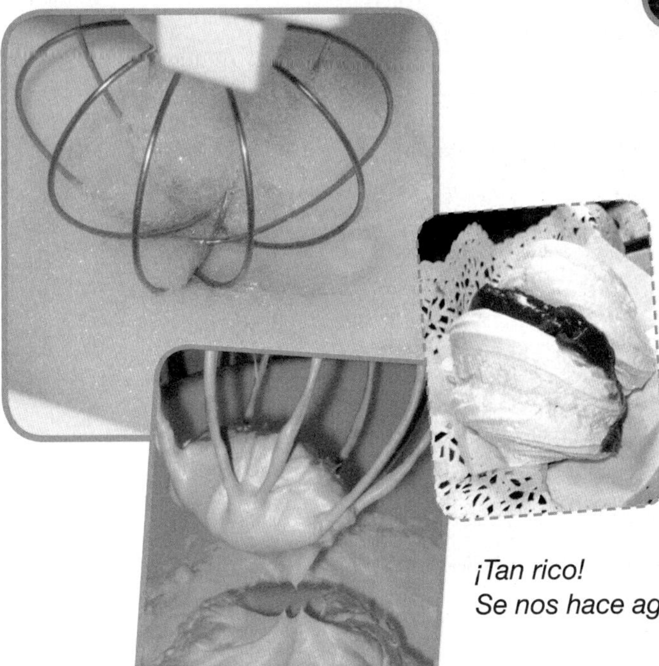

La clara de huevo está formada por un 90% de agua. Cuando se bate, el agua se mezcla con el aire rodeando las burbujas, y forman una espuma a la cual llamamos merengue.

¡Tan rico!
Se nos hace agua la boca.

La leche recién ordeñada contiene la grasa de la vaca. Si se la deja quietita, después de unas horas se forma la nata: la parte grasa "sube" y queda flotando. Esa nata, bien batida, es la **manteca**. Antes de que el hombre desarrollara la escritura ya había aprendido a hacer manteca.

A vuelta de página

1 Unan cada pregunta con su respuesta.

¿Cómo se fabrica la manteca?	Es la mezcla de clara de huevo con aire, muy batido.
¿Qué es el merengue?	Es la mezcla del agua de la leche con gas.
¿Qué es la espuma de la leche?	Batiendo la parte grasa de la leche.

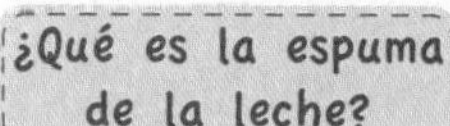

2 Escriban qué materiales están mezclados en cada caso.

① 

....
....
....
....

② 

....
....
....
....

③ 

....
....
....
....

④ 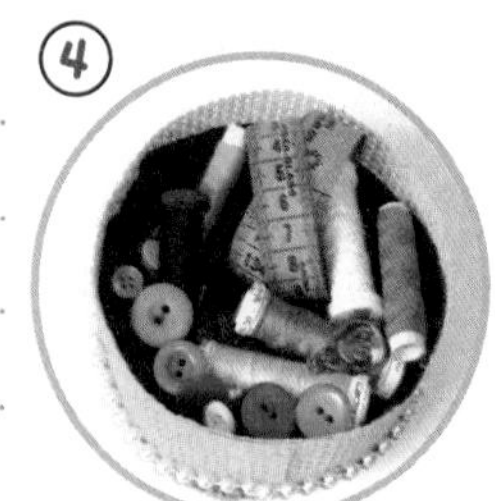

....
....
....
....

3 Piensen en cada uno de los casos anteriores cómo podrían separar los elementos de las mezclas.

① ....

② ....

③ ....

④ ....

Comprensión lectora.

 Observen y respondan.

En esta taza hay una preparación que tiene un mismo material en estado líquido y en estado gaseoso, y otro material que está en estado sólido.

¿Cuáles son?

- *Material que está en estado líquido y gaseoso:* ....
- *Material sólido:* ....

 Encuentren los alimentos escondidos.

ESPUMA

- *Es una mezcla de agua, azúcar y limón.* ....
- *Es una mezcla formada por grasa, sal y agua.* ....
- *Es una mezcla obtenida al batir claras de huevo y jugo de frutas.*

  ....
- *Es una mezcla obtenida al mezclar huevos, aceite, jugo de limón y sal.*

  ....

 Ayuden a la maestra a solucionar este problema. Completen.

Puede hacer así:..

Porque..

Se me mezclaron las chinches con las tizas, ¡y no quiero pincharme! ¿Servirá este imán para separarlas?

El banco

Cuando cierran los comercios de la ciudad, sus dueños acuden al banco para depositar el dinero recaudado.

1 Completen la boleta de depósito.

- *El señor González, dueño del restorán, depositó 40 billetes de $100 y 32 billetes de $10.*

Banco de............... $...............

Boleta de depósito

Sr. Enrique L. González

Son pesos:
....

2 Observen y respondan.

- *Carlos, el farmacéutico, depositó solamente billetes de $10. Esta es su boleta de depósito. ¿Cuántos billetes de $10 habrá llevado al banco?*

Banco de............... $990

Boleta de depósito

Sr. Carlos Lugones

Son pesos:
....

3 Completen la planilla del cajero del banco:

Cliente	Importe depositado	Billetes de $100	Billetes de $10	Monedas de $1
Sr. López		3	0	7
Sra. Frías	1.055		5	
Sr. Blanco		12	4	0
Sr. Acosta	685			15

Descomposición de números en el contexto del dinero.

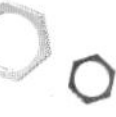

Más problemas

1 Un cliente pidió $235. Si el cajero tiene solo billetes de 100, 10 y monedas de 1 peso. ¿Cómo puede armar el pedido de dinero?

2 Completen la tabla.

Pedido de dinero	Billetes de 100	Billetes de 10	Monedas de 1
$560			
$1.043			
$.........	3	4	1

¡Fácil!

3 El señor Martínez retiró 15 billetes de 100, 1 billete de 10 y 4 monedas de 1 peso. ¿Cuánto dinero retiró?

4 Otro cliente depositó 2 billetes de 100 pesos y 5 de 10 pesos. Ahora tiene $382. ¿Cuánto dinero tenía en su cuenta antes de hacer el depósito?

¡Encontré todas las soluciones!

El restorán

En la ciudad del parque natural hay un restorán que recibe frecuentemente a turistas y familias del lugar.

Los menús que les ofrecen son los siguientes:

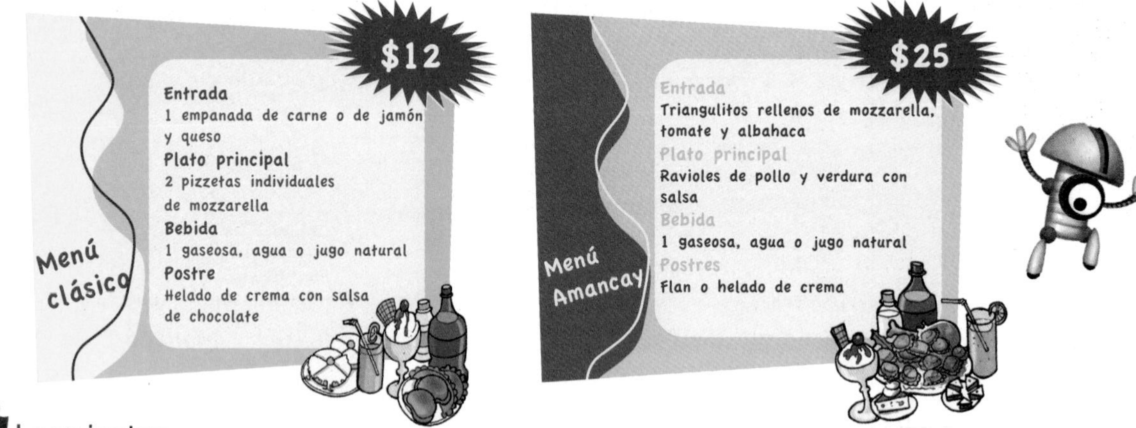

$12
Menú clásico
Entrada
1 empanada de carne o de jamón y queso
Plato principal
2 pizzetas individuales de mozzarella
Bebida
1 gaseosa, agua o jugo natural
Postre
Helado de crema con salsa de chocolate
$25
Menú Amancay
Entrada
Triangulitos rellenos de mozzarella, tomate y albahaca
Plato principal
Ravioles de pollo y verdura con salsa
Bebida
1 gaseosa, agua o jugo natural
Postres
Flan o helado de crema

1 Lean juntos.

El lunes entraron 7 personas para festejar el cumpleaños de Lucas. Sus padres pidieron para todos el menú Amancay.

Para saber cuánto tenía que cobrar Mateo, el cajero hizo esta cuenta.

Mateo

```
  3
  25
 x 7
 ---
 175
```

Mientras esperaban en la mesa para saber cuánto tenían que pagar, a Lucas se le ocurrió calcular así:

Lucas

25 x 7 =
20 x 7 = 140 (ya sé que 2 x 7 es 14, entonces 20 por 7 es 140)
5 x 7 = 35
140 + 35 = 175

2 Conversen.

- *¿Dónde está el 35 de la cuenta de Lucas en la de Mateo?*
- *Lucas escribió una suma, ¿por qué no aparece en la cuenta de Mateo?*
- *¿Quién hizo la cuenta más corta?*
- *¿Quién hizo la cuenta que les resulta más clara?*

Problemas multiplicativos con distintos sentidos. Diferentes algoritmos de la multiplicación.

Seguimos pensando

1 Completen los casilleros pintados.

- *Para poder saber rápidamente cuánto cobrar a los clientes, a Mateo se le ocurrió armar dos tablas como estas.*

Menú clásico	Precios
1	$12
2	
3	
4	
5	
6	
7	
8	
9	
10	$120

Menú Amancay	Precios
1	$25
2	
3	
4	
5	$125
6	
7	
8	
9	
10	

2 Resuelvan.

- *Pronto llegarán algunos turistas a almorzar. Solicitaron que les preparen únicamente un menú de pastas. ¿Cuántas combinaciones podrán elegir?*

Pastas
Ñoquis
Ravioles
Fideos
Canelones
Sorrentinos
Salsas
Fileto
Crema
Pesto
Boloñesa

- *En el subsuelo guardan diversos tipos de queso. Si en cada estante se pueden acomodar 5 quesos, ¿cuántos entrarán en los 14 estantes que tiene el lugar?*
- *Los dueños están pensando en cambiar las baldosas del patio interno. ¿Cuántas baldosas necesitan comprar?*

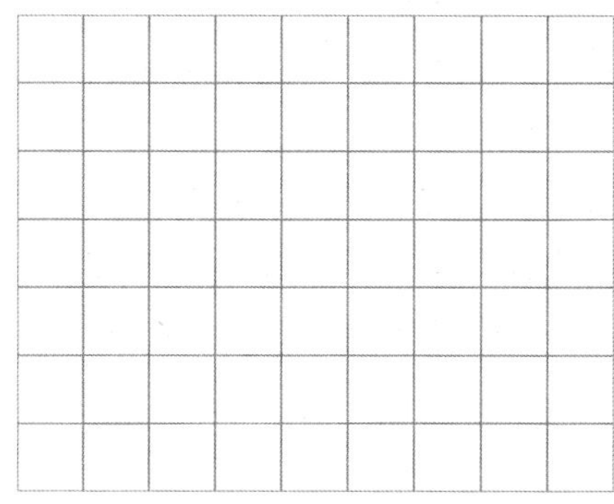

Problemas multiplicativos con distintos sentidos. Diferentes algoritmos de la multiplicación.

Los adjetivos

1 Lean atentamente este texto para descubrir qué problema tiene.

La señora **morenas** se había puesto su ropa **nuevo** para ir al baile. En ese momento su **querida** esposo le pide el dichoso café como se toma en Cuba o en Colombia: con una lata **pequeñas** de leche **condensado** y un chorrito de licor. El café resultó **deliciosa**, lástima que una enorme **gotas** le manchó su **coqueta** vestido.

- *Conversen entre todos para ver cuáles son los errores.*
- *Con un compañero corrijan y reescriban el texto.*
- *Expliquen con sus palabras cómo lo tuvieron que corregir.*

Adjetivos calificativos. Concordancia con el sustantivo en género y número.

El calamar escritor

Existen distintos tipos de palabras. Aquellas que dicen cómo son los sustantivos y los describen (expresan características o propiedades) se llaman **adjetivos calificativos.**

Adjetivos y **sustantivos** concuerdan en género (femenino y masculino) y número (singular y plural). Por ejemplo, **la** amig**a** bondados**a**, **el** perr**o** flac**o**, **los** raton**es** volador**es**.

Comienzos y finales

1 Anoten en el pizarrón tres formas diferentes de comenzar a contar un cuento.

A estas maneras de comenzar una historia se las denomina "**fórmulas de inicio**".

- *¿Qué otras conocen?*
- *Recorran el libro y observen cómo comienzan los cuentos que aparecen en los distintos capítulos.*
- *Pueden anotarlas en un afiche así las usan cuando sea necesario.*

2 Anoten ahora distintas formas que conocen para terminar un cuento.

....

....

....

3 Señalen las expresiones que se utilizan para decir que el tiempo del relato está pasando.

Al poco tiempo
Esta historia ocurrió en tierras lejanas
Al día siguiente
Sus manos temblaron
Era un día de sol
Poco después
Sintió mucho miedo

¿Me lo puede repetir?

Cuando una palabra aparece repetida muchas veces en un texto no suena bien se dice que es **redundante**.

Para evitarlo se pueden utilizar otras palabras, por ejemplo, los **sinónimos** o **frases**.

Elijan un cuento del libro, anoten su título, y luego cómo comienza, cómo termina, y al menos, tres frases que indiquen el paso del tiempo.

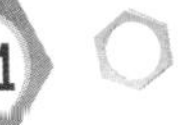

Cambios físicos en los materiales

La cocina es un excelente laboratorio para observar, registrar y experimentar. Si miran atentamente la imagen, verán cómo un mismo elemento, el agua, se encuentra en diferentes estados sin dejar de ser agua.

1 Rodeen con colores dos materiales en cada estado.

Los materiales suelen sufrir **cambios físicos** al variar la temperatura. Cuando un sólido recibe calor y se vuelve líquido, decimos que se **funde**, como los cubitos de hielo. Pero si un líquido pierde calor y se vuelve sólido, decimos que se **solidifica**, como sucede si guardamos sopa en el *freezer*. ¿Por qué se llaman cambios físicos? Porque el agua sigue siendo agua y la sopa sigue siendo sopa, es decir, las **sustancias** mantienen su naturaleza y sus propiedades, y siguen siendo las mismas sustancias.

2 Observen la acción física y completen la tabla.

Alimento	Estado	Acción física	Estado	Alimento obtenido	¿Qué proceso ocurrió?
Barra de chocolate		Se derrite en una cacerola al fuego			Fusión
Salamín		Se corta en pequeñas fetas			No hubo variación por calor
Jugo de naranja		Se congela en cubeteras			Solidificación
Helado		Se deja por 2 horas a temperatura ambiente			Fusión

Cambios químicos en los materiales

En los **cambios químicos**, las sustancias iniciales se transforman en otras distintas, que tienen propiedades diferentes.

Cuando se produce un cambio químico, podemos observar transformaciones en el olor, el color, la temperatura o la efervescencia.

275

1 Observen las fotos y describan los cambios observados.

1
2
3
4

....

....

....

....

2 Registren en sus cuadernos lo que observen en este experimento.

Coloquen en una botella de plástico 200 cm³ de vinagre blanco.
Introduzcan en un globo dos cucharadas soperas de bicarbonato de sodio.
Sujeten el globo con cinta a la boca de la botella.
Levanten el globo, agiten y observen.
Realicen la misma experiencia en otra botella sustituyendo el vinagre por agua. ¿Que ocurrió en uno y otro caso?

¡Yo quiero hacer experimentos!

El niño que se derretía

La familia de Daniel odiaba el verano. Sus abuelos se sentaban todo el día frente al ventilador aunque a la abuela se le volaba el rodete y al abuelo se le enrojecía la pelada.

Los papás de Daniel trabajaban horas extra solo porque en la oficina había aire acondicionado. Y cuando llegaban a casa, se sentaban en el patio tomando litros de helado y apantallándose con el diario. Papá se abanicaba con el suplemento económico y mamá se aireaba con las noticias policiales.

Pero la parte más terrible le tocaba a Daniel. A medida que subía la temperatura, Daniel iba poniéndose más y más colorado. Sus ojos se ponían brillantes y comenzaba a transpirar. Al principio eran solo unas gotitas en su frente, pero seguía transpirando y transpirando hasta que comenzaba a derretirse.

—¡Querida, traé el balde, que Daniel se está derritiendo!

Mamá ponía el balde en el que Daniel iba cayendo de a poquito, hecho agua. Después lo ponían un rato en la heladera y se recuperaba. Realmente era una vida muy incómoda.

Para Daniel no había vacaciones en la playa ni partidos de fútbol bajo el sol, pero a pesar de todo ya tenían la situación bastante dominada.

El verdadero problema comenzó una tarde especialmente calurosa. Como siempre, Daniel se derritió en el balde que la mamá le tenía preparado, pero cuando lo estaba llevando a la heladera, patinó con una lechuga y... ¡zas!, desparramó a Daniel por el piso de la cocina.

¡Lo maté! ¡Maté a mi propio hijo...! —gritaba la mamá, desesperada, viendo el charco sobre las baldosas.

El papá también estaba preocupado pero trataba de calmar los ánimos. Hasta los abuelos se separaron del ventilador para ver qué pasaba.

—Mmmm..., ese chico se va a ir por la rejilla... —decía el abuelo, siempre pesimista.

—Suerte que no cayó en la tierra, o ya tendríamos un nieto vegetal —decía la abuela, que siempre lograba ver el lado positivo de las cosas.

Lo cierto es que el papá decidió solucionarlo urgentemente y no tuvo mejor idea que recoger a Daniel con un trapo de piso.

—¡El nene..., el nene! —gritaba la mamá, desesperada.

Pero el papá siguió muy decidido: absorbió toda el agua con el trapo, escurrió el trapo en el balde, puso el balde en la heladera y se sentó a esperar.

—Mmmm..., me parece que había menos agua que en otras ocasiones, seguro que falta algún pedazo —dijo el abuelo, siempre pesimista.

A la abuela no se le ocurrió ningún comentario positivo y la mamá simplemente se desmayó.

Cuando les pareció que había pasado el tiempo suficiente como para que Daniel se recuperara, abrieron la heladera.

—¡Viste, pesimista! —dijo la abuela—. Cabeza, cuerpo, dos brazos y dos piernas; está todo, bien completo.

—Completo, pero alborotado —dijo el abuelo, y la verdad es que tenía razón.

El papá había logrado juntar toda el agua, pero al escurrir el trapo, el pobre chico cayó al balde todo revuelto: le salía un brazo del lugar donde debía ir la cabeza; en lugar de pierna derecha tenía brazo izquierdo, y a la altura del brazo emergía, sonriente, la cabeza.

La mamá, que comenzaba a recuperarse del desmayo, abrió los ojos, lanzó un grito y volvió a desmayarse.

—Creo que la solución sería dejar que se derritiera nuevamente en el balde y volver a ponerlo en la heladera —dijo el papá.

—Sí, es buena idea, pero el problema es que ya anocheció y refrescó bastante.

Y como les daba miedo someterlo al derretimiento violento que sufriría frente a una estufa, decidieron esperar el día siguiente, confiando en que hiciera suficiente calor como para derretir a Daniel y poner en práctica su plan de reestructuración anatómica.

No fue una noche sencilla. Cepillarse los dientes y ponerse el piyama resultaron tareas verdaderamente complicadas, pero finalmente llegó la mañana, desalentadoramente fresca.

Daniel ya no sonreía y permanecía recostado en el sillón, porque no encontraba la forma de sentarse.

Fueron pasando las horas, el sol fue calentando con más fuerza y, por fin, pasado el mediodía, sacaron a Daniel junto con el balde al jardín.
Se empezó a poner colorado, luego su frente se perló de sudor y acabó derritiéndose prolijamente dentro del balde.

Entre el papá y el abuelo lo condujeron cuidadosamente a la cocina y lo metieron en la heladera, tratando de que el agua se agitara lo menos posible.

Todos se sentaron, silenciosos, a esperar. La mamá salió oportunamente de uno de sus desmayos y se dispuso a vivir la angustiosa incertidumbre.
Los minutos corrían lentos y nadie notaba siquiera el calor concentrado en la habitación cerrada.

—Va a salir más revuelto que antes —decía el abuelo.

—De todas formas, no deja de ser original; seguro que conseguirá trabajo en el circo —decía con su mejor buena voluntad la abuela.

Cuando el papá notó que la mamá se estaba poniendo verdosa y que iba a volver a desmayarse, les pidió que hicieran silencio.

Por fin, consideraron que el tiempo había sido suficiente y abrieron muy despacito y con cierto temor la puerta de la heladera.

Ahí estaba Daniel, luciendo enteramente normal y con cada uno de sus miembros en el lugar apropiado.

La mamá se desmayó de la emoción y por única vez en sus vidas, los abuelos se quedaron mudos.

El papá lucía una sonrisa satisfecha. Abrazó a Daniel y le dijo:

—Evidentemente, tu problema lo tenemos bajo control. Si pudimos salir de esta, el futuro no me preocupa, pero realmente no creo que tu madre logre soportar más desmayos... ¿qué te parece si nos mudamos?

La familia ya se está acostumbrando al blanco paisaje de la Antártida. Los abuelos viven pegados a la estufa, aunque a la abuela se le chamusca el rodete y al abuelo se le tuesta la pelada.

Elena Hadida

El juego de las misiones

Materiales
- 4 fichas para cada jugador, de un color diferente
- 2 objetos pequeños, como clips de papel, para marcar los "factores"
- 4 tarjetas con "misiones"
- 1 tablero

El resultado de una multiplicación se llama "producto".

Organización del juego
Se juega en grupos de 2 a 4 participantes.

275

Reglas
1. Se mezclan las 4 tarjetas con "misiones" para cumplir, y se reparten entre los jugadores, una para cada uno.
2. El primer jugador elige dos números de la rueda de factores y los marca con los dos señaladores (clips).
3. Multiplica estos números y coloca una ficha en la casilla del tablero que contiene el producto.
4. El siguiente jugador debe cambiar SOLO UNO de los señaladores a otro número de la rueda de factores. Luego multiplica los números señalados y coloca su ficha en la casilla del producto.
5. Los señaladores (clips) se pueden colocar en el mismo número. Por ejemplo, ambos pueden estar sobre el 5. El producto de 5 x 5 sería 25.
6. Cada participante debe tratar de elegir convenientemente los factores, ya que irá completando los casilleros según la misión que le toque.
7. Gana el primero que logra cumplir su misión. Debe mostrar su tarjeta a los demás participantes para comprobar que, efectivamente, logró cumplirla.

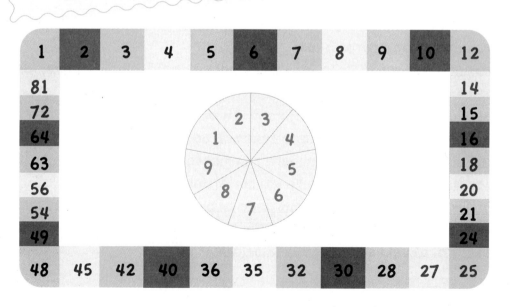

Uso de multiplicaciones conocidas para resolver otras.

1	2	3	4	5	6	7	8	9	10	12
81										14
72										15
64										16
63										18
56										20
54										21
49										24
48	45	42	40	36	35	32	30	28	27	25

Rueda de factores: 1, 2, 3, 4, 5, 6, 7, 8, 9

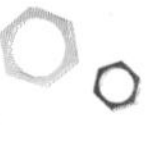

Para después de jugar

1 Piensen y anoten todos los productos posibles si uno de los señaladores está en el número 8.

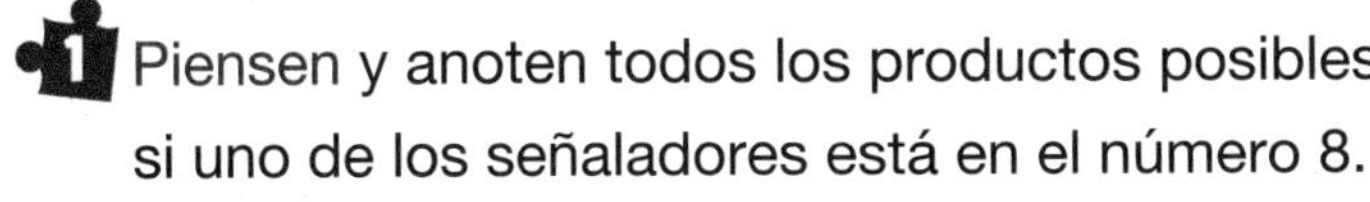

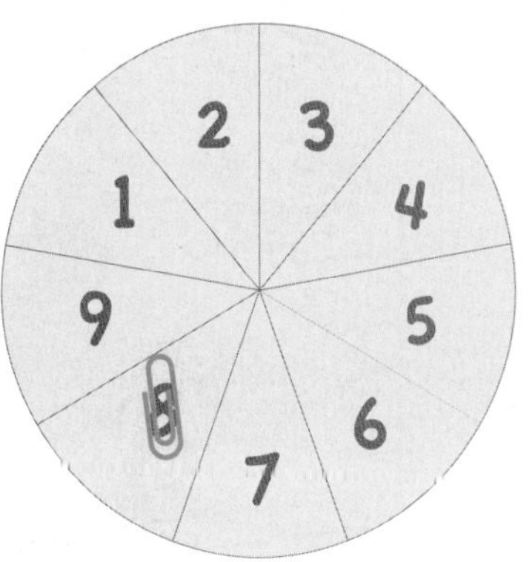

2 Resuelvan: en una partida, Cande puso una ficha en el 18.

- *¿Dónde estaban sus marcadores? ¿Hay una sola posibilidad? ¿Cuántas hay?*

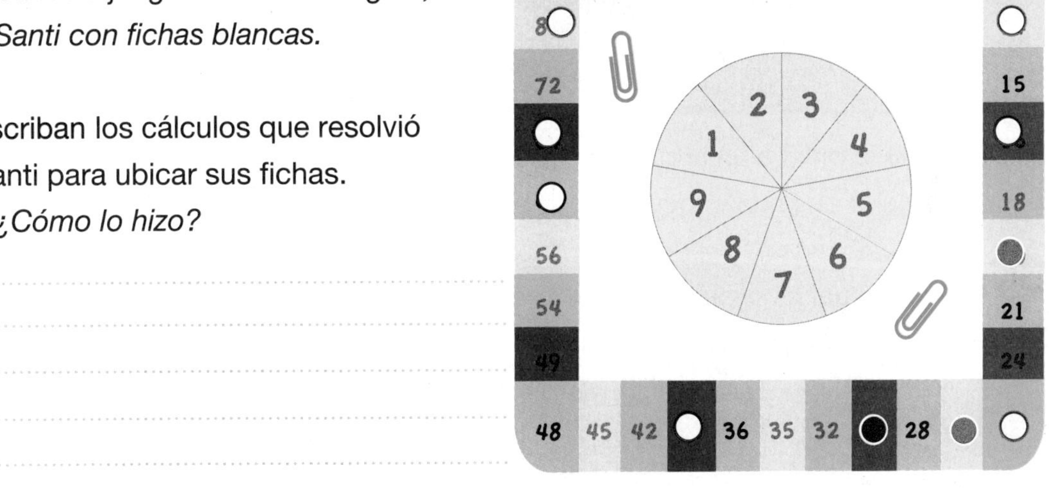

- *Candela juega con fichas negras,*
- *Santi con fichas blancas.*

3 Escriban los cálculos que resolvió Santi para ubicar sus fichas.

- *¿Cómo lo hizo?*

4 Anoten algunos cálculos que le sirvan a Candela para ganar.

Uso de multiplicaciones conocidas para resolver otras.

Comunicación e interpretación de posiciones y objetos, y desplazamientos en el plano. Puntos de referencia.

El restorán de don Tulio

FICHA 7

Don Tulio le pidió a un arquitecto que hiciera un plano de evacuación del restorán para exponerlo en las paredes. Pero al arquitecto se le mezclaron los planos.

1 Indiquen cuál es el plano del restorán. Expliquen cómo se dieron cuenta.

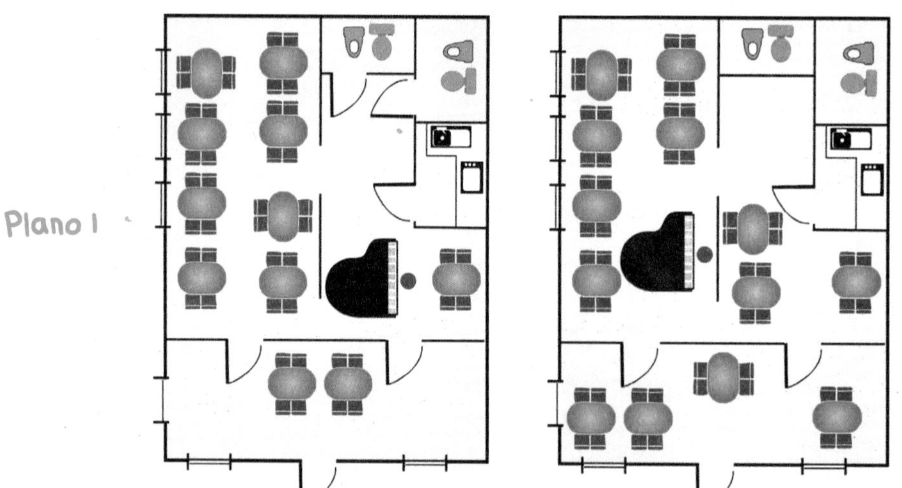

Mozo, la cuenta, por favor

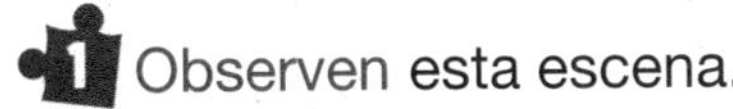

1 Observen esta escena.

Por favor ¿donde esta el baño?

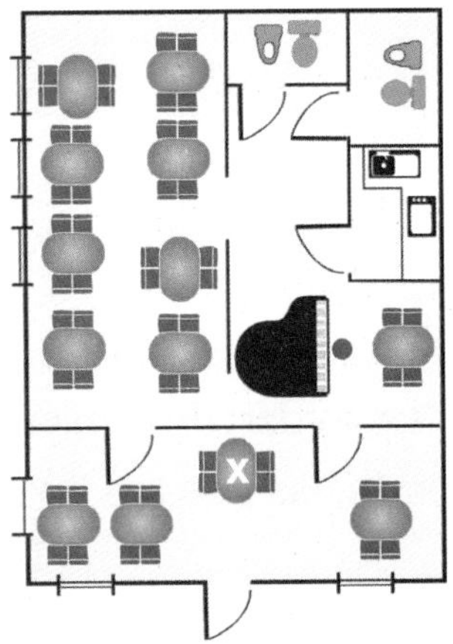

- *Escriban las instrucciones que le darían al cliente para indicarle el camino, sabiendo que está sentado en la mesa señalada con una* **✗**.

....

....

2 Dibujen en el plano el recorrido que hizo el mozo.

- *Salió de la cocina con una bandeja.*
- *Llevó hamburguesas a la mesa del fondo que está junto a la ventana.*
- *Luego llevó una ensalada a la mesa de afuera, que está junto a la puerta.*
- *Alcanzó un plato de pastas a la mesa que está frente al piano.*
- *Por último, volvió a la cocina.*

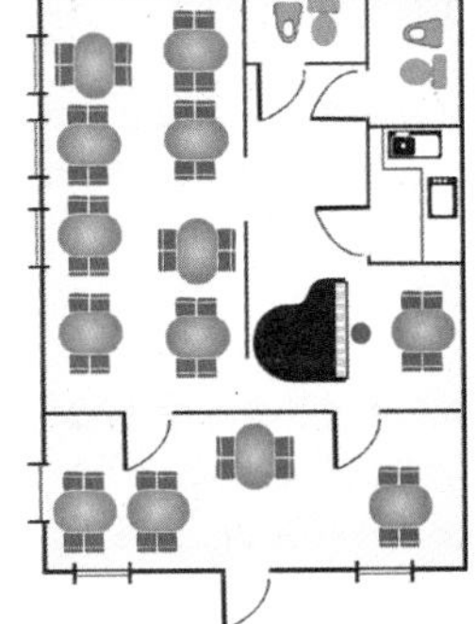

3 Escriban en sus cuadernos las indicaciones que debería darles el mozo para llegar a la mesa que tienen reservada.

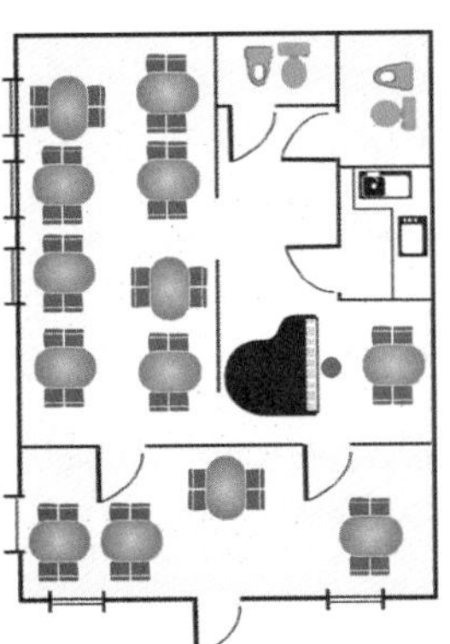

-¿Nos dice dónde está nuestra mesa?
-Hicimos una reserva para 8 personas.
- Sí, unimos tres mesas junto a las ventanas. Son aquellas...

Para la hora del almuerzo

1 Observen la forma en que está escrito el texto de esta página.

La poesía se escribe de una forma particular. Cada línea escrita es un **verso**. En "La verdad de la milanesa" cuatro versos forman una **estrofa**. Además, las poesías pueden tener rima o no.

2 Lean esta poesía.

LA VERDAD DE LA MILANESA

Dicen que la milanesa
era un tanto presumida:
de cualquier menú de chicos
se sabía preferida.

En vianda o en heladera
no duraba mucho tiempo,
era presa favorita
de comensales hambrientos.

Lastimaba su amor propio
salir siempre acompañada.
-¡Sin nosotras no sos nadie!
-le gritaba la ensalada.

-Soy el plato principal
-contestaba petulante-.
La guarnición solo tiene
destino de acompañante.

-Además me siento reina
por la elección popular.
Ustedes no son tan ricos,
yo, en cambio, soy un manjar.

Papas fritas y puré,
cansados de ese maltrato,
un buen día se enojaron
y la empujaron del plato.

Mayonesa y salsa golf
se unieron en el castigo.
-Es un complot en mi contra,
son todos mis enemigos.

La milanesa enseguida
consiguió un par de aliados.
Jamás la dejaron sola
el huevo y el pan rallado.

Los postres participaron
en el pleito hasta el final:
los cañoncitos de dulce
disparaban a la sal.

Con fideos municiones
no se resolvió el problema,
"Su Majestad" iba armada
con bombas de papa y crema.

Y se armó tal descontrol
en la riña de ingredientes
que el chef debió recurrir
a espadas de escarbadientes.

Recién terminó la lucha
(cual invasiones inglesas)
cuando se usó aceite hirviendo
para freír milanesas.

Gabriela Vidal

3 Completen.

- *Esta poesía tiene .... estrofas. Cada estrofa tiene .... versos.*

4 Piensen adjetivos para describir las otras comidas, como en el ejemplo.

- *Milanesa de la poesía: presumida - petulante - manjar*
- *Papas fritas:* ....
- *Puré:* ....
- *Ensalada:* ....

5 Escriban con un compañero cómo sería la historia con este título:

LA VERDAD DEL DULCE DE LECHE

....

....

....

....

....

....

....

....

6 Lean esta extraña poesía.

Escriban una poesía cortita sobre algún animal y luego denle forma de caligrama.

Lectura asidua de diferentes tipos de textos. Producción literaria.

Ciclo del agua

1 Observen el gráfico y expliquen con sus palabras qué ocurre con el agua. Usen las ayudas.

Cuando sube la temperatura...

Si muchas gotas se juntan...

En los ríos y mares...

El agua que cae...

¡Con cuidado...! Que no entre agua en el jarro pequeño.

2 Realicen la siguiente experiencia.

Materiales
- 1 cacerola
- 1 jarro pequeño que entre en la cacerola
- 1 bolsa de polietileno transparente
- Cinta de embalar
- 1 cucharita de metal

Procedimiento
1. Coloquen el jarro dentro de la cacerola.
2. Con la ayuda de un adulto, viertan agua caliente en la cacerola sin tocar la boca del jarro ni cubrirlo.
3. Tápenlo con la bolsa de polietileno.
4. Cierren los bordes con cinta para que nada pueda entrar ni salir.
5. Coloquen la cucharita encima de la bolsa.
6. Expónganla al sol durante una hora.

3 Escriban qué creen que pasó con el agua durante la experiencia.

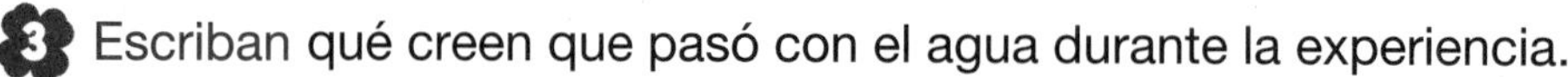

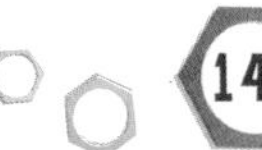

Cambios por efecto de la temperatura

¡Yo también uso mi lupa!

1 Observen, describan y registren.

Material	A simple vista	Con lupa
Sal		
Azúcar		
Harina		
Maíz		

Las transformaciones de la materia en los tres estados se conocen con estos nombres.

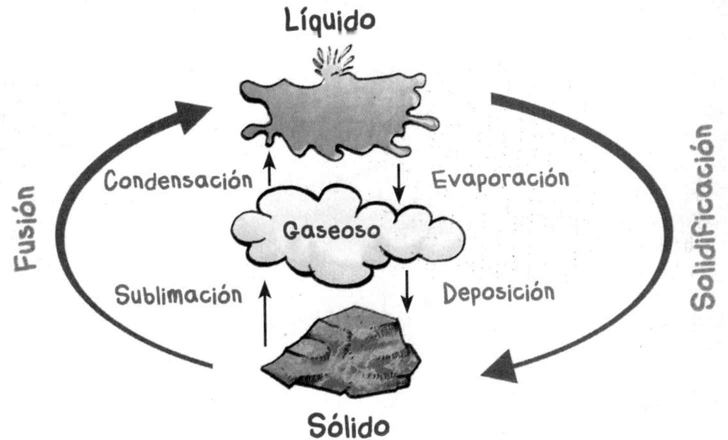

2 Observen la acción física y completen la tabla.

Alimento	Estado	Acción física	Estado	Alimento obtenido	¿Qué proceso ocurrió?
Caldo		Se coloca en el congelador por 3 horas			
Manteca		Se coloca en una olla a fuego fuerte			
Leche chocolatada		Se coloca en el congelador por 3 horas			
Arroz		Se coloca en el congelador por 3 horas			

Tomen una muestra de cada alimento que se nombra en la actividad. En una cuchara de metal con mango de madera, y con ayuda de un adulto, calienten cada muestra en la llama de una vela hasta observar cambios. Registren nuevamente en el cuadro lo que observan a simple vista y con ayuda de una lupa.

Cambios de estado: fusión-solidificación.

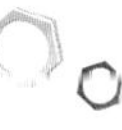

Mezclas heterogéneas

Hay veces en que es muy fácil darse cuenta de cuáles son los elementos que están presentes en una **mezcla**. Solo con mirar vemos diferentes componentes, por ejemplo, en una ensalada de frutas. Estas mezclas se llaman **heterogéneas**. En una mezcla heterogénea las partes pueden separarse.

No solo en los alimentos podemos observar mezclas, también las hay en la naturaleza. Si miran con detenimiento, verán que la mesada de muchas cocinas son de granito. Esta roca es una mezcla en la que se pueden distinguir por el color sus componentes: el cuarzo, la mica y el feldespato.

1 Hagan una lista de las mezclas que pueden encontrar en esta cocina.

....

....

....

....

2 Expliquen cómo podrían separar los ingredientes en alguna de ellas.

....

....

....

Separación de un sólido y un líquido

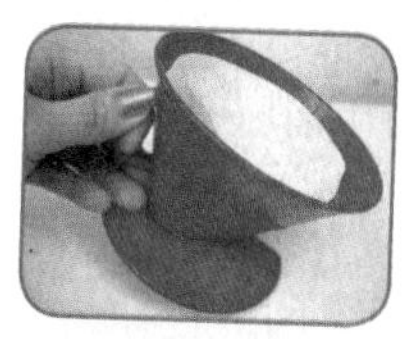

La filtración es uno de los métodos que se utilizan para **separar** elementos sólidos de líquidos; consiste en pasar la mezcla a través de un medio, denominado filtro, que retiene solo la parte sólida.

En la cocina vemos diferentes filtros. Uno es el que se utiliza para preparar un rico café cada mañana, y que separa los granos molidos del agua. Otra forma de separar un líquido de un sólido es con un colador.

1 Expliquen cuándo utilizarían un filtro y cuándo un colador.

- *Para separar el arroz del agua de cocción utilizo* .... *porque* ....
  ....
- *Para separar los fideos del agua de cocción utilizo* .... *porque* ....
  ....
- *Para separar las hojas de té del agua utilizo* .... *porque* ....

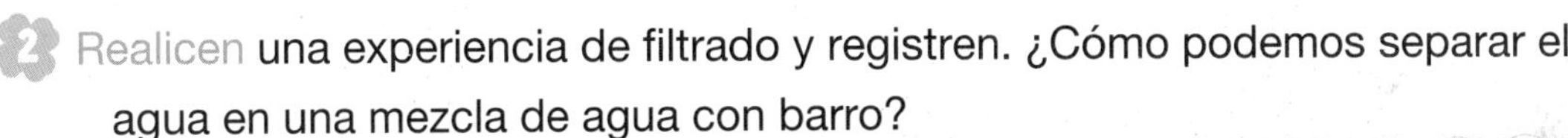

2 Realicen una experiencia de filtrado y registren. ¿Cómo podemos separar el agua en una mezcla de agua con barro?

Materiales
- Embudo o portafiltro
- Filtro de papel
- Arena
- Carbón vegetal triturado (se compra en las farmacias)
- Agua con barro
- Dos botellas transparentes

Procedimiento
1. Colocar el filtro en el portafiltro o embudo.
2. Agregar una capa fina de arena.
3. Verter un poco del agua con barro por el filtro, acumulándola en la botella.
4. Registrar las características del agua que se obtiene.
5. Agregar una capa de carbón vegetal sobre la arena y nuevamente una capa de arena.
6. Verter el resto del agua con barro por el nuevo filtro, acumulándola en otra botella. Comparar con la muestra anterior.

Separación de mezclas. Filtración.

Tengan cuidado porque, si no, ¡se van a manchar!

Materiales que tiñen

1 Aprender a mirar

Observen estos teñidos.

Muchos artistas y artesanos utilizan diferentes técnicas para teñir telas y papeles.

2 Manos en acción

Marquen los materiales que sirven para teñir.

Para saber más

Muchos alimentos o infusiones, al ser colocados en agua caliente, desprenden sus pigmentos y con ellos se puede cambiar el color, tanto de prendas como de papeles blancos. Esta técnica se denomina "teñido".

El color. Modificación del color propio de distintos materiales.

Algunos artistas utilizan solo elementos de la naturaleza para teñir telas y papeles.

Jugar con colores

1 Coloquen el nombre a cada elemento y piensen cómo podrían usarlos para teñir.

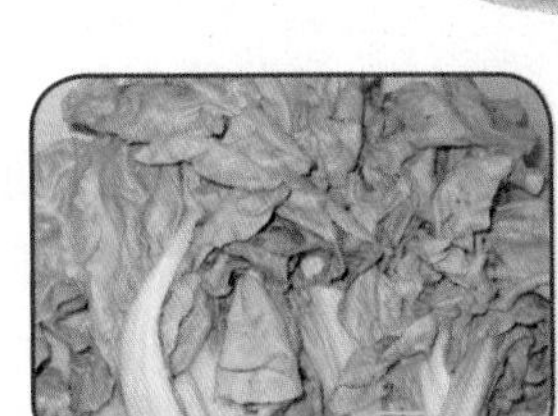

....

....

2 Aprendemos jugando

- Pueden realizar las invitaciones para algún acto de la escuela con papeles y algunos alimentos.

Eso sí, necesitarán la ayuda de un adulto.

Materiales

- 2 remolachas
- Cacerola
- Agua (cantidad necesaria)
- 1 papel blanco o puede ser papel madera (de 10 x 20 cm)
- Marcadores de colores
- Guantes

Pasos a seguir

1. Con la ayuda de un adulto, hiervan las remolachas hasta que el agua quede de color bordó.
2. Retiren las remolachas del agua y resérvenlas para una rica ensalada.
3. Dejen entibiar el agua.
4. Con guantes, introduzcan el papel, previamente arrugado, durante dos minutos.
5. Saquen el papel y estírenlo, luego déjenlo secar.
6. Alisen el papel con plancha o colóquenlo debajo de algún libro pesado.
7. Doblen el papel por la mitad y decoren la tarjeta como más les guste o siguiendo las indicaciones de la maestra.

Canción de cuna para dormir a un dinosaurio

Vení, dinosaurio,
vamos a dormir,
que con un garrote
andan por ahí.

Vamos, bicho bueno,
vamos de una vez,
que allí hay un malo
que te va a comer.

Acostate pronto
que está muy oscuro;
es noche en el cielo
de este nuevo mundo.

Dormite tranquilo
mientras yo te enseño
a contar palmeras
para hallar el sueño.

Un colchón de flores
yo quise hacerte
y las corté a todas
de este continente.

Dormí, dinosaurio,
que los picaflores
están enojados
por estas cuestiones.

Dormí, dinosaurio,
pata de cien kilos
te rascás la oreja
y ya te has dormido.

Oche Califa, en *Valseado del piojo enamorado*, Libros del Quirquincho, Buenos Aires.

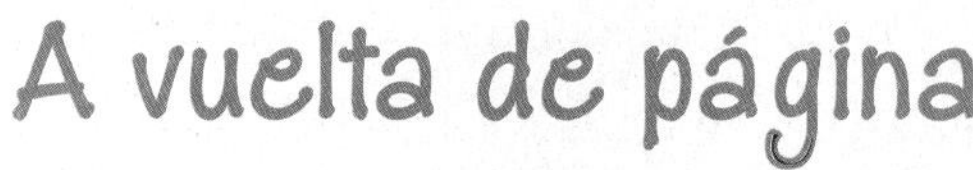

A vuelta de página

1 Comenten entre todos y respondan: ¿por qué no se querría dormir el dino?

2 Anoten aquí los nombres de las canciones de cuna que conocen.

Comprensión lectora.

3 Coloquen V o F, según corresponda.

- *¿Para qué se les canta canciones de cuna a los niños pequeños?*

PARA QUE BAILEN ☐

PARA QUE SE MATEN DE RISA ☐

PARA QUE LLOREN ☐

PARA QUE SE DUERMAN ☐

Cuando era robotito, me encantaba dormirme con una canción de cuna. Así mi sueño era más profundo.

4 Comenten en grupos qué les gusta hacer a la hora de ir a dormir.

Las **canciones de cuna** son melodías que se cantan en voz baja o susurrando, suaves y dulces, que sirven para ayudar a calmar y hacer dormir a los niños. Son parte de la transmisión cultural oral de las tradiciones que aparecen en América y en todas partes del mundo, y que tienen sus orígenes en el cancionero popular.

5 Sean escritores ustedes también. Inventen entre todos una canción de cuna para dormir a otro animal. Escríbanla en sus cuadernos.

El autor de la poesía "Canción de cuna para dormir a un dinosaurio" es Oche Califa.

6 Miren su foto y lean su autobiografía.

"Soy escritor, periodista y editor. Creo que ya no seré otra cosa (¿acaso no es suficiente?), aunque me gustaría tener una huerta o una carpintería. Pero escribir es algo que 'me puede'. ¡Qué le voy a hacer! ¡No logro mantener mi cabeza quieta! Ahora mismo se me acaba de ocurrir la idea de que el cielo nocturno es una campera de cuero negra con tachas blancas y que, sin que nos demos cuenta, nuestro planeta está sujeto a un motociclista que nos lleva como locos a dar vueltas por el cosmos. No sé si es una buena idea. Pero por más que quiero espantármela, no lo logro..."

Oche Califa

7 Expliquen con sus palabras el signifcado de estas expresiones de la autobiografía de Oche Califa.

"[...] escribir es algo que 'me puede'".

____

"No logro mantener mi cabeza quieta".

____

Escriban en casa una canción de cuna para leer o cantar en la escuela. Armen una cartelera.

Comprensión lectora.

¡Qué notición!

1 Lean entre todos el siguiente texto.

Volanta → *Restos fósiles hallados cerca del lago Viedma, en Santa Cruz*

Título → **Puertasaurio: ¿el dinosaurio más grande del mundo?**

Copete → Estiman que midió entre 35 y 40 metros.

Cuerpo de la noticia →

"Adentro del tórax de este dinosaurio cabía un elefante", asegura Fernando Novas, paleontólogo del Museo Argentino de Ciencias Naturales Bernardino Rivadavia [...].

"El puertasaurio es al menos tan grande como el argentinosaurio. Es un rival", sugiere este investigador del Conicet que mide cuidadosamente sus palabras para no ir más allá de lo que las evidencias fósiles le permiten.

El minucioso estudio de cuatro vértebras (una del cuello, otra de la espalda y dos de la cola) desenterradas en 2001 cerca del lago Viedma, en la provincia de Santa Cruz, le ha permitido estimar que este dinosaurio herbívoro midió entre 35 y 40 metros de largo. El argentinosaurio medía aproximadamente 38 metros.

Imagen

Epígrafe → El paleontólogo Fernando Novas y su equipo hallaron huesos de un dinosaurio herbívoro gigante, el *Puertasaurus reuili*, en la colina de Los Hornos, al sur de la Patagonia argentina, en enero de 2001.

Un testigo del final

"El puertasaurio presenta muchos aspectos interesantes, afirma Novas, que van más allá de si fue o no el más grande de todos los dinosaurios.

"Lo curioso es que, podría decirse, el puertasaurio era demasiado joven para ser tan grande.

"Los grandes titanosaurios de la Patagonia, como el argentinosaurio, vivieron hasta hace 90 millones de años –explica Novas–. En períodos posteriores, solo se habían hallado restos de dinosaurios pequeños, de alrededor de 6 metros de largo, como el saltasaurio".

Por Sebastián A. Ríos

Las partes de la noticia.

WWW.LANACION.COM.AR/NOTA.ASP?NOTA_ID=825422

2 Reflexionen entre todos y luego respondan estas preguntas.

- *¿Qué tipo de texto les parece que es?*
- *¿Cuál es el tema del texto?*
- *¿Para qué sirve leerlo?*

Mis antepasados ¿habrán sido robotsaurios?

3 Escriban sobre lo que significa **informar**.

....

....

....

4 Recuerden tres noticias que les hayan llamado al atención o que sepan que fueron importantes. Anoten por cuál medio de comunicación se enteraron.

- *Numeren las noticias que escribieron en el cuadro según su importancia, de 1 a 3. Para saber cuál es más importante, consideren cuál afecta a más personas. ¡Esa es la más importante!*

Noticia	Medios de comunicación	Importancia

Los **medios masivos de comunicación**, como los diarios, las páginas de Internet, algunos programas de radio y televisión, informan a las personas sobre las cosas que pasan a través de sus noticias. Todos tienen distintos puntos de vista, y por eso es muy importante conocer **la fuente de información**, es decir, quién nos informa.

Escriban cómo se enteran de las noticias en la familia de ustedes.

La Tierra en sus comienzos

1 Recorten de un planisferio N.° 5 los continentes y todas las islas. Luego, intenten unirlos nuevamente.

Me encantan los rompecabezas.

Los científicos sostienen que la Tierra, junto con el resto de los planetas del Sistema Solar, se formó al mismo tiempo que el Sol, hace unos 4.500 millones de años.

En un principio, la Tierra era una gran masa de rocas incandescentes y gases que se fueron uniendo para formar un solo cuerpo esférico.

No bien empezó a formarse su atmósfera y a enfriarse su superficie, comenzaron grandes cambios.

Por ejemplo, hace 300 millones de años, la Tierra no era tal como la conocemos hoy. Existía un único supercontinente al que se denomina **Pangea**, que estaba rodeado por un único océano. En esos tiempos, nuestro planeta estaba habitado por seres que hoy ya no existen.

Pangea.

Como los continentes estaban unidos, algunos animales pudieron dispersarse por tierra hacia otros lugares, incluso hacia la Antártida. Otros se transladaron y sólo existen en un continente, como los canguros en Australia y los osos panda en Asia.

La Tierra hoy.

2 Pinten en un planisferio los continentes actuales y escriban sus nombres. También el nombre de los océanos y mares que los separan.

La vida en nuestro planeta

Se han encontrado pruebas de la existencia de seres vivos en la Tierra de hace 4.000 millones de años. Las primeras formas de vida fueron algas y bacterias.

Entre los diversos seres que poblaron nuestro planeta, encontramos los diferentes dinosaurios, hace unos 160 millones de años antes que nosotros.

1 **Observen** las ilustraciones y marquen la información clave.

Diplodocus: su nombre significa "doble viga", y es debido a que en la cola tenía huesos dobles que usaba como arma de defensa. Con un cuello y cola muy largos, era uno de los animales más grandes: llegaba a medir 27 metros. Era herbívoro y, al igual que a las jirafas actuales, le gustaba comer los brotes tiernos de las copas de los árboles.

Tyrannosaurus rex: era un dinosaurio carnívoro. Tenía dos patas traseras gruesas, largas y fuertes para correr, y una cola musculosa para mantener el equilibrio. Las patas delanteras eran cortas y con zarpas afiladas .

Ankylosaurus: fue uno de los dinosaurios herbívoros más acorazados que existió. Tenía la cabeza pequeña, una estructura corpulenta y una pesada armadura formada por placas óseas y púas.

En el extremo de su cola, un gran mazo le servía como defensa frente a los carnívoros.

2 Peguen las figuritas del álbum de este capítulo, páginas 14 y 15.

3 Escriban aquí una información de los dinosaurios que no sabían y ahora saben.

Busquen ilustraciones de otros dinosaurios y escriban sus epígrafes.

1 Lean lo que dicen estas chicas de tercer grado y respondan.

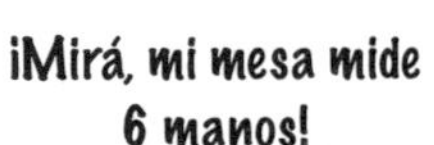

Mi mesa es un poquito más larga que la tuya. Mi mano entra 8 veces.

La maestra las escuchó y les dijo que, para poder ponerse de acuerdo sobre cuánto miden los objetos o las personas, usamos una misma **unidad de medida**.

2 Respondan estas preguntas en sus cuadernos.

- *¿Cuál de las dos nenas tiene razón? ¿Por qué?*
- *Sergio, un compañero de las chicas, asegura que ellas están equivocadas y que todas las mesas son iguales. ¿Están de acuerdo? Expliquen por qué.*
- *¿Con qué podrían medir las chicas sus mesas para estar seguras?*

3 Seleccionen el objeto que usarían para medir de acuerdo con la situación o el trabajo de cada una de estas personas. Pónganle la letra correspondiente.

a. Un carpintero, para medir espacios, usaría…
b. Una costurera, para medir telas y prendas, usaría…
c. Un arquitecto, para medir en sus planos, usaría…
d. Un doctor, para medir a sus pacientes, usaría…
e. Ustedes, para medir líneas en el cuaderno, usarían…
f. La maestra, para medir construcciones en el pizarrón, usaría…

segmómetro

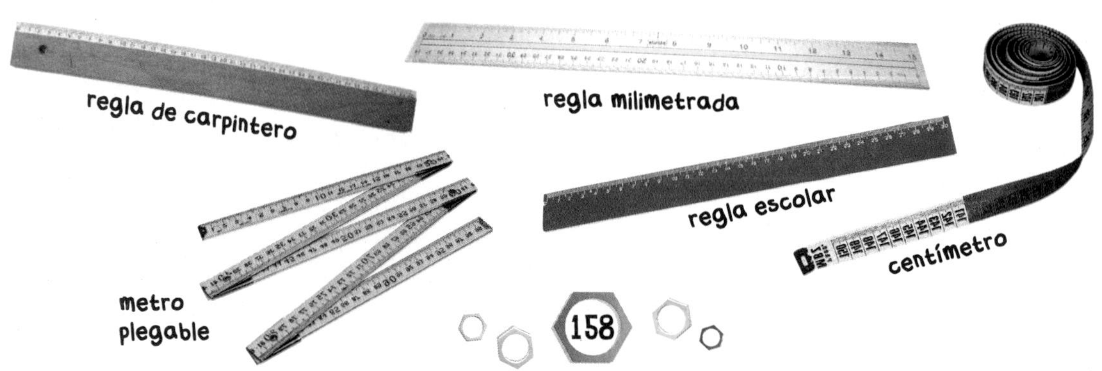

Voy a probar medir
la mesa con la regla.

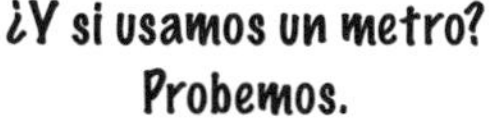

¿Y si usamos un metro?
Probemos.

Los chicos prueban con la regla, pero les resulta corta. Hay que hacer varias marquitas en la mesa, correr la regla sin torcerla… ¡Muy difícil!

 4 Completen mirando el dibujo.

- *¿Cuánto mide el largo de la mesa?* ☐
- *¿Hasta qué número llega el metro de la maestra?* ☐

Para acordarse: 1 metro (m) = 100 centímetros (cm)

 5 Respondan.

- *¿Cuántos centímetros tiene la regla que usan ustedes?*
- *¿Cuántos centímetros más tendría que tener para medir 1 metro?*

6 Rodeen con color verde los objetos que convendría medir con una regla y con color rojo los que sería más apropiado medir con un metro.

Una mano	Una puerta	Una cartuchera	La altura de una tortuga
Una silla	Una carta	La altura de un compañero	Una hoja de carpeta

Averigüen cuántos centímetros midieron al nacer y cuántos centímetros miden ahora.

¿Cuánto crecieron?

Medidas más grandes

En uno de los campos que queda en las afueras de la ciudad se instaló una escuela de equitación. Se pueden alquilar caballos y hacer cabalgatas alrededor del terreno, ya que adentro practican los principiantes.

Algunas equivalencias entre las principales unidades de medida.

1 Calculen: ¿qué distancia se recorre cabalgando una vuelta completa alrededor de todo el campo?

Para acordarse: 1.000 metros (m) = 1 kilómetro (km)

2 Respondan: las siguientes preguntas.

- *Dando una vuelta completa alrededor del campo, ¿se recorre más o menos de 1 km? ¿Por qué?*
- *¿Podrían dibujar en el cuaderno una línea que mida 1 km de largo?*
- *¿Y una de 1 m de largo?*
- *¿Y una línea de 1 cm de largo?*

Marquen con una ✘ lo que se mide en kilómetros.

Una habitación	Un campo	Una cartulina
Una ruta	Una cama	La distancia entre una provincia y otra

¿Cuánto medían los dinosaurios?

Martín leyó en la enciclopedia que el velocirraptor apenas alcanzaba los 2 m de largo.

 Calculen: ¿cuántas veces entraría su regla de 20 cm en esa medida? 

Martín calculó así:

20 + 20 + 20 + 20 + 20 = 100 cm, que es lo mismo que 1 metro

(5 reglas)

Para formar **dos metros** *se necesita* **el doble de veces** *la regla, o sea, 10 reglas.*

 Conversen: ¿qué opinan de la forma de calcular de Martín? ¿Se les ocurre otra manera de resolverlo?

3 Piensen cuál sería el instrumento más adecuado, si hubiesen podido medir al dinosaurio como lo hacen los paleontólogos.

4 "El *Tyrannosaurus rex* llegó a medir unos 14 m de largo", leyó Julián en otro libro sobre dinosaurios. Entonces se le ocurrió armar una tabla como esta para calcular cuántas veces hubiera tenido que usar su regla para medirlo.

Medida del dinosaurio	1 m	2 m	3 m	4 m	7 m	8 m	10 m	14 m
Cantidad de reglas	5	10						

5 Resuelvan un desafío: después de leer la siguiente información. Gastón asegura que el *Stegosaurus* medía en total más de 7 m de largo. ¿Tiene razón?

Stegosaurus:
Largo de la cabeza: 35 cm. La cola medía el triple que la cabeza.
El cuerpo medía cuatro veces la medida de la cabeza y la cola juntas.

Las noticias en los periódicos

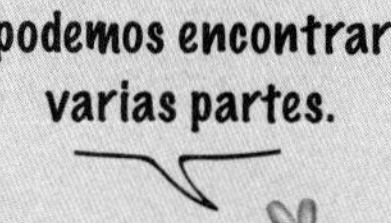

VOLANTA: se ubica arriba del título. Tiene dos funciones principales:

- introducir el tema del título.
- compartir información con el título para que este no sea tan largo.

COPETE O BAJADA: se presenta siempre debajo del título. Consiste en una síntesis de la información, con datos precisos sobre esta.

TÍTULO: es una de las partes más importantes de la noticia. Cumple la función de lograr el interés del lector.

CUERPO: da la información completa sobre el hecho que es noticia.

IMAGEN: acompaña la noticia.

EPÍGRAFE: texto breve y descriptivo de la imagen. Se ubica debajo o al lado de esta.

Partes de la noticia impresa.

1. Completen el esquema con una noticia del grado e ilústrenlo.

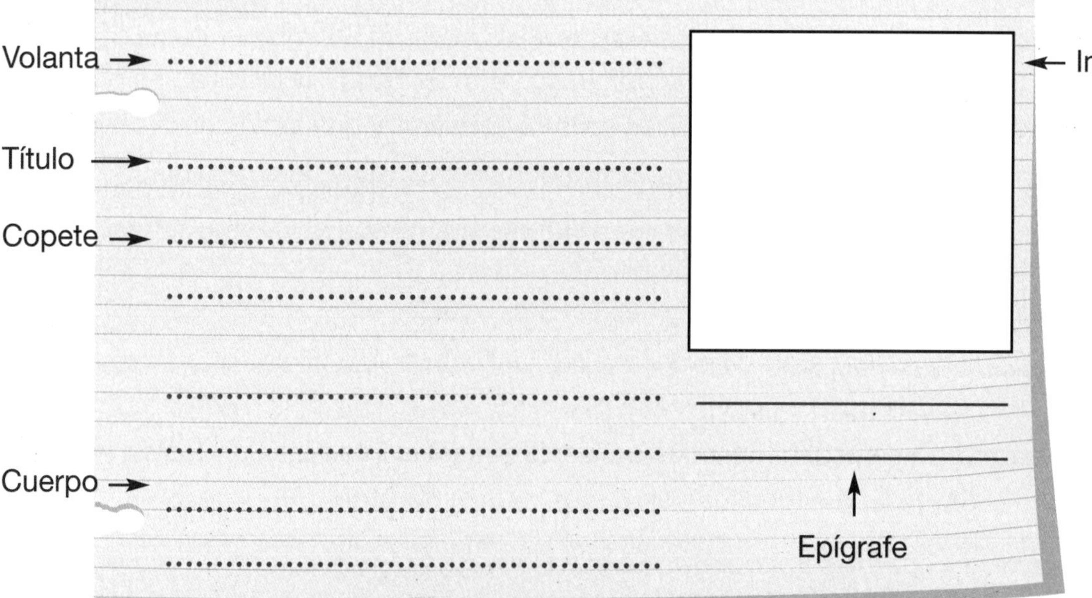

2. Busquen noticias actuales que les interesen en los diferentes medios de comunicación. Luego péguenlas en el cuaderno e identifiquen sus partes.

Cada tema en su lugar

Los periódicos están organizados en varias partes, según los temas, para que podamos encontrar rápidamente las noticias. Estas partes se llaman **secciones**.

1 Busquen las secciones de diferentes diarios y periódicos. Anoten las que encontraron.

....	....	....
....	....	....
....	....	....
....	....	....
....	....	....

2 Unan con flechas la noticia con la sección donde la buscarían.

El estreno de una película	Policiales
Los goles de su equipo favorito	Información general
Una muestra arqueológica	Deportes
El pronóstico del tiempo	Espectáculos
El robo a un banco	Cultura y educación
Elecciones en Australia	Internacionales

¡Pasame el horóscopo!

Cuando algunas publicaciones quieren dedicar muchas páginas a un tema en particular, como, por ejemplo, cocina, automovilismo o moda, entre otros, van acompañadas de **suplementos**.

Averigüen en el puesto de diarios del barrio cuáles son los periódicos que traen suplementos infantiles. Escriban una lista en el cuaderno.

Las secciones de los periódicos.

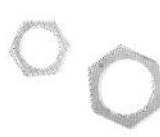

El resumen

1 Lean la siguiente nota de enciclopedia y subrayen las ideas principales.

Huellas del pasado

Los **dinosaurios** (*Dinosauria*, del gr. "lagartos terribles") son un super orden de animales vertebrados que dominaron los ecosistemas del Mesozoico durante unos 160 millones de años. Estos reptiles alcanzaron una gran diversidad y, algunos, tamaños gigantescos. Una de sus principales características distintivas es que tenían las patas situadas debajo del cuerpo, como los mamíferos, y no en los costados, como la mayoría de los reptiles. Los dinosaurios eran originariamente bípedos, aunque el cuadrupedismo resurgió en varios grupos distintos. Durante los últimos años se han acumulado pruebas científicas muy contundentes de que pequeños dinosaurios carnívoros dieron origen a las aves durante el período Jurásico.

2 Escriban en sus cuadernos un resumen con las ideas que subrayaron.

Cuando estudiamos algún tema y leemos textos informativos, es necesario realizar un **resumen**, es decir, seleccionar lo más importante.

Repasar y jugar

Las palabras están horizontales, verticales, de izquierda a derecha y viceversa.

1. Busquen en la sopa de letras cinco sustantivos que se relacionen con la noticia de la página 154.

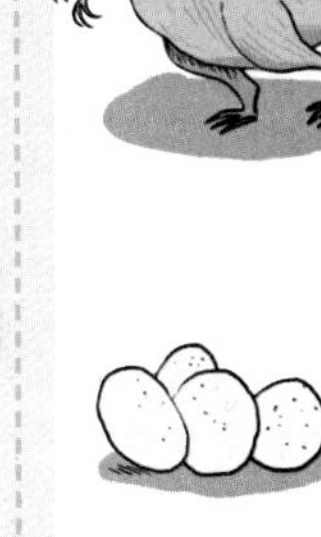
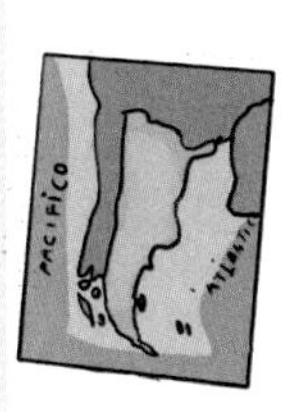

2. Usen las palabras que encontraron en la sopa de letras para escribir un resumen del tema "Dinosaurios".

....

....

....

3. Escriban entre todos un mensaje para pedirle al director o a la directora de su escuela una visita a un museo de ciencias naturales. Es necesario que también figuren las palabras de la sopa de letras. ¡Y no se olviden de argumentar el pedido!

Adivinando

La maestra de Ezequiel les dijo que ella elegiría un cuerpo de los que están en la caja. Los chicos tendrían que adivinar cuál era haciéndole preguntas, a las que ella solo podía contestar con "sí" o con "no".

1 Lean las preguntas que le hicieron los chicos.

Paula: –¿Puede rodar?

Maestra: –No.

Ezequiel: –¿Tiene todas sus caras con forma de rectángulo?

Maestra: –No.

Matías: –¿Tiene todas sus caras con forma de cuadrado?

Maestra: –Sí.

Jazmín: –¿Tiene ocho puntas?

Maestra: –Sí, tiene 8 vértices.

Kevin: –Para estar seguros, ¿tiene 12 bordes?

Maestra: –Sí, tiene 12 aristas.

Chicos y chicas: –¡Ya adivinamos cuál es!

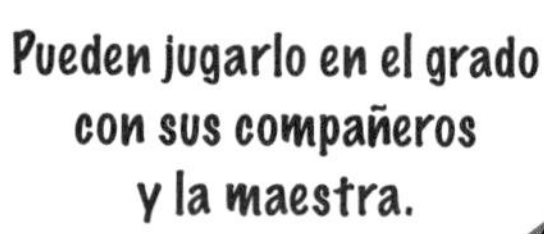

Pueden jugarlo en el grado
con sus compañeros
y la maestra.

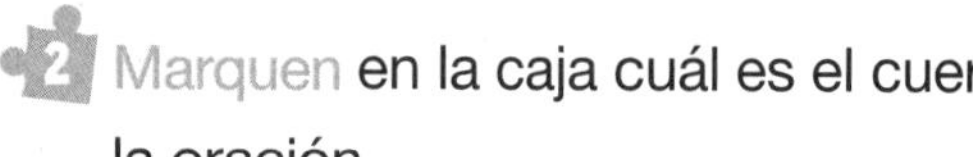

2 Marquen en la caja cuál es el cuerpo que eligió la maestra y completen la oración.

La maestra eligió el ______________________.

3 Unan con flechas cada palabra con el elemento que nombra.

Arista
Cara
Vértice
Base

Arista
Cara
Cúspide
Base

Arista
Cara
Vértice
Base

Identificación de características y elementos de los cuerpos geométricos.

Dinos en construcción

Les proponemos armar los esqueletos de algunos cuerpos. Para eso van a necesitar escarbadientes y plastilina.

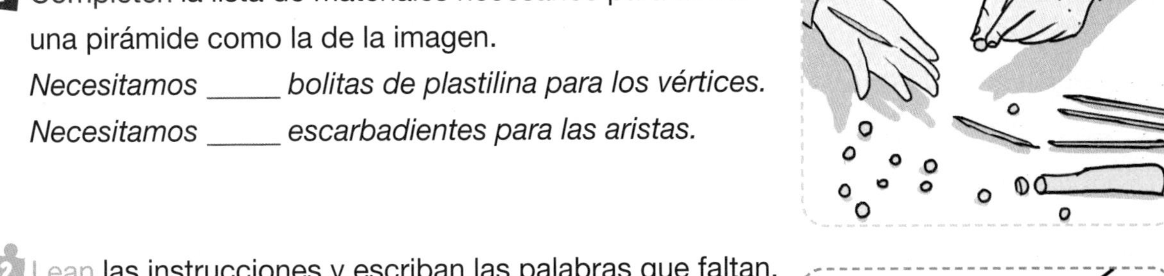

1 Completen la lista de materiales necesarios para armar una pirámide como la de la imagen.

Necesitamos _____ bolitas de plastilina para los vértices.

Necesitamos _____ escarbadientes para las aristas.

2 Lean las instrucciones y escriban las palabras que faltan.

- ✔ Miren muy bien el cuerpo que van a copiar.
- ✔ Cuenten cuántas bolitas de plastilina van a necesitar y ármenlas. Para esto es necesario contar los ______________ de la pirámide.
- ✔ Cuenten cuántos escarbadientes van a necesitar para hacer las ______________ .
- ✔ Armen la pirámide.

Después de armar los cuerpos, los chicos usaron el material para crear dinosaurios como los que estaban estudiando. Miren cómo quedaron.

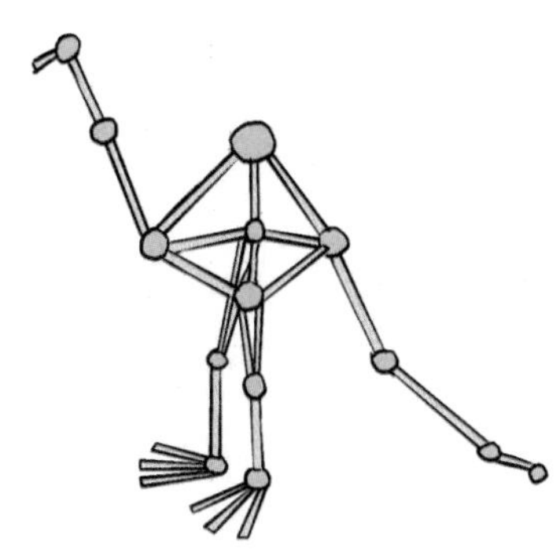

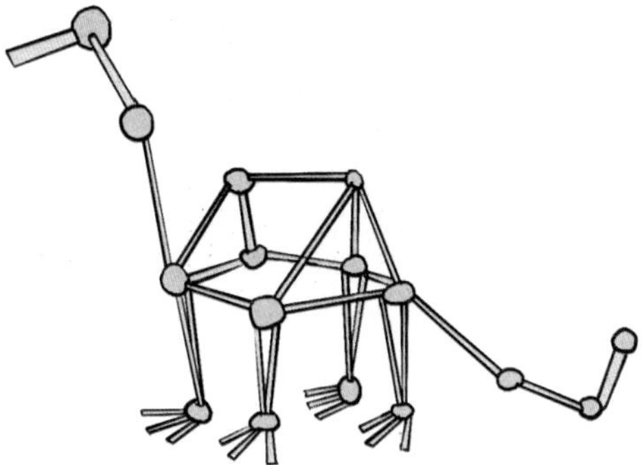

3 Descubran:

- *¿Qué cuerpo usaron para representar el lomo del dinosaurio celeste?*
- *¿Cuántos vértices tiene esa figura?*
- *¿Cuántas aristas?*

Cuidemos lo nuestro

Los 48 chicos de 3.° A y 3.° B de la escuela primaria están trabajando en un proyecto para difundir la importancia del cuidado del medio ambiente. Por eso, los maestros programaron una visita al Parque Natural Refugio del Aguará. Participarán de cuatro talleres a lo largo de la mañana.

1 Los guías le pidieron a los maestros que armen 4 grupos con igual cantidad de alumnos cada uno. ¿Cuántos integrantes tendrá cada grupo?

2 Al terminar la visita, los 48 chicos se volvieron a juntar para compartir una merienda. Si el bufé tiene 6 mesas, ¿cómo se repartieron las 48 sillas para que en todas las mesas haya igual cantidad de chicos?

¡Usen la tabla pitagórica!

- *Escriban entre todos cómo hicieron para encontrar el resultado en la tabla pitagórica.*

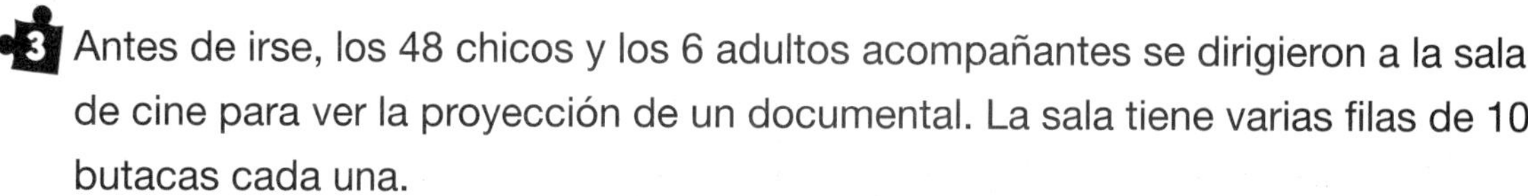

3 Antes de irse, los 48 chicos y los 6 adultos acompañantes se dirigieron a la sala de cine para ver la proyección de un documental. La sala tiene varias filas de 10 butacas cada una.

- *¿Cuántas filas completas ocuparon?*
- *¿Cuántas butacas quedaron vacías en la última fila ocupada?*
- *Conversen: ¿cómo pueden resolver ésta situación usando la tabla pitagórica?*

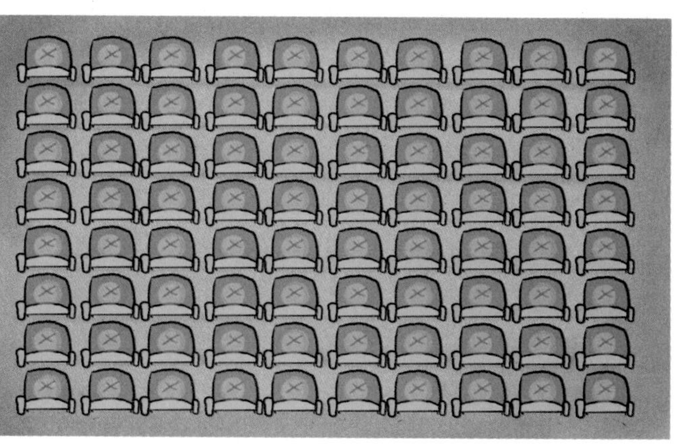

Para llevarse a la escuela

Los guías les dejaron a los chicos folletos con información y otros recuerdos de su visita al parque.

1 Les dieron 192 llaveros para repartir entre los 6 adultos acompañantes. ¿Cómo los repartieron para que los 6 recibieran la misma cantidad?
Algunos chicos calcularon así:

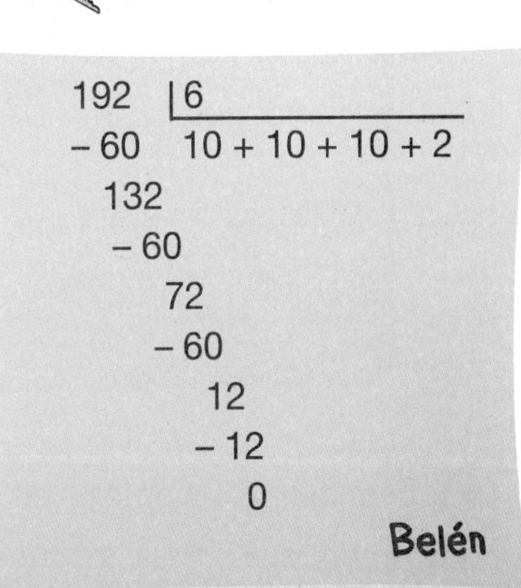

192 llaveros para repartir entre 6 personas

− 60	10 x 6	10 para cada uno
132		
− 60	10 x 6	10 para cada uno
72		+
− 60	10 x 6	10 para cada uno
12		
− 12	2 x 6	2 para cada uno
0		32 para cada uno

Jerónimo

```
192  |6
−60   10 + 10 + 10 + 2
 132
 −60
   72
  −60
    12
   −12
     0
```

Belén

192 para repartir entre 6

6 →
10 + 10 + 10 + 2 = 32
10 + 10 + 10 + 2 = 32
10 + 10 + 10 + 2 = 32
10 + 10 + 10 + 2 = 32
10 + 10 + 10 + 2 = 32
10 + 10 + 10 + 2 = 32

Yo le fui poniendo a cada uno 10, hasta que llegué a 180. Como me quedaban 12 y yo sé que 6 x 2 es 12, le puse dos más a cada uno. Después sumé lo que le di a cada uno.

Martín

6 x 10 = 60
6 x 10 = + 60
6 x 10 = 60
180

6 x 2 = 12

10 + 10 + 10 + 2 = 32 llaveros para cada uno

180 + 12 = 192 total de llaveros

Facundo

Problemas de reparto y partición. Diferentes estrategias.

Cambios en la Tierra

Muchos estudios sostienen en que, durante la era de los dinosaurios, la temperatura de la Tierra era muy superior a la actual, y sometía a los que la habitaban a calores intensos. Los animales no eran los mismos que hoy, y el paisaje tampoco lo era.

Los habitantes de esta Tierra convulsionada debían ser muy fuertes para resistir las erupciones volcánicas, los terremotos y las violentas tormentas.

1 Escriban sus hipótesis en sus cuadernos: ¿por qué se extinguieron los dinosaurios?

Para que una especie animal o vegetal sobreviva y se reproduzca es necesario que obtenga alimento. Algunos expertos afirman que la caída de un meteorito provocó grandes nubes de gases y polvo que impidieron que los rayos solares llegaran a la superficie terrestre. Por eso, las plantas no sobrevivieron, y en consecuencia los dinosaurios también murieron, posiblemente de frío y hambre.

2 Investiguen, comenten y resuman en sus cuadernos:

- *¿Es posible que un cuerpo celeste colisione con la Tierra?*
- *Expliquen con sus palabras cómo la muerte de las plantas pudo provocar la extinción de los dinosaurios carnívoros.*

¡Qué increíble!

Los dinosaurios hoy

¡Qué diferencia!
Huevos de dinosaurio, avestruz, gallina y codorniz.

En la actualidad sabemos de la existencia de los dinosaurios por los **restos fósiles**, que son la evidencia de vida en el pasado. Los paleontólogos han recuperado esqueletos completos, conchas y caparazones **fosilizados**, es decir, convertidos en piedra, de animales que ya no existen.

 Comparen y describan los fósiles con el modelo realizado por un artista.

Tiranosaurus rex, uno de los dinosaurios carnívoros de mayor tamaño.

Muestra de esqueleto fosilizado **Modelo hipotético**

Argentinosaurus huinculensis: el dinosaurio más grande encontrado hasta el momento.

Muestra de esqueleto fosilizado **Modelo hipotético**

Fósiles y modelización.

Diferentes pero parecidos

De todos los animales que vivían en la Tierra, podemos ver que algunos de ellos seguramente fueron los tataratataratatarabuelos de algunos que hoy conocemos.

A diferencia de los dinosaurios, los mamuts convivieron con el hombre. Estos animales eran muy parecidos al elefante pero mucho más grandes. Y también como los elefantes actuales, había varias especies de mamut; los más grandes podían medir unos 9 metros de longitud, tener 5 metros de alto y pesar unas 12 toneladas, ¡o sea 12.000 kilos! Mientras que los más pequeños solo medían hasta 2 metros de alto y llegaban a pesar la mitad.

1. Escriban un epígrafe a cada imagen.

2. Elaboren, con esa información, un cuadro comparativo.

	Mamut	Elefante
Cabeza		
Cuerpo		
Patas		

Otra vez en peligro

Actualmente existen diferentes especies de elefantes, con variadas características. De acuerdo con el lugar donde habitan, encontramos los africanos y los asiáticos, cada uno con sus propias particularidades, que les permiten adaptarse mejor a su hábitat.

Elefante asiático

Elefante africano

Características	Elefante asiático	Elefante africano
Altura	De 2 a 3,5 metros	De 2,7 a 4 metros
Particularidades del cuerpo	Orejas más grandes. Cola más corta. No todas las especies poseen colmillos	Orejas pequeñas y redondeadas. Espalda arqueada. Cola larga. Tienen colmillos
Peso	Hasta 5 toneladas	Hasta 7,3 toneladas
Alimentación	Herbívoros	Herbívoros
Peligro de extinción	Sí	Sí

A pesar de parecer invencibles, son especies en peligro debido a la lucha que entablan con otras especies carnívoras, como el tigre o el leopardo, que atacan a las crías. Aunque su mayor depredador es el hombre, que lo caza para obtener el marfil de sus colmillos y altera su hábitat haciéndole cada vez más difícil encontrar alimento.

1 Escriban en sus cuadernos buenas razones para cuidar a los elefantes.

Investiguen sobre los animales en riesgo en la Argentina. Elaboren una campaña de difusión en la escuela para conocerlos y poder protegerlos.

Diario mural

El diario mural se arma en una hoja gigante y sirve para informar a la comunidad escolar sobre temas de la escuela, del barrio o del país.

¡Un diario mural de 3.º!

Los chicos de tercer grado escribieron un diario mural. Luego de varios borradores, el diario mural quedó así.

DIARIO MURAL DE 3RO

¡Tiembla Maru Botana!

Los chicos de 3º B prepararon una chocotorta. ¡Un logro culinario!

Llegaron nuevos juegos

La cooperadora compró 5 juegos de mesa para los recreos.

Nuestros Dibujos

¡Último momento!

Nació el hermanito de Juana. Es un varón muy llorón y se llama Dante.

Nuestros Dibujos

OREJERAS

El diario mural en la escuela tiene algunas pautas para que se pueda leer y entender.

- *Aborda temas relacionados con la escuela y de actualidad.*
- *Se organiza en "secciones".*
- *Se redactan titulares llamativos.*
- *La edición se realiza en PC o con letra clara y grande.*

1. Piensen y escriban sobre qué temas les gustaría incluir en el diario mural.

____

____

2. Voten las secciones que quieren en el diario mural.

Yo haría una sección de robótica...

El diario mural.

Noticias del aula

El recreo

Humor

Historietas

Servicios del barrio

Recomendaciones literarias

Producciones literarias o de investigación

Otras

3. Piensen posibles nombres para el diario mural. Hagan un listado en el cuaderno y voten.

Nuestro diario mural se llamará ______________________________

4. Elijan y escriban la sección que más les interese. Corríjanla entre todos. Recopilen toda la información y armen su diario mural.

Huellas del pasado

Los llamados hombres prehistóricos pintaban las paredes de piedra de las cuevas en donde vivían. Sus pinturas eran realistas y descriptivas.

1 Aprender a mirar

- *Observen las siguientes pinturas rupestres.*

Cueva de Altamira (España) | Cueva de Manos (Argentina) | Cueva de Lascaux (Francia)

- *Averigüen y escriban con qué materiales pintaban las paredes de las cuevas.*

Ya dejé mis huellas marcada en la pared de mi cuarto.

....

....

....

....

Para saber más

Cuando los dinosaurios habitaban la tierra no había personas y, por eso, no había arte. Pero, al parecer los primeros hombres, comenzaron las expresiones artísticas. Ellos se cobijaban en cuevas, aprendieron a usar el fuego y a pintar las paredes con sus manos. Esas pinturas se denominan **rupestres.**

Arte rupestre: observación y análisis de las pinturas.

2 Manos en acción

Dibujen con sus lápices el boceto para hacer una pintura mural.

3 Aprendemos jugando

Armen un mural con sus manos.

Materiales

- 1 afiche
- Témperas rojas, negras y blancas
- Rodillos
- Paños húmedos

Reglas

1. Por turno, el maestro nos pinta con el rodillo las manos.
2. Las apoyamos en el papel afiche, dejando nuestras huellas.
3. Nos limpiamos las manos con el paño húmedo.

Tormentas, tornados y huracanes

Cuando las **tormentas eléctricas** descargan energía de la atmósfera a la Tierra se producen los **rayos**, y cuando descargan energía de una nube a otra, los **relámpagos**. El **trueno** es el estruendo provocado por el paso violento de la energía.

Las tormentas se originan en la atmósfera cuando una masa de aire caliente proveniente del Ecuador se encuentra con una masa de aire frío generada en los polos.

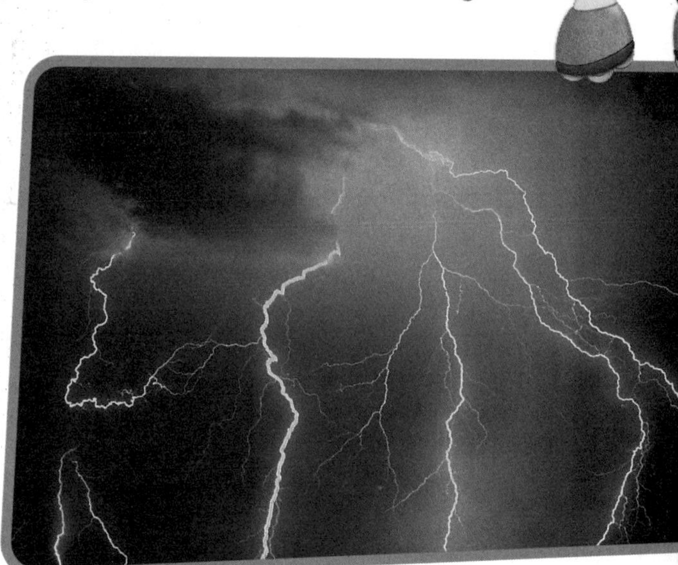

Las **tormentas de arena** o polvo son masas de aire que transportan grandes cantidades de tierra a mucha distancia. Se producen en lugares que han sufrido extensas sequías, en regiones áridas o semiáridas.

En el sur de nuestro país cada vez son más frecuentes y ocasionan severos problemas a los productores agropecuarios.

Los temibles **tornados** se producen cuando el aire en movimiento circula y rota a gran velocidad. Así, forma un característico embudo cuando toca el suelo, y que se desplaza varios kilómetros.

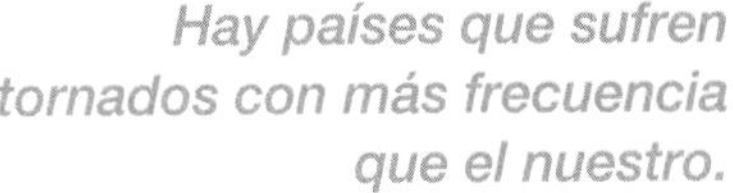

Hay países que sufren tornados con más frecuencia que el nuestro.

Los **huracanes** se originan en las regiones tropicales. Su formación es similar a las de las tormentas, pero con la diferencia que se producen en los mares y océanos, y su fuerza y extensión son mucho mayores.

El aire caliente gira con fuerza formando el ojo del huracán. Las ráfagas de viento pueden alcanzar los 250 km/h.

Hoy los **satélites** cumplen un papel fundamental en el pronóstico y seguimiento de las condiciones meteorológicas.

El próximo satélite que se pondrá en órbita desde la Argentina es el *Aquarius*; ha sido diseñado en nuestro país y tendrá la misión de estudiar la superficie para detectar posibles incendios e inundaciones, entre otros fenómenos.

Satélite SMOS, nuevo vigía del calentamiento global.

A vuelta de página

1 Escriban las referencias del crucigrama.

		①	②		③		④	
		S			R			
⑤	T	O	R	M	E	N	T	A
		L	A		L		R	
			Y		Á		U	
	O	J	O		M		E	
					P		N	
⑥	T	O	R	N	A	D	O	
					G			
					O			

Referencias verticales

① ....

② ....

③ ....

④ ....

Referencias horizontales

⑤ ....

⑥ ....

2 Expliquen cómo es el clima del lugar donde viven.

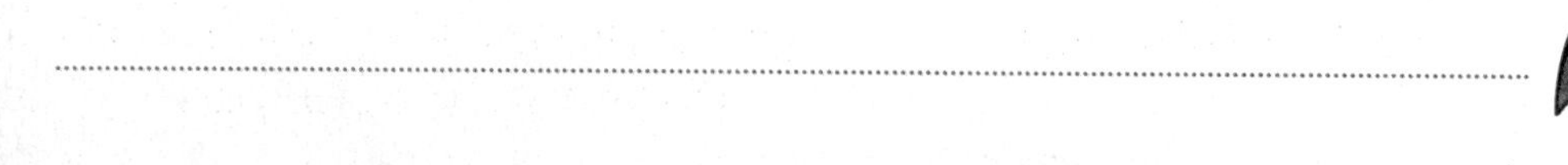

....

....

3 Recuerden y describan en sus cuadernos la última tormenta que vieron.

4 Lean y expliquen el mapa meteorológico como si estuvieran en un canal de televisión.

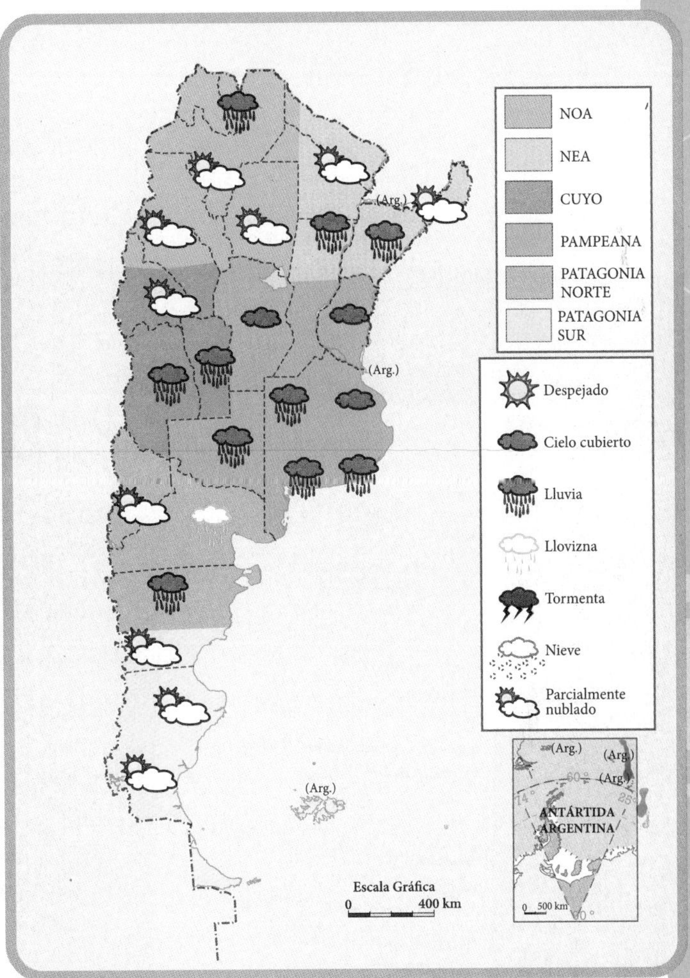

5 Sigan el estado del tiempo durante una semana.

- *Registren aquí cómo han sido los días y sus temperaturas máximas y mínimas.*
- *En el tercer recuadro de cada día, dibujen cómo ha estado el tiempo.*

Utilicen las referencias del mapa de arriba.

Domingo	Lunes	Martes	Miércoles	Jueves	Viernes	Sábado

Busquen y recorten de un periódico local noticias que releven tormentas u otros fenómenos atmosféricos.
Lean y comparen, ¿cuáles son más frecuentes en la región? ¿Qué medidas hay que tomar para protegerse?

El Planetario

La maestra de Paola encontró un folleto con información acerca de las propuestas que hay en el Planetario para que vayan todos los chicos de la escuela.

MARTES A VIERNES
FIN DE SEMANA

PLANETARIO

EL NUEVO SISTEMA SOLAR
Espectáculo para toda la familia
Horarios:
- Martes a viernes- 17:00 y 18:30 hs.
- Sábados y Domingos - 17:30 y 18:45 h.

Valor de las localidades: $6.-
Fin de semana: $10.-

EL UNIVERSO Y VOS
Espectáculo infantil
Horarios:
- Sábados y Domingos - 15:00 h.

Valor de las localidades: $6.-
Fin de semana: $10.-

CUENTOS PARA NO DORMIR
Espectáculo infantil
Horarios:
- Sábados y Domingos - 15:00 h.

Valor de las localidades: $6.-
Fin de semana: $10.-

Planetario de la Ciudad de Buenos Aires "Galileo Galilei" - Av. Sarmiento y Belisario Roldán
Teléfonos: 4771-9393 / 4771-6629 - E-mail: planetario@buenosaires.gov.ar

1 Marquen con una ✘ las preguntas que se pueden responder usando la información del folleto:

- ▢ *¿Cuánto cuesta una entrada?*
- ▢ *¿Cuántas butacas tiene la sala del Planetario?*
- ▢ *¿A qué hora comienza la función?*
- ▢ *¿Cuánto costarán 10 entradas para chicos?*
- ▢ *¿Cuánto dura cada función?*
- ▢ *¿Dónde queda el Planetario?*

2 Lean la noticia que se publicó el lunes en el periódico barrial *Palermo para todos.*

PALERMO PARA TODOS

Un paseo por el cielo, para no perdérselo

Oliverio, boletero de este único y espectacular "teatro de las estrellas", nos cuenta, lleno de satisfacción, que este fin de semana fue récord el número de visitantes. El Planetario de la Ciudad recibió 2.548 espectadores durante el sábado y nada menos que 3.400 el domingo.
Las funciones comienzan a las 13, 15 y 17 horas.
Con una entrada de apenas $4, los niños pueden disfrutar de un hermoso espectáculo en este lugar emplazado en pleno corazón de los bosques de Palermo...

3 **Piensen** y escriban dos preguntas que se resuelvan con los datos de la noticia.

....

....

4 Un compañero de Paola hizo este cálculo con los datos de la noticia.
¿Cuál habrá sido la pregunta?

3.400 - 2.548 =

....

....

Esta es una entrada del Planetario del fin de semana:

PLANETARIO
BUENOS AIRES
FIN DE SEMANA:
ENTRADA $10
PROMOCIÓN DE LUNES A VIERNES:
ENTRADA MAYORES $6
ENTRADA MENORES $4

5 A partir de ella, piensen y escriban un problema que se resuelva con este cálculo:

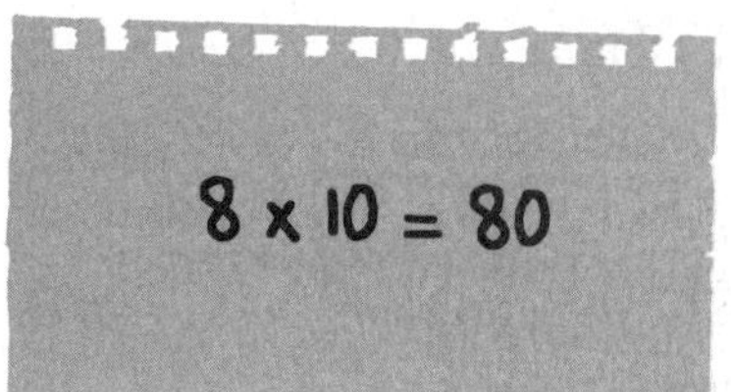

....

....

6 Lean lo que están diciendo estos chicos de tercer grado.

- *Señalen los cálculos que los pueden ayudar a encontrar la respuesta.*

- [ ] 35 x 4 = 140
- [ ] 35 + 4 = 39
- [ ] 35 – 4 = 31
- [ ] 35 + 35 + 35 + 35 = 140
- [ ] 30 x 4 + 5 x 4 = 140
- [ ] 4 + 4 + 4 + 4 + 4 + 4 + 4 + 4 + 4 + 4 + 4 + 4 + 4 + 4 + 4 + 4 + 4 + 4 + 4 + 4 + 4 + 4 + 4 + 4 + 4 + 4 + 4 + 4 + 4 + 4 + 4 + 4 + 4 + 4 + 4 = 140

¡Qué bueno que al final vamos a ir al Planetario!
Si somos 35, ¿cuánto dinero habrá que juntar?

¡Nos vamos de excursión!

Los chicos de la escuela de Paola harán, finalmente, una visita al Planetario. Así que comenzaron con los preparativos.

ESCOLAR
La maestra nos contó que el micro tiene 32 asientos.

1 Los alumnos que participarán de la excursión son 145.
¿Cuántos micros habrá que pedir? ¿Se llenarán todos los micros?

....

....

2 Así pensaron el problema algunos chicos:

- *Miren bien cómo hizo cada uno.*
- *Comenten en qué se parecen y en qué son diferentes.*

Voy restando 32 chicos que pueden subir a cada micro, así:
145 – 32 chicos (1 micro) = 113
113 – 32 chicos (2 micros) = 81
81 – 32 chicos (3 micros) = 49
49 – 32 chicos (4 micros) = 17
17 chicos ⟶ 1 micro más. Total = 5 micros
PAOLA

Yo fui probando de multiplicar
32 chicos x 2 micros = 64 chicos
32 x 3 = 96
32 x 4 = 128
32 x 5 = 160
Con 4 micros no alcanza. Aunque con 5 sobra lugar, hay que pedir 5 micros.
BRIAN

Fui sumando 32 varias veces, hasta acercarme a 145:
32 + 32 = 64   128
32 + 32 = 64
Si sumo otros 32, me da 160.
Como 128 + 17 = 145,
Entonces se necesitan 4 micros completos y otro para los 17 chicos que falta ubicar. En total, 5 micros.
IVÁN

```
 145 | 32
- 64 |  2
  81 | +2
- 64 |  4 micros
  17 chicos (1 micro más)
```
Yo la pensé con una división.
MARCELA

Uso de diversas estrategias para resolver problemas de división.

En el Planetario

Al llegar, el acomodador informó a las maestras que en cada sector de la sala había lugar para 64 chicos.

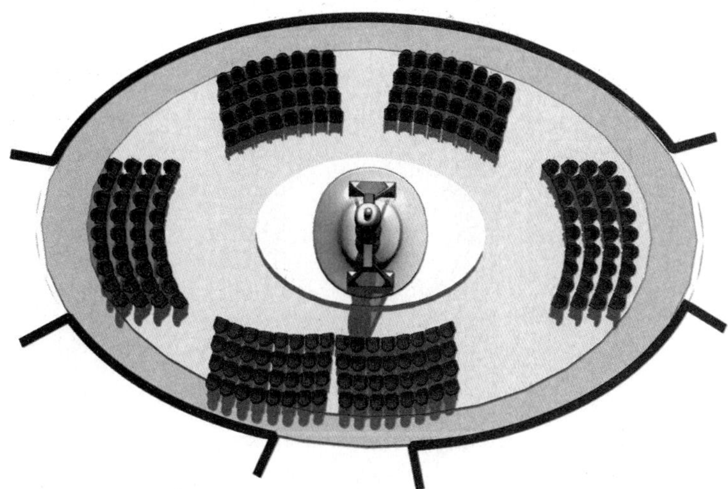

1 Si en cada sector hay 4 filas, ¿cuántos asientos habrá en cada una de las filas?

2 A la primera función concurrieron 315 alumnos de distintas escuelas. Si se acomodan en partes iguales en los 5 sectores, ¿cuántos alumnos se ubicarán en cada sector?

3 A la salida del Planetario los acomodadores entregan a las maestras bolsitas con 10 prendedores para que repartan entre sus alumnos. Esta mañana recibieron 540 prendedores. ¿Cuántas bolsitas pudieron armar?

4 En un talonario vienen 100 entradas. ¿Cuántos talonarios necesitará la cajera el día lunes si se esperan 479 alumnos?

479 | 100
− 400 | 4
79

Necesitará 5 talonarios.

Paola

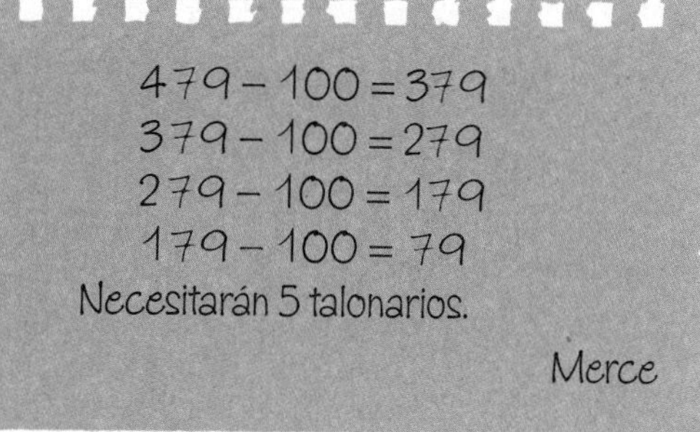

479 − 100 = 379
379 − 100 = 279
279 − 100 = 179
179 − 100 = 79
Necesitarán 5 talonarios.

Merce

5 Conversen.

- *¿Por qué las dos chicas dicen que necesitarán 5 talonarios?*
- *¿Dónde está el 4 x 100 de Paola en la cuenta de Merce?*

Uso de diversas estrategias para resolver problemas de división.

¡Arriba el telón y que comience la función!

1 Lean esta obra de teatro de un acto. Ensáyenla en grupitos de tres chicos, para hacer una función de teatro leído. Dos chicos serán personajes y el tercero leerá las acotaciones.

Una bebida helada

(La escena transcurre en una elegante confitería. Entra un cliente y enseguida se acerca el mozo, con mucha cortesía y amabilidad.)

Mozo: –¿Le agrada esta, señor? *(Le indica una mesa.)* Tome asiento nomás.

Cliente: –Gracias, pero prefiero tomar alguna otra cosa. Hace calor y tengo mucha sed.

Mozo: –¿Qué bebida quisiera?

Cliente: –La verdad es que no sé…

Mozo: –¿Quiere que le traiga una lista?

Cliente: –¿Y qué voy a querer? ¿Que me traiga una bebida que no esté lista? Si me va a traer una bebida, mejor tráigame una que esté lista porque no puedo pasarme todo el día aquí esperando.

Mozo: –Sí, sí, claro, tiene razón. ¿Desea que le traiga alguna bebida helada?

Cliente: –¿Qué dice?

Mozo: –Digo si desea que le traiga alguna bebida helada.

Cliente: –¿Pero, usted por quién me toma? ¿Cómo voy a querer que me traiga alguna bebida el hada? ¿De qué hada me está hablando?

Mozo: –Pero señor, yo le pregunté si…

Cliente: –Yo no soy sordo y escuché muy bien lo que usted me preguntó. Y no quiero que me traiga una bebida el hada. ¿Qué es esto, un bar o un libro de cuentos? ¡Qué hada ni hada! ¡Soy un hombre grande! ¿Qué se cree?

Mozo: –Disculpe, señor, usted dijo que tenía mucha sed, y yo justamente le ofrecí algo para apagar su sed.

Cliente: –¿Para pagar mi sed?

Mozo: –Para apagar su sed.

Cliente: –¡Yo no necesito que usted me pague nada, y menos que menos mi sed! ¡Si yo vengo aquí a tomar algo, es porque me lo puedo pagar! Eso es fundamental para mí.

Mozo: –Sí, sí, claro. Y para nosotros es fundamental el servicio para nuestros clientes. Por eso es tan bueno el servicio…

Cliente: –¿Bueno el ser vicio? Mire, eso sí que no se lo voy a aceptar. *(Se pone de pie y se dirige a la puerta.)* El ser vicio es malo, aquí y en cualquier parte. ¡Si usted quiere ser vicio para los clientes, haga lo que quiera, pero yo aquí no me quedo ni un minuto más!

Basch, Adela, *Acá hay teatro para rato*, Libros del Quirquincho, Plan de lectura, 1996.

Teatro leído. Diálogo.

En toda función de teatro leído los actores leen el parlamento del personaje que actúan. Cada vez que habla un personaje se indica con la raya de diálogo.

Pensar y acordar

1 Lean esta información.

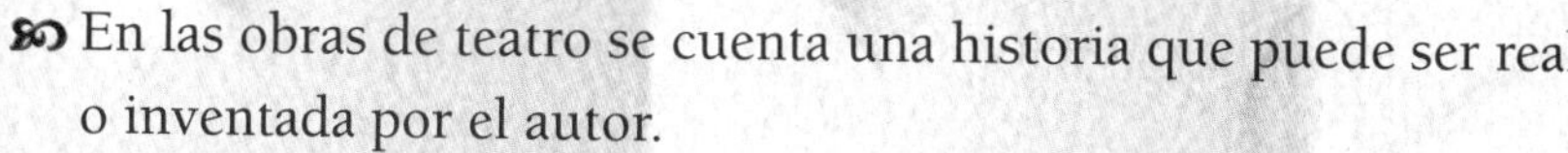

- En las obras de teatro se cuenta una historia que puede ser real o inventada por el autor.
- El texto de la obra puede estar compuesto por una o más partes que se llaman **actos**.
- Cada acto puede tener una o varias **escenas**.
- Las escenas están determinadas por las entradas y salidas de los personajes.
- Los **actores** representan a los personajes y cuentan el argumento o historia de la obra a través de monólogos y diálogos.
- La raya de diálogo en el texto indica el uso de la palabra de cada personaje.
- En el texto teatral hay **acotaciones** que indican entonación, gestos y acciones que harán los actores, y también indican los lugares donde se desarrolla la acción.
- Las acotaciones se escriben entre paréntesis y con otro tipo de letra, generalmente cursiva.

2 Piensen y escriban en grupos el borrador de un guión teatral en una hoja aparte. Para ayudarse, antes completen el cuadro.

Título de la obra	Lugar y época	Personajes	Características de cada personaje

Elijan un personaje preferido y escriban sus características. Puede ser de un cuento, de una película o de un programa de televisión.

3 Escriban aquí el texto de la obra, pasándolo en limpio. Pónganse de acuerdo sobre quién dice cada parlamento.

¡Yo también quiero actuar!
¿Cuál es mi personaje?

Título: ....

Descripción de escenario: ....

....

Acto único

....

....

....

....

....

....

....

....

....

....

....

....

....

....

Como en el teatro

En el teatro, el día de la función, se reparten programas para que el público se informe sobre la obra, los actores, el autor y otras cosas más.

Hay datos que no pueden faltar.

1. Completen el programa.

Título de la obra: ....

Lugar, fecha y horario de la función: ....

....

Síntesis de la historia: ....

....

....

Elenco: ....

....

....

Autor: ....

[C]onversen [con] su maestro [s]obre qué es [u]na síntesis.

¡No olviden poner mi nombre; yo formo parte del elenco!

2. Hagan los programas en hojas de colores o cartulina. Acuerden entre ustedes el tamaño, el tipo de letra que usarán y el diseño. Pueden prepararlos en la clase de Informática. Repártanlos a todos los que quieran invitar, y…

¡buena suerte con la función!

Planificación y escritura del programa. Escritura de síntesis de un texto.

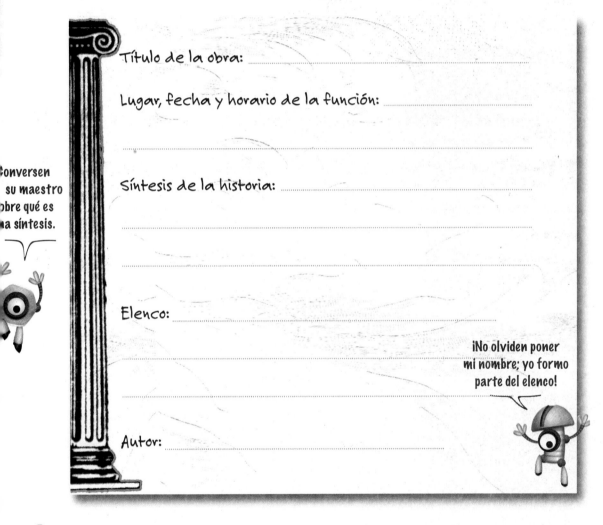

La atmósfera terrestre

1 Conversen y registren sus hipótesis.

- *¿Por qué las nubes se mueven y cambian de forma?*
- *¿Qué es el viento?*

Nuestro planeta y toda la vida que hay en él se encuentran protegidos por un escudo, invisible a simple vista, que se llama **atmósfera terrestre**.

Esta capa protectora se encarga de resguardarnos de los rayos ultravioletas que llegan desde el Sol.

La atmósfera está compuesta por una mezcla de gases: el **aire**. Los gases más abundantes son el **nitrógeno** (78%) y el **oxígeno** (21%), que aprovechamos al respirar. Las nubes que vemos en nuestra atmósfera están formadas por pequeñas gotitas de agua suspendidas en el aire.

2 Pinten en el gráfico, según la proporción: con rojo el nitrógeno, con azul el oxígeno y con verde los otros gases.

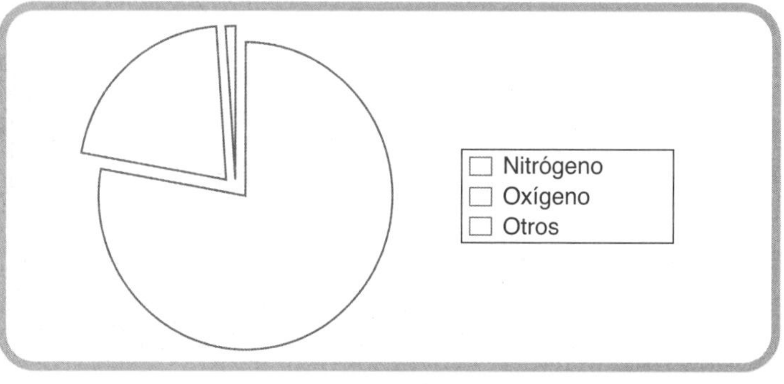

No olviden pintar las referencias.

Debido al contacto con los rayos solares, el aire del planeta se calienta. Pero el aire no está quieto: se mueve.

El **viento** es aire en movimiento y mueve las nubes agrupando las gotitas de agua de diferente manera, lo que hace que cambien de forma.

Aire que se mueve, viento que se viene

1 Observen la copa de un árbol y un pasacalle. ¿Cómo se mueve el aire?

El **viento** siempre ha sido importante para las personas. Muchas embarcaciones de hoy, igual que las carabelas de Colón, dependen del viento.

En los campos de nuestro país es muy frecuente ver **molinos** de viento. Al girar las aspas, los caños que están enterrados profundamente aspiran el agua de las napas subterráneas para abastecer al campo.

La energía del viento, llamada **energía eólica**, ¡es un excelente recurso que hay que aprovechar! Los ingenieros saben cómo transformarla en electricidad.

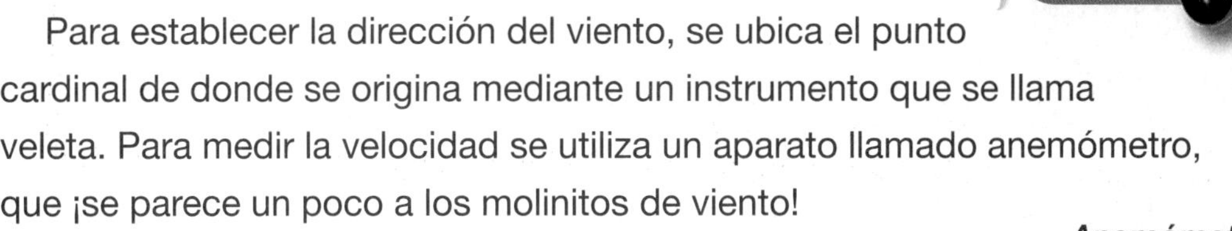

Para establecer la dirección del viento, se ubica el punto cardinal de donde se origina mediante un instrumento que se llama veleta. Para medir la velocidad se utiliza un aparato llamado anemómetro, que ¡se parece un poco a los molinitos de viento!

Anemómetro.

2 Averigüen cuál es el viento más frecuente en la región donde viven.

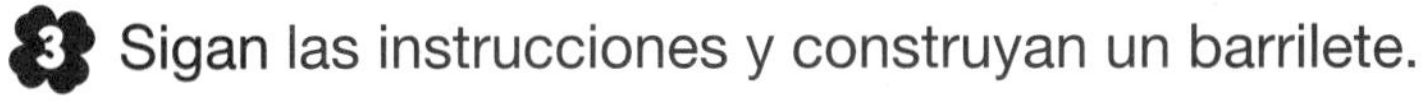

3 Sigan las instrucciones y construyan un barrilete.

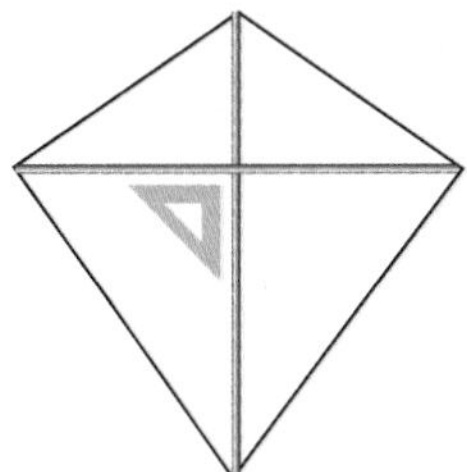

Primero:
unan dos varillas de pino de 1 m de largo con cinta.

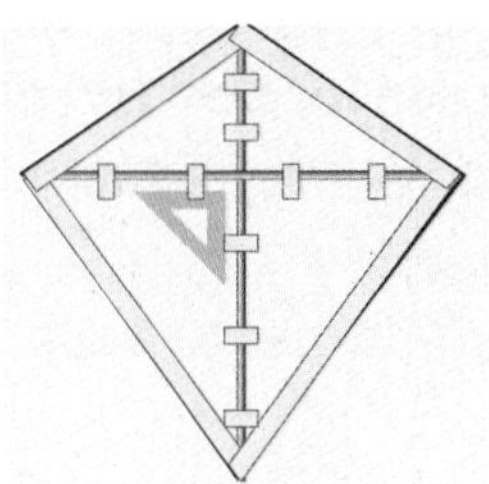

Después:
peguen con cinta y adhesivo el papel.

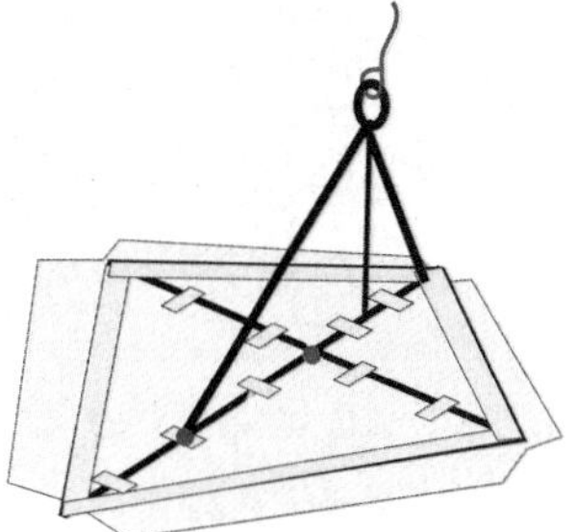

Por último:
aten a las varillas un hilo de 1,5 m.

¡Jueguen con el viento! Pueden remontar un barrilete... o hacer girar un molinito de aire.

Los monos que querían pescar la luna

Vivía en una montaña una manada de monos.

Y una noche de luna redonda y clara, todos los monos bajaron de la montaña a jugar. Se divertían saltando y brincando, mirando por todas partes, diciendo "Hi, hi, hi".

Un monito vio un pozo al pie de un árbol, y se asomó adentro. ¡Cosa extraña! En el pozo había una luna redonda y brillante. El monito echó a correr despavorido, gritando:

–¡Hi, hi, hi, socorro, socorro, la luna se cayó al pozo...!

Cuando el mono grande lo oyó, acudió a toda prisa, para ver si era verdad que en el fondo del pozo había una luna tan redonda y tan brillante. Y exclamó también espantado:

–¡Socorro, socorro, la luna se cayó al pozo...!

Cuando lo oyó el mono viejo, corrió también al pozo, y vio que de veras la luna estaba allá abajo. El viejo mono llamó a todos los monos del lugar y les dijo:

–Ha ocurrido una tremenda desgracia. La luna se cayó al pozo. Vamos a sacarla rápido.

–Y el primer monito, que había descubierto a la luna en el pozo, dijo:

–Vamos a trepar primero al árbol. Desde allí formaremos una cadena con nuestros cuerpos hasta llegar al fondo, y así sacaremos la luna.

Todos estuvieron muy conformes con la idea del monito, y sin pensarlo más, se subieron al árbol. El mono viejo se agarró a una rama gruesa con los pies, y se colgó boca abajo. El mono mayor bajó por el cuerpo del viejo y se sujetó con los pies, de sus manos. Y de este modo, los monos se encadenaron de uno en uno, hasta llegar a la superficie del agua.

El monito que había dado la idea fue el último que se encadenó, y se oyó su voz desde el fondo del pozo.

-¡Basta, basta! -dijo-, ya alcanzo el agua.

El monito alargó la mano para pescar la luna, pero no recogió más que unas gotitas, turbando la superficie del agua, en la que se formaron ondas circulares. Y la luna se hizo añicos. El monito, asombrado, dio un grito de espanto.

-¡Hi, hi, hi! ¡Qué barbaridad! ¡He roto la luna!

Al oírlo, el mono viejo le dijo, enojado:

-¡Qué vergüenza! ¡No sirves para nada! ¿Qué vamos a hacer con la luna rota!

Y todos los monos empezaron a retar a monito diciendo "Hi, hi, hi".

Poco rato después, el agua del pozo quedó tranquila, y la luna resplandeció, redonda y clara. Y el monito, que seguía adentro del pozo, exclamó contento:

-Todo va bien. ¡La luna se vuelve redonda!

De inmediato, tendió la mano para tomarla, pero otra vez, solo logró atrapar unas gotas de agua. El pobre monito hacía esfuerzos para alcanzar la luna, pero todo era inútil. Por fin, lanzó nerviosos chillidos:

-¡Hi, hi, hi! ¡Estoy agotado! La luna se rompe al tocarla. No la puedo pescar.

Al quejarse el monito, todos los monos le hicieron eco: "Hi, hi, hi", dijeron. Unos gritaban: "Me duelen las patas, no puedo sostenerme más" "Tengo heridas las manos, no puedo seguir encadenado".

Entonces, el mono viejo alzó la cabeza por casualidad y vio la luna redonda y luciente en el cielo, y exclamó:

-¡Miren! ¿No está la luna en el cielo, sana y salva? La del pozo no es más que su reflejo. Tontos... suban enseguida y miren cómo brilla la luna verdadera.

Al escuchar las palabras del mono viejo, se subieron todos los demás, grandes y pequeños, mientras decían "Hi, hi, hi". Se sentaron en las ramas del árbol y contemplaron la luna, redonda y clara, mientras chillaban alegres: "Hi, hi, hi".

Cuento folclórico chino.
Adaptación de Susana Itzcovich.

Esperando a los turistas

Francisco es guía de turismo. Preparó un recorrido para un grupo de turistas que viene a conocer el Parque Natural Aguará Guazú.

1 Ordenen las actividades que programó Francisco, desde que salen hacia el Parque Natural hasta que vuelven a la ciudad.

Orden	Horario	Actividades
	13:20 a 14:30 h	Terminar el recorrido dentro del Parque Natural.
	9:10 a 10:00 h	Desayuno de bienvenida en "La casa de los churros y las berlinesas".
	10:00 a 10:30 h	Recorrido por la Avenida del Hornero (caminata por la Plaza Central, recorrida por la Casa de Gobierno e ingreso al banco).
	14:35 a 15:10 h	Recorrido por la Avenida de los Ceibos (visita a la regalería de esculturas de animales autóctonos).
	10:30 a 12:00 h	Ingreso al Parque Natural Aguará Guazú. Recorrido 1.
	8:20 a 9:00 h	Llegada a la ciudad y traslado hacia el Parque Natural.
	12:10 a 13:20 h	Almuerzo en el restorán del parque.
	15:10 a 15:20 h	Despedida. Tomar el micro de regreso.

2 Según la agenda de Francisco, ¿cuántos minutos durará el desayuno de bienvenida? ....

3 ¿Cuántas horas pasarán desde que llegan a la "La casa de los churros y las berlinesas" hasta la hora del almuerzo? ....

4 ¿Cuánto tiempo tendrán para almorzar? ....

5 Lean lo que dicen estos turistas y conversen:

- *¿Quién tiene razón? ¿Por qué?*

Creo que fueron 30 minutos.
Estuvimos media hora recorriendo la Avenida del Hornero.

Uso de equivalencias entre unidades de tiempo.

Llegaron los turistas

1 Mientras los turistas estaban almorzando, Francisco aprovechó para comprarle un regalo a su novia. Salió a las 12:30 h y demoró media hora. ¿A qué hora estuvo de regreso en el restorán?

....

Al salir del restorán, uno de los turistas miró el reloj. Las agujas marcaban lo que figura en la ilustración.

2 Marquen con una ✗ qué hora era en ese momento.

- ☐ *12:00 h*
- ☐ *1:00 am*
- ☐ *1:00 pm*
- ☐ *13:00 h*

3 El micro tenía que llegar a buscarlos a las 15:10 h pero pinchó una cubierta. Apareció en la terminal una hora y media después. ¿A qué hora llegó?

....

Durante ese tiempo, los turistas esperaron tomando un café en la confitería "Minutos". Una de las paredes de la confitería está decorada con relojes.

4 Unan cada reloj con la hora que está marcando.

16:20 h	13:00 h
1:55 pm	4:20 pm
13:55 h	7:25 pm
19:25 h	1:00 pm
	12:20 h

Uso de equivalencias entre unidades de tiempo.

Algunos vienen de muy lejos...

Francisco recibe un nuevo contingente de turistas que viene de otra provincia. El viaje incluye la estadía en hotel durante 6 noches, además de desayuno y excursiones por distintos puntos de la ciudad.

1 Completen la tabla, sabiendo que en cada una de las habitaciones del hotel se alojan 4 personas.

Cantidad de habitaciones	1			10		27
Cantidad de turistas	4	12	32		60	

El viaje, por supuesto, incluye la visita al Parque Natural. La empleada que vende las entradas está controlando el dinero recaudado.

2 Lean calculen y completen.

En la caja hay $342.
Cada turista que entró pagó $6.
Así que ya ingresaron .... personas.

Estas son dos formas distintas de resolver la cuenta de dividir que sirve para ayudar a la empleada.

3 Observen y comenten: ¿dónde están todos los dieces de la primera cuenta en la cuenta más corta?

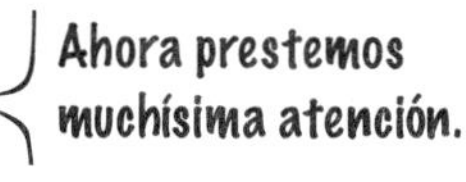
Ahora prestemos muchísima atención.

```
 342  | 6
- 60    10
 282    10
- 60  + 10
 222    10
- 60    10
 162     5
- 60     2
 102    57
- 60
  42
- 30
  12
- 12
   0
```

```
 342  | 6
-300    50
  42   + 7
- 42    57
   0
```

Problemas para el cuaderno

Pista: hay muchas respuestas posibles. Prueben varias.

El conserje del hotel repartió 32 postales de la ciudad entre algunos visitantes, de modo que todos tuvieran la misma cantidad.

1 ¿A cuántos turistas les habrá dado postales? ¿Cuántas le tocaron a cada uno?

La empresa de transporte con la que trabaja Francisco decide cambiar los neumáticos de todos sus micros. Cada micro lleva 11 neumáticos, incluyendo el de auxilio.

2 Aprovechando una oferta de la gomería, compran 261 neumáticos nuevos. ¿A cuántos micros podrán cambiarles sus neumáticos?

3 Respondan.

- *El hotel Rincón del Sol es famoso por su buen servicio. Tiene 154 habitaciones distribuidas en 7 pisos. ¿Cuántas habitaciones habrá en cada piso?*

  ....

- *Estos son otros hoteles de la ciudad. Completen la tabla:*

Hotel	Cantidad de habitaciones	Cantidad de pisos	Habitaciones por piso
Los Eucaliptos	84	4	....
Despertar campestre	....	5	12
Naturaleza	99	9	....
Las Nubes	120	10	....

4 Seis días de alojamiento en el hotel Las Nubes para 4 personas cuesta $2.490. ¿Cuál es el precio por día?

FICHA 13

5 **Para pensar entre todos**

¿En cuáles de los problemas de las páginas 184, 185 y 196 fue necesario tener en cuenta lo que sobra para armar la respuesta?

Distintos problemas de división. Uso de algoritmos alternativos.

Diálogos que riman

Para representar una obra de teatro de títeres, los chicos de tercer grado prepararon estos "aros", que son versos cortos que se cantan en la pausa de algunos bailes criollos.

1. Elijan la sílaba y completen.

¡Aro, aro, aro, aro!

Ella dice:	
–Yo soy como el pimen	*tan tin tón*
que le da color al .... iso.	*gu gui gue*
Seguime que estoy so .... ta,	*la li lu*
solita y sin compro .... so.	*ma me mi*

Él dice:	
–Tengo un .... ro, cinco vacas,	*tu ti to*
una chiva y cuatro .... chos;	*chan chin chon*
solo me falta una .... na	*chu che chi*
que quiera alegrar mi .... cho.	*ron rin ran*

¡Cuando tengan el diál completo, pueden representarlo con títe ustedes también!

2. Separen en sílabas y encierren con color la sílaba que se pronuncia con más fuerza.

pimentón	*guiso*	*solita*	*compromiso*	*música*	*luna*
toro	*chancho*	*china*	*rancho*	*dulzón*	*nube*

La sílaba que se pronuncia con más fuerza se llama **sílaba tónica**.
En muchas palabras, la sílaba tónica se señala con un signo llamado **tilde**.

Acentuación. Reconocimiento de sílaba tónica.

Cortando palabras

Cortando palabras
Algunas palabras no entran en un renglón, entonces hay que cortarlas y escribirlas en el renglón siguiente. ¡Pero atención! Las palabras no pueden cortarse en cualquier letra: hay que cortarlas al final de una sílaba y se usa un guión corto (-) que indica que la palabra continúa abajo.

1. Escriban en los renglones estas palabras, pero tendrán que cortarlas y pasar una sílaba al renglón de abajo.

pájaro	lechuza	caballo	mariposa	comadreja
.... -	.... -	.... -	.... -	.... -
....	....	....	....	....

2. Recorten de una revista y peguen aquí una parte de texto donde haya muchos cortes de palabras.
   - *Rodeen con color las palabras cortadas.*
   - *Escriban en los renglones las mismas palabras sin cortes.*

....

....

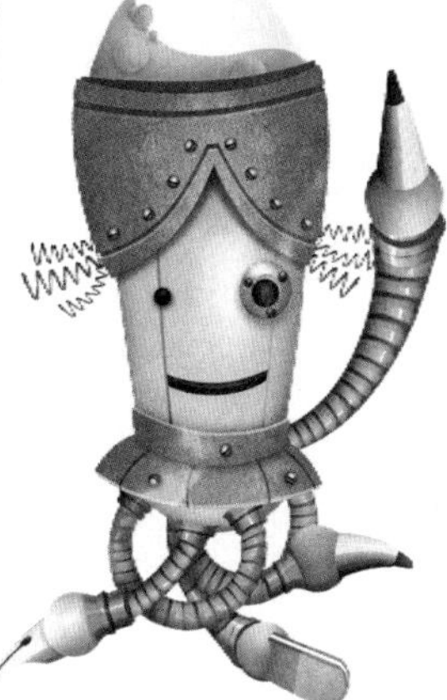
¡Un corte
y volvemos!

HAY
TAREA

Corten de revistas dos o tres palabras largas y luego sepárenlas en sílabas.
Escriban en sus cuadernos una oración con cada palabra.

Segmentación léxica, sílabas. Identificación de sílaba tónica.

La Tierra en el espacio

Si miramos con atención, el cielo no parece el mismo de día que de noche. Tampoco parece ser el mismo cielo en verano que en invierno.

Estos cambios tienen una explicación: son consecuencia de los **movimientos** de **rotación** y **traslación** de nuestro planeta, la Tierra.

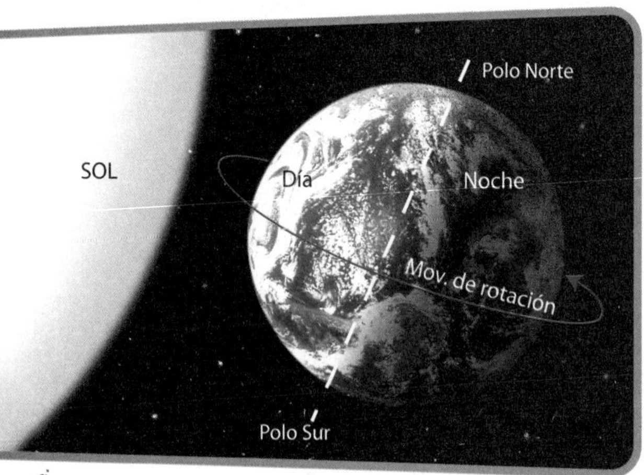

El **movimiento de rotación** es el que realiza **girando sobre su eje**, al igual que una calesita. Este movimiento no lo sentimos (¡si así fuera viviríamos mareados!), pero sí vemos los cambios entre el día y la noche.

Cuando un lado del planeta está iluminado por el Sol, es de día, mientras que del otro lado es de noche. El planeta tarda 24 horas en dar un giro sobre su eje.

Movimiento de rotación. El día y la noche.

1 Observen, dibujen y registren el paisaje visible desde sus casas en un momento del día y en un momento de la noche.

Esto observé durante el día	Esto observé durante la noche

2 Escriban sus hipótesis: ¿qué pasaría si la Tierra no rotara sobre sí misma?

....

....

3 Investiguen un globo terráqueo y busquen la línea del Ecuador. ¿A qué parte de la Tierra llamarían hemisferio norte, y a cuál, hemisferio sur? ¿En cuál vivimos?

La Tierra, a la vez que gira sobre su eje, realiza un circuito alrededor del Sol. Este recorrido no es por cualquier parte, sino por una **órbita**, un "camino" ovalado. A este recorrido se lo llama **traslación**. Para dar una vuelta entera alrededor del Sol, la Tierra tarda 365 días, 6 horas, 9 minutos y 9,54 segundos.

Durante un año, la Tierra recorre su órbita. Según el lugar de la órbita en que esté ubicada, los rayos no llegan de la misma manera al hemisferio norte que al hemisferio sur. Pero, ¿por qué no? Por la inclinación del eje terrestre.

Cuando los rayos llegan perpendiculares, es verano en ese hemisferio, mientras que en el otro es invierno. En verano hay más horas de luz por día que en el invierno, ¡por eso se puede jugar hasta más tarde en la vereda!

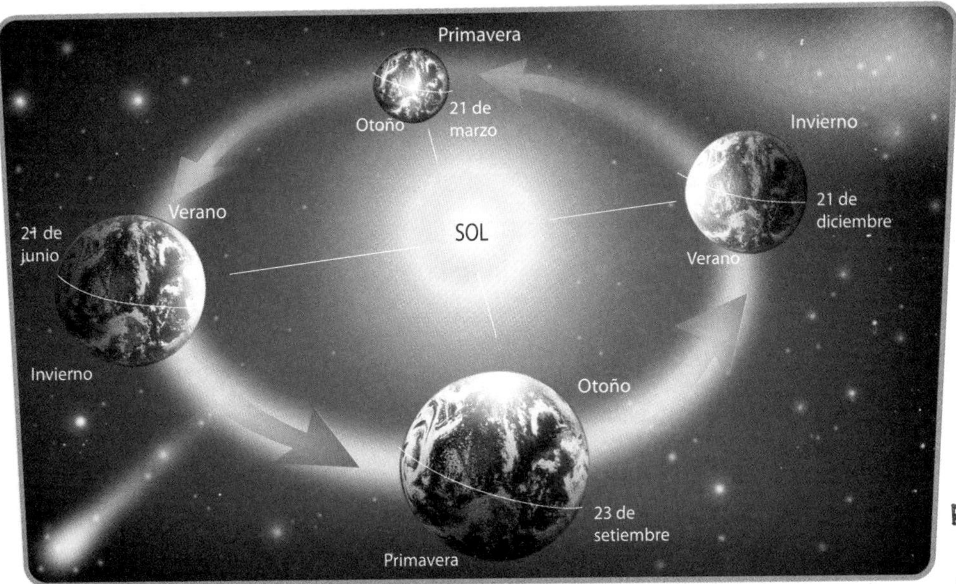

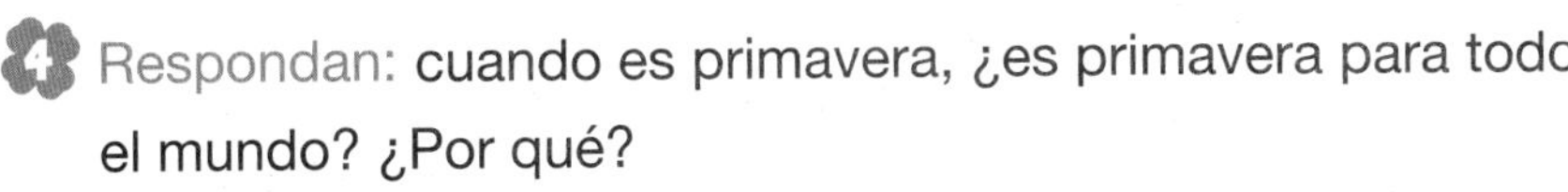

4 Respondan: cuando es primavera, ¿es primavera para todo el mundo? ¿Por qué?

Realicen un modelo que represente los movimientos de rotación y traslación de la Tierra, la sucesión de días y noches, y las estaciones. Pueden usar una pelota y una vela.

La Luna que vemos

1 Conversen y registren sus hipótesis.

- *¿Por qué la Luna cambia de aspecto?*
- *¿Por qué parece que la Luna nos sigue?*

....

....

La Luna es el **satélite natural** de nuestro planeta. ¿Esto qué quiere decir? Que la Luna se mueve en una órbita alrededor de la Tierra. Entonces, también nos acompaña en nuestro movimiento en torno al Sol. La Tierra gira alrededor del Sol, y la Luna alrededor de la Tierra. La Luna tarda 29 días y 12 horas en dar toda una vuelta por su órbita. No posee luz propia, pero podemos verla iluminada gracias a los rayos del Sol.

En su recorrido de un mes alrededor de la Tierra, la Luna ocupa diferentes lugares en su órbita. Según el punto en donde se encuentre, la vemos de formas distintas desde la Tierra. Incluso hay una semana que no se ve: es cuando está recorriendo la parte de su órbita más cercana al Sol, que la ilumina "de espaldas" a nosotros, y no podemos verla.

Fases de la Luna.

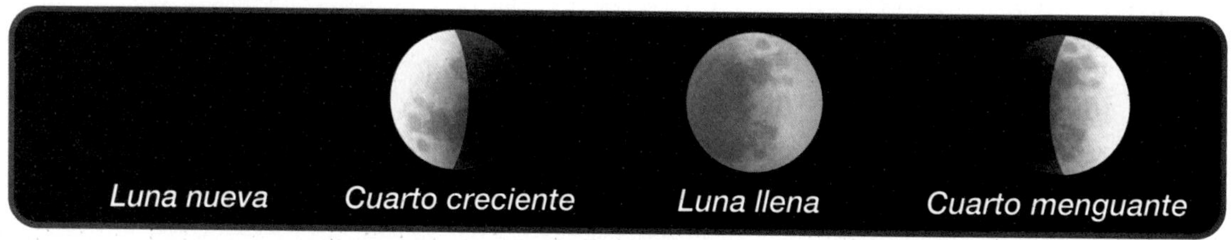

2 Busquen en un almanaque cómo serán las fases lunares durante el mes próximo. Observen y grafiquen cómo se ve.

En la Antigüedad, la vida de las personas estaba ordenada por el ciclo lunar, por eso encontramos muchas culturas cuyo calendario era lunar, como el de la cultura inca.

En la actualidad, el calendario se rige por el ciclo de la Tierra alrededor del Sol.

Mirando el cielo

Galaxia en espiral.

Cuando miramos el cielo, podemos ver el Sol, la Luna, las estrellas... pero en el espacio existen muchos planetas y estrellas, muchísimos más de los que podemos ver.

La Tierra forma parte de un sistema más grande, integrado por ocho planetas con todos sus satélites que orbitan en torno a una estrella. La estrella es el Sol, por eso lo denominamos **Sistema Solar**.

Nuestro sistema se encuentra en uno de los brazos de la **galaxia** Vía Láctea, formada a su vez por muchos sistemas, soles, planetas, satélites y polvo estelar.

FICHA 15

Algunos planetas de nuestro sistema pueden verse con solo mirar el cielo. Venus aparece al amanecer, muy próximo a la Luna; por eso muchos lo llaman "Lucero del alba". Según la época del año, también puede verse al atardecer. Mercurio también se puede ver al amanecer pero, al ser más pequeño y estar más distante de la Tierra, refleja una luz suave. Marte se reconoce por su coloración rojiza. Júpiter y Saturno, en noches despejadas, pueden observarse sin ayuda de telescopios.

Cuerpos celestes.

¡Peguen las figus del álbum!

 Lean la información anterior y marquen las palabras clave.

 Completen la tabla.

Domingo						Sábado
Día del Sol	Día de la Luna	Día de Marte	Día de Mercurio	Día de Júpiter	Día de Venus	Día de Saturno

Busquen información y construyan una representación del Sistema Solar. Pueden hacerlo con masa, pelotitas de telgopor, globos, etcétera.

El día y la noche

Analía Jaureguialzo. Argentina contemporánea. Disfruta pintando al aire libre.

1 Aprender a mirar

- *Observen los siguientes paisajes.*

- *Escriban cuáles fueron los colores que se usaron en cada uno de los cuadros.*

De día: ....

De noche: ....

2 A pensar y comentar

- *¿Por qué creen que la artista eligió estos colores?*
- *¿En cuál de estos dos paisajes les gustaría estar? ¿Por qué?*

Para saber más

Los colores nos sirven para representar la realidad. Los colores fríos dan sensación de calma y lejanía (violeta-índigo-azul). Los colores cálidos dan sensación de actividad y cercanía (rojo-naranja-amarillo).

3 Aprendemos jugando

Pinten este paisaje una vez de día y otra vez de noche. Usen colores cálidos y colores fríos.

4 Manos en acción

Representen el Sistema Solar, utilizando colores cálidos en el fondo, y fríos, en la superficie.

Materiales

- Hoja blanca
- Crayones de cera
- Témpera negra o tinta china negra
- Pincel ancho
- Punzón o clavo

Pasos a seguir

1. Pinten completamente la hoja con los crayones, de modo que no quede ningún espacio sin cubrir, alternando los colores, de modo prolijo.
2. Pinten encima con témpera azul toda la superficie de la hoja.
3. Con el punzón, raspen sobre la hoja, de modo que, sin romperla, arrastre la témpera para que aparezcan los colores de los crayones.

Técnica de esgrafiado.

La leyenda del cardón

Piedras y tierra, todo seco. La vida en los altos cerros era dura. No así en los valles, donde el agua hacía crecer el verde. Allí los pastores todos los días llevaban sus rebaños en busca de agua y alimento. Y por la tarde regresaban a la aldea.

Para todos la jornada cumplida era premio suficiente que aplacaba el cansancio. Para todos, menos para uno de ellos. Un pastorcito que ansiosamente esperaba el regreso. Y su premio, el interés de aquella niña que le devolvía en sonrisa su mirada.

El enamoramiento era mutuo, pero imposible. Ella era la hija del curaca, jefe de la comunidad, quien seguramente aspiraba a un pretendiente mejor para su niña.

Pero a pesar de los impedimentos, todas las tardes ambos cumplían el rito de mirarse en silencio. Hasta que un día se confesaron su amor y también la tristeza de saber que el curaca jamás aceptaría que un simple pastorcito fuera el esposo de su hija. Pero se amaban y querían estar juntos, como toda la gente que se ama. Por eso una mañana, en lugar de subir al cerro a llevar las llamas, la niña y el pastor se escaparon juntos.

Muy enojado, el curaca ordenó a sus guerreros salir en busca de los enamorados y no regresar hasta que no los encontraran para castigarlos.

Los chicos tuvieron mucho miedo, porque ellos eran solo dos jovencitos indefensos que nada podrían hacer contra un ejército de guerreros.

Le pidieron entonces a la Pachamama, que es la protectora de las plantas y de la gente que trabaja, que los ayudara. Levantaron con sus manos una apacheta, que son altares en el cerro para honrar a la Pachamama, como siempre habían visto hacer a sus mayores, y cavando un hoyo en la tierra reseca pusieron las pocas cosas que habían llevado para no morir de hambre en su viaje. Pidieron con toda la fe y ofrecieron su amor, que era lo más hermoso que tenían.

El polvo que levantaban los caballos de los guerreros era señal de que estaban cerca. Con ellos venía el curaca en persona. Ambos se miraron y mientras se abrazaban, ocurrió algo increíble: la apacheta se abrió y recogió dentro de ella a los dos enamorados.

Cuando los guerreros llegaron, no había ni rastro de los jóvenes y solo encontraron un altar, como tantos que se levantan.

Volvieron extrañados y con el tiempo el curaca comprendió y perdonó a su hija. Un día volvió a buscarla al cerro pero solo encontró junto a la apacheta una planta muy hermosa, alta y erguida, que no había visto nunca: tenía un tronco grueso y espinas como para defenderse, de sus lados salían solo dos ramas, que parecían dos brazos abiertos que se levantaban hacia el cielo.

Es la planta del cardón, y quien la da vuelta, encuentra agua para calmar la sed. Dice la gente que los brazos son de los jóvenes agradeciendo a la Pachamama su protección, y el agua fresca es el amor que brota de ellos.

Susana Martínez Viademonte
(inédito)

A vuelta de página

1. Marquen las respuestas que crean correctas.
¿Qué es para los collas la Pachamama?

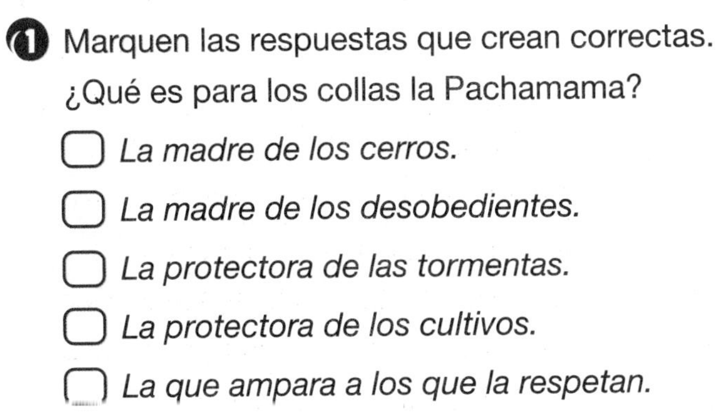

- ▢ *La madre de los cerros.*
- ▢ *La madre de los desobedientes.*
- ▢ *La protectora de las tormentas.*
- ▢ *La protectora de los cultivos.*
- ▢ *La que ampara a los que la respetan.*
- ▢ *La que ampara a los mentirosos.*

2. Busquen en el texto el significado de las siguientes palabras utilizadas por el pueblo colla.
   - *Pachamama:* ....
   - *Curaca:* ....
   - *Apacheta:* ....

3. Busquen en el diccionario estas otras palabras para comprender lo que significan.

cardón • *chasqui* • *regazo*

Los pueblos originarios que habitaban América antes de la conquista europea transmitían y transmiten aún hoy su sabiduría a través de relatos orales. **Leyenda** es el nombre de esos relatos. En ellos, cada pueblo originario da su interpretación del mundo, y una explicación de los cambios o las *transformaciones en la naturaleza.*

4. Escriban en sus cuadernos cuál es el elemento de la naturaleza que se origina según lo que cuenta esta leyenda.

Nuestra Tierra, nuestro lugar

1. **Lean** esta información.

Los collas aman y temen a la Pachamama, o Madre Tierra, por eso la respetan, le piden protección y alimento. También la cuidan, tratando de no hacer cosas que la enojen, como por ejemplo matar vicuñas si no es para alimentarse, malgastar el agua, ensuciar los ríos y todas las acciones que atenten contra la naturaleza.

2. **Conversen** sobre lo que leyeron.
   - *¿Creen que las personas hacemos cosas a diario que perjudican a nuestro planeta? ¿Cuáles? Escriban una lista.*

....

....

....

3. **Lean** y compartan con sus compañeros lo que escribieron. Conversen sobre qué cosas podrían cambiar ustedes en el lugar donde viven o en la escuela, y escríbanlas.

....

....

....

....

4. **Definan** lo que escribieron con una sola palabra, usen para hacerlo su color preferido.

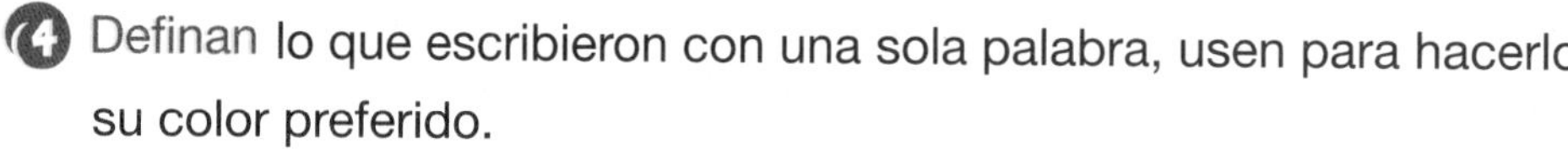

El mío es el azul.

Conversación. Planificación y escritura independiente.

Leyendo leyendas

1 Reúnan leyendas que hayan encontrado en libros de la biblioteca o en Internet.

- *Escriban la información de cada leyenda en una ficha como la de este modelo. Cuando necesiten releerlas, podrán consultar el fichero de leyendas y obtener rápidamente la información que buscan.*

Nombre del pueblo originario	Ubicación geográfica del pueblo	Nombre de la leyenda	Referida a:
Collas	La Puna, en las provincias de Jujuy, Salta y Catamarca	El regalo del cardón	El amor a las personas y a la tierra

Síntesis: Cuenta la historia de un pastor y la hija de un jefe colla. Ellos se amaban pero como no les permitieron estar juntos huyeron y fueron protegidos en la montaña por la Pachamama, o Madre Tierra.
Esta leyenda explica la creencia de los collas en la Pachamama y lo importante que es para ellos amarla y respetarla.

La síntesis es un texto breve donde con pocas palabras se explica el tema o el argumento del relato, cuento o historia que se quiera comunicar.

Búsqueda de material bibliográfico con propósitos determinados. Síntesis.

2 Completen el siguiente párrafo.

En las .... *se explica de qué forma comenzó a existir un elemento de la* .... *que antes no existía.*

3 Escriban cuál es elemento de la Naturaleza que comenzó a existir según la leyenda que compartieron en las páginas iniciales de este capítulo.

....

¿Cómo es nuestra forma de gobierno?

Si leen el artículo 1° de nuestra Constitución Nacional, verán que allí se dice que "la Nación Argentina adopta para su gobierno la forma republicana, representativa federal".

¿Por qué es representativa?

Que la Argentina está gobernada por representantes elegidos democráticamente, a través del voto de la gente. ¿De toda la gente? No, solo los argentinos mayores de 18 años tienen la posibilidad de elegir a través del voto a sus representantes.

¿Por qué es republicana?

Porque el poder de los representantes proviene del pueblo, duran un tiempo limitado en sus cargos y deben rendir cuenta de sus actos.

¿Por qué es federal?

Porque el territorio argentino se encuentra dividido en jurisdicciones: 23 provincias y la Ciudad Autónoma de Buenos Aires. Esas jurisdicciones son autónomas. Esto significa que tienen poder para resolver los problemas locales y para elegir a sus autoridades: gobernador o jefe de gobierno, legisladores, intendentes, etcétera. Los ciudadanos de las provincias también eligen representantes para integrar el gobierno nacional.

Forma de gobierno representativa, republicana y federal.

1 Completen en el cuaderno las siguientes oraciones.

- *Nuestra forma de gobierno es representativa porque* ....
- *Nuestra forma de gobierno es republicana porque* ....
- *Nuestra forma de gobierno es federal porque* ....

2 Encuentren las cinco palabras escondidas. Todas ellas se leen de manera horizontal.

W	D	E	M	O	C	R	A	C	I	A	Y
C	O	N	S	T	I	T	U	C	I	Ó	N
F	E	D	E	R	A	L	P	I	N	Ñ	S
G	M	E	R	O	E	V	O	T	O	X	P
P	R	E	S	I	D	E	N	T	E	C	E
R	E	P	Ú	B	L	I	C	A	Y	S	L

¡Yo quiero votar! ¿Puedo?

Los poderes que nos gobiernan

En los países democráticos el poder no lo tiene una sola persona, como si fuera un rey, sino que **se divide** en tres poderes:

Poder Legislativo: es el que elabora las leyes y modifica las ya existentes. En el ámbito nacional, es el **Congreso**, integrado por una Cámara de Diputados y una Cámara de Senadores, el que se encarga de estas funciones. Las provincias y la Ciudad Autónoma de Buenos Aires tienen una **Legislatura**, integrada por legisladores. Diputados, senadores y legisladores son elegidos por el voto del pueblo.

Poder Ejecutivo: es el que aplica las leyes y se ocupa de la administración pública. Al frente del Poder Ejecutivo Nacional se encuentra el **presidente de la Nación**, que es elegido por el voto del pueblo y nombra a sus colaboradores: los **ministros** y el **jefe de gabinete**. Está acompañado por un **vicepresidente**, también elegido por el voto de la gente. En las provincias, el Poder Ejecutivo está a cargo de un **gobernador**. En la Ciudad Autónoma de Buenos Aires, de un **jefe de gobierno**.

Poder Judicial: es el que se encarga de administrar justicia, sancionando a quienes violan las leyes aprobadas por el Poder Legislativo. Los integrantes de este poder, los jueces, no son elegidos a través del voto de la gente. Los jueces federales son nombrados por el Poder Ejecutivo en acuerdo con el Senado de la Nación.

1 Numeren cada uno de estos edificios, sedes de un poder de gobierno nacional. Escriban quiénes trabajan allí.

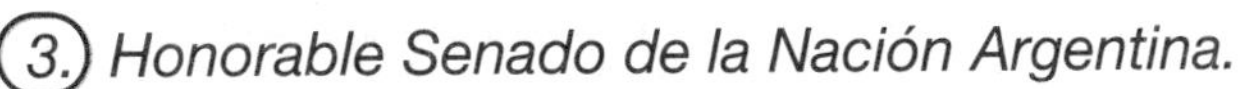
(1.) Corte Suprema de Justicia de la Nación • (2.) Casa Rosada • (3.) Honorable Senado de la Nación Argentina.

....

....

Busquen en los diarios fotos de algunos funcionarios mencionados. Escriban su nombre y a qué poder pertencen.

La división de poderes. El gobierno de la Nación y el de las provincias.

Hora de jugar: "Diez mil"

Materiales

- 5 dados
- Lápiz y papel

Organización del juego

Se juega entre dos o más jugadores.

Reglas

1. Por turno, cada jugador tira cinco dados.
2. Las maneras de sumar puntos son estas:
   a. Sacar 1 (cada 1 suma 100 puntos).
   b. Sacar 5 (al valor de cada 5 se lo multiplica por 10).
   c. Sacar tres números iguales (en este caso, al valor del número se lo multiplica por cien, por ejemplo: 5-5-5 = 500, y así con todos, salvo si sale 1-1-1 el valor es de 1.000).
   d. Sacar de un solo tiro una escalera: 1-2-3-4-5 (el valor es de 1.500 puntos).
3. El jugador, después de contar los puntos, puede plantarse y agregar todos los puntos logrados en ese turno a su puntaje total.
   También puede tirar otra vez, usando los dados que no le sirven para hacer más puntos, pero si no obtiene ningún punto, pierde lo logrado en la tirada y en esa vuelta no se anota nada.
   - El turno del jugador termina cuando hace un tiro sin combinaciones (sin 1, 5 o tres números iguales) que den puntos. Si un jugador hace puntos con todos los dados que le quedan, puede parar o continuar tirando los cinco dados otra vez.
   - Gana el jugador que llega primero a 10.000 puntos.

Para pensar después de jugar

1 Miren lo que sacó Rubén en la primera ronda.

- *¿Cuántos puntos obtuvo?*

....

....

2 Después llegó el turno de Flavia. Ella sacó 5 - 5 - 5 - 3 - 6.

- *¿Cuántos puntos se anotó?* ....
- *Escriban qué cálculo hizo Flavia* ....

3 Flavia apartó los 5 y volvió a tirar los otros dos dados. Esta vez sacó 1 y 5.

- *¿Cuántos puntos obtuvo?* ....

4 Paula sacó esto en los dados. Dijo que podía usar el cálculo 6 x 100. ¿Es cierto? ¿Cuántos puntos se anotó?

....

....

5 Completen la tabla de puntajes:

Rubén

Valor de los dados	Puntos
1.000 + 100	
50 + 50 + 50	
100 + 50	
4 x 100	
Total	

Flavia

Valor de los dados	Puntos
600 + 50	
5 x 100	
1.000 + 100	
2 x 100	
Total	

Paula

Valor de los dados	Puntos
6 x 100	
1.000 + 50	
400 + 50	
3 x 100	
Total	

a. Calculen. ¿cuántos puntos le faltan a Rubén para llegar a 10.000? ¿Y a Flavia?

b. Completen los puntajes parciales y el puntaje final de Martina.

Martina

1.000	+500	....	+250	....	+1.500	....	+750	....	+50	....	+350	....

Multiplicación por la unidad seguida de ceros. Sumas con muchos números.

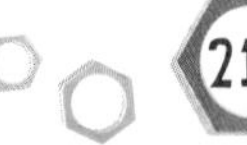

De compras

Doña Clara está haciendo sus compras del mes. Solo le falta comprar el aceite, y calculó que 6 litros serán suficientes.

Estos son los distintos envases que encuentra en la góndola:

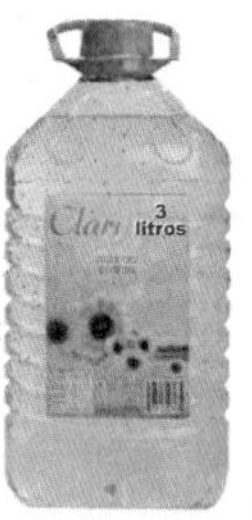

3 litros

1 y 1/2 litros

1 litro

1/2 litro

½ litro se lee "medio litro".
¼ litro se lee "un cuarto de litro".

 Calculen.

- ¿Qué envases debería elegir para llevar la menor cantidad de botellas?

....

- ¿Cuántas botellas de ½ litro debería llevar doña Clara para tener 6 litros de aceite?

....

- ¿Es posible formar 6 litros con 6 botellas? ¿Y con 5? ¿Y con 3? Expliquen de qué manera.

....

2 La mamá de Celeste va a preparar gelatina. ¿Para cuántos sobres de gelatina alcanzará el agua caliente del termo?

En el termo lleno hay 1 litro de agua caliente.

¼ litro de agua caliente y ¼ litro de agua fría = ½ litro de agua.

 Completen la tabla.

Cantidad de sobres de gelatina	1	2	3	4	5
Cantidad de agua	½ litro				

Medidas de capacidad. Exploración. Utilización de fracciones sencillas.

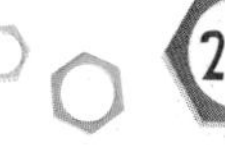

El equipaje

Carlos viaja al Norte a visitar a su familia. Mientras prepara su equipaje, lee en el pasaje la siguiente leyenda:

TM
TRASPORTES MILAN S.A.
1 BOLSO DE HASTA
15 KG POR BOLETO
COMO MÁXIMO
BUS CAMA - SALTA
TARIFA NOCHE
FECHA: 02/09/10
HORARIO: 22:00
ASIENTO: 26
TARIFA: $62,00
ORIGEN: BUENOS AIRES
DESTINO: SALTA CAPITAL
1920 2010
TM
TRANSPORTES MILÁN S.A.
Conserve su boleto hasta llegar a destino.

Por eso, al terminar de armar su bolso, lo pesa. Esto es lo que marca la balanza:

1 Decidan cuáles de las siguientes cosas puede agregar Carlos a su equipaje:

- *1 par de zapatillas de 1 kg y 200 gramos*
- *2 paquetes de yerba de 1 kg cada uno*
- *1 campera de 1 kg y 800 gramos*
- *3 cajas de alfajores de 500 gramos cada una*
- *1 par de botas de 2 kg*
- *4 potes de dulce de leche, de ½ kilo cada uno*

Francisco, Luisa y Sebastián también van a tomar un micro hacia el Norte. Llevan algunas donaciones a tres escuelitas rurales que apadrinan. Cada uno armará una caja con los donativos que consiguieron.

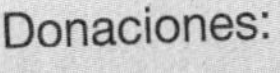

Donaciones:
10 paquetes de azúcar de 1 kg
20 paquetes de yerba de ½ kg
10 paquetes de galletitas de 200 g
5 paquetes de jabón en polvo de 800 g
10 paquetes de café de ¼ kg
10 cajitas de té de 100 g
10 paquetes de arroz de 500 g
10 paquetes de harina de 1.000 g
8 paquetes de bizcochos de 250 g

2 Ayúdenlos a distribuir productos en las tres cajas de modo que ninguna supere los 15 kg.

- *Resuélvanlo en sus cuadernos.*

3 Conversen.

¿Todos repartieron la mercadería de la misma manera?

¿Quedaron productos fuera de las cajas?

La leyenda de la yerba mate

1 Lean esta historia parecida a la que contaba el pueblo guaraní.

Una noche Yasí, la luna, llamó a su hermana Araí, la nube, y le propuso bajar a la tierra.

Para que no sospecharan de su ausencia, llamó a todas las nubes y les pidió que cubrieran el cielo. Bajaron, entonces, la luna y la nube transformadas en dos jovencitas y comenzaron su recorrido. Lo que no sabían era que un feroz yaguareté iba detrás de ellas para devorarlas.

Justo en el momento en que el animal las iba a atacar, un anciano guaraní, gran cazador, disparó su arco con mucha puntería y mató al animal.

El cazador miró hacia todos lados y no vio más a las jovencitas. Él no sabía que había salvado a la luna y a la nube.

Esa noche, en un sueño, la jovencita más brillante le habló, le agradeció por salvarlas y le prometió que al despertar encontraría su recompensa por tan generoso acto de valor.

A la mañana siguiente, cuando el hombre despertó, su enramada estaba rodeada de plantas de caá, que es el nombre, en guaraní, de la yerba mate.

El anciano preparó la bebida, como le había explicado la luna en su sueño, y la compartió con sus hermanos de tribu.

Así nació el mate, el agradecimiento de Yasí al pueblo guaraní.

2 Completen con los datos una ficha para el fichero de leyendas con el modelo de la página 211.

3 Escriban en grupos una leyenda breve que cuente el origen de alguno de estos elementos de la naturaleza.

El viento • Un río • El rojo de la flor de ceibo • La espuma del mar

4 Lean y compartan lo que escribieron. Voten por la mejor leyenda creada y completen.

La leyenda que más votos tuvo fue ....

Otras leyendas lindas fueron ....

....

Producción narrativa con tipologías determinadas.

¡No se coman las comas!

A mí me gusta dulce y con cascarita de naranja.

1 Lean, conversen y completen.

Con la yerba mate se preparan dos bebidas. Una se sirve en taza o jarro, y la otra, no. Estas bebidas son el .... y el ....

Pero… ¡a ver cuánto saben del mate!

2 Escriban todo lo que se le puede agregar al mate para que sea más rico.

Recuerden poner una coma entre una palabra y otra.

El mate se puede preparar con ....

....

3 Corrijan. ¡Se olvidaron las comas!
En esta información se olvidaron de colocar las comas y los espacios.
Reescríbanla correctamente.

Elmatepuedeserdecalabazademetalconpatasdemetalsinpatasdemaderadece-rámicadecaña.

....

....

Para separar las palabras de una lista o para hacer una enumeración se usa la coma.

¡Tomá mate!

1 Lean el texto y agreguen todas las comas que sean necesarias.

El tereré es un tipo de mate que se toma en las zonas calurosas de la Argentina Paraguay y Brasil.

En nuestro país se toma especialmente en las provincias de Misiones Corrientes Formosa Chaco y norte de Santa Fe.

Se prepara con agua helada y se le puede agregar jugo de naranja de limón de pomelo y azúcar.

Es una bebida muy refrescante para los días calurosos.

2 Jueguen al tutifruti temático.

Necesitarán

- Hojas rayadas, lápiz, tarjetas de cartón o cartulina.

Cómo se juega

1. Escriban en cada tarjeta el nombre de un grupo de cosas, por ejemplo: animales, nombres de personas, comidas, equipos de fútbol, etcétera.
2. Un jugador dará vuelta una tarjeta, la leerá y cada uno escribirá en su hoja la mayor cantidad de palabras, hasta completar un renglón.
3. El primero que completa el renglón dice basta.
4. Cada palabra correcta suma diez puntos, ¡pero atención!, tendrá que estar separada por una coma; de lo contrario restará diez puntos.

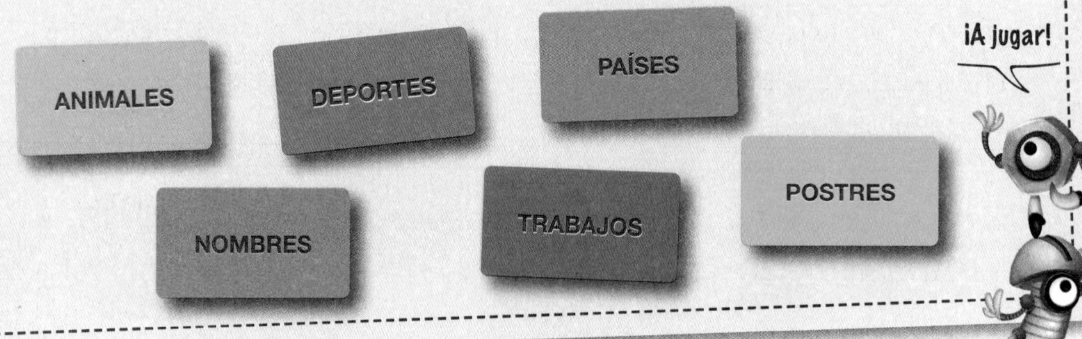

3 Escriban las instrucciones para preparar mate. Recuerden ordenar por un lado los ingredientes, y por otro, la preparación. ¡Y no olviden las comas!

Uso de signos de puntuación. Lectura y comprensión de textos informativos.

¡Chistes y disparates!

1 Lean estos chistes.

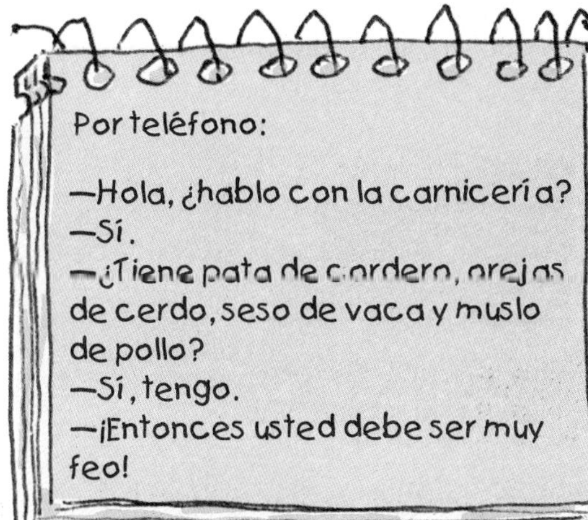

Por teléfono:
—Hola, ¿hablo con la carnicería?
—Sí.
—¿Tiene pata de cordero, orejas de cerdo, seso de vaca y muslo de pollo?
—Sí, tengo.
—¡Entonces usted debe ser muy feo!

En la perfumería:
—Buen día.
—¡Buen día! ¿Qué va a llevar?
—¿Tiene jabón?
—Sí, ¿para qué tipo de piel?
—Y... ¡para piel sucia!

2 Lean estas respuestas disparatadas.

En una escuela, en tercer grado...

Maestro: —¿Cuál es el futuro del verbo bostezar?
Alumno: —Dormiré.

En otra escuela, también en tercer grado...

Maestro: —Nombra tres cosas que contengan leche.
Alumno: —¡Tres vacas!

3 Piensen, recuerden y escriban en grupos otros chistes. Pueden ser chistes en "la escuela", "la casa", o de los que comienzan con "¿Qué le dijo...?" o "¿Cómo se llama la obra?".

4 Armen un álbum de disparates; cada vez que sepan uno nuevo agréguenlo al álbum.

Pregunten en sus casas qué refranes, dichos, chistes o disparates conocen y quién se los contaba. Escríbanlos aquí para compartir con sus compañeros. ¿Alguno se repitió? ¿Cuál?

¡Eso se llama recopilación!

Planificación y escritura de textos. Uso de los signos ortográficos: exclamación, interrogación, raya de diálogo, tilde en pronombre interrogativo.

Organizando fotografías

El señor Pérez trabaja en el diario más importante de la ciudad. Es fotógrafo. Le encargaron editar un suplemento fotográfico con fotos obtenidas de la comunidad de los quilmes, en Tafí del Valle, provincia de Tucumán, en un intento por difundir su cultura y la lucha por su patrimonio.

1 La mayor parte de las páginas del suplemento están destinadas a las 184 fotos elegidas. En cada página entran exactamente 8 fotos del tamaño acordado. ¿Cuántas páginas necesitará?

La comunidad de los quilmes

Al señor Pérez le quedan todavía 384 fotos. Pero no se publicarán en el suplemento, sino que tienen otros destinos.

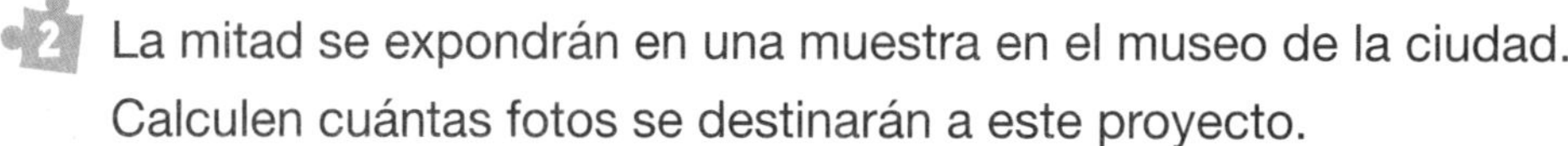

2 La mitad se expondrán en una muestra en el museo de la ciudad. Calculen cuántas fotos se destinarán a este proyecto.

3 La otra mitad se dividirá en 3 partes: una parte para la confección de folletos, el resto se entregará a las escuelas para el estudio de esta comunidad. Calculen cuántas fotos se usarán en la confección de folletos.

¡Yo quiero
una foto!

Pensando la cuenta

1 En la escuela de Marina están aprendiendo a dividir. ¿Cómo podrían acortar la cuenta que hizo con sus compañeros?

Dividendo / restos	Cocientes parciales
2.332	3
−300	100
2.032	
−300	100
1.732	
−300	100
1.432	
−300	100
1.132	+
−300	100
832	
−300	100
532	
−300	100
232	
−30	10
202	
−30	10
172	
−30	10
142	
−30	10
112	
−30	10
82	
−30	10
52	
−30	10
22	
−21	7
1	777

Cada paquete trae 10 galletitas. Las podemos repartir!

¿Cuántas nos tocarán a cada uno?

2 Calculen cuántas le tocarán a cada chico.

Ya que les sobraron algunas galletitas, traten de seguir repartiéndolas.

- ¿Cuántas más le tocaron a cada uno? ....

La maestra dictó este problema:

A Carlos su mamá le quiere regalar una compu nueva. El valor de la compu es de 1.650 pesos. Se puede pagar en 10 o en 20 cuotas iguales.

¿Cuánto pagará la mamá por mes si elige pagarla en 10 cuotas?

¿Y si quiere pagarla en 20 cuotas?

3 Hagan en el cuaderno las cuentas necesarias para resolver el problema.

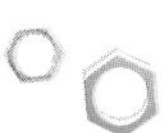

Me "prendo" y uso lo que "aprendí"

Estos desafíos son para resolver sin hacer cuentas, usando lo que saben acerca de los números y las operaciones.

Al final de cada actividad comenten cómo lo hizo cada uno.

1 Señalen con una ✘ la columna del resultado.

	Hasta 10	Entre 10 y 100	Entre 100 y 1.000
27 x 15			
239 : 8			
732 + 254			
1521 – 1512			

¡A pensar se ha dicho!

2 Rodeen con un círculo el resultado correcto sin hacer la cuenta.

- *327 : 3 = 99* *109* *190*
- *2.975 : 5 = 615* *59* *595*

3 Completen escribiendo el número que falta.

- 63 x .... = 630
- 100 x .... = 6.300
- 63 x 1.000 = ...
- 10 x .... = 2.430
- 15 x .... = 15.000
- 781 x .... = 7.810

4 Sabiendo que 5 x 30 = 150, ¿cómo harían para calcular las cuentas de abajo?

- 5 x 29 =
- 8 x 29 =
- 40 x 29 =
- 5 x 31 =
- 7 x 31 =
- 30 x 32 =
- 4 x 39 =
- 9 x 41 =
- 20 x 53 =

5 Sabiendo que 56 : 7 = 8, calculen:

- 560 : 7 =
- 560 : 8 =
- 5.600 : 7 =
- 80 x 7 =
- 700 x 8 =
- 700 x 9 =

Practicando más

1 Sumen o resten lo que haga falta para obtener el resultado.

2.000 .... = 2.200 1.350 .... = 1.000

5.328 .... = 6.328 7.300 .... = 9.300

1.500 .... = 900 700 .... = 1.300

2 Coloquen el signo que corresponda (<, > o =).

100 + 38 .... 100 + 40 2.000 – 500 .... 2.000 + 498

3 x 51 .... 7 x 12 350 : 5 .... 210 : 3

El juego del emboque

Después de jugar a embocar 6 pelotitas en las latas, unos chicos anotaron con una ✗ cada uno de sus aciertos en una tabla como esta:

Jugadores	1.000	100	10	1
Carlos	x x	x		x
Mica	x	x	x x	x
Marcelo	x		x x x	
Cora	x	x x		x x

3 Calculen el puntaje que obtuvo cada uno.

Carlos .... puntos. *Marcelo .... puntos.*

Mica .... puntos. *Cora .... puntos.*

- *¿Quién ganó?* ....
- *¿Cuántos puntos hay entre Carlos y Cora?* ....
- *¿Cuál es el mayor puntaje que se puede sacar en este juego?* ....

  ¿Y el menor? ....

Situaciones variadas de cálculo mental.

Peticionar para modificar las leyes

Las leyes que el Poder Legislativo elabora y sanciona y que el Poder Judicial hace cumplir surgen de una necesidad social. Esto significa que buscan dar respuesta a los problemas de la gente. Algunas veces son los propios ciudadanos los que llevan sus propuestas a los representantes, para que estos hagan oír sus voces ante las autoridades correspondientes.

Es así como en el año 2004, por ejemplo, luego de varios años de peticionar a las autoridades, los llamados pueblos originarios, o comunidades indígenas, lograron que en la Constitución Nacional se incluyera un artículo que reconoce sus derechos sobre las tierras que tradicionalmente ocupan.

Ente Tucumán Turismo

Sin embargo, los conflictos sobre esas tierras aún continúan. ¿Por qué? En muchos casos porque quienes poseen esas tierras se niegan a devolverlas a los pueblos originarios. A veces se plantean situaciones difíciles porque sus actuales propietarios compraron legalmente esas tierras. Por eso se escuchan diferentes opiniones sobre el tema; incluso algunos jueces piensan una cosa, y otros, todo lo contrario.

Las ruinas que pueden ver en la fotografía están ubicadas en los Valles Calchaquíes, en el territorio de la actual provincia de Tucumán. Allí vivieron los antiguos quilmes. Hoy esas tierras son reclamadas por los descendientes de ese pueblo originario.

Muchos pobladores originarios, como estos mapuches, protestan ante el avance que empresas extranjeras inician sobre sus territorios.

1. Busquen información sobre algunos de los pueblos originarios que habitan el actual territorio argentino. Mencionen por lo menos tres de ellos y señalen en qué provincia viven.

2. Elaboren una cartelera informativa sobre los derechos que tienen los pueblos originarios sobre las tierras que tradicionalmente ocupan.

El caso de los quilmes

Hace muchos años, antes de que llegaran a América los conquistadores españoles, en los llamados Valles Calchaquíes vivían los diaguitas, un pueblo originario que hablaba la lengua kakán. Uno de los grupos diaguitas más numerosos era el de los quilmes, que habitaban el noroeste del territorio de la actual provincia de Tucumán. En 1660, los quilmes, al igual que otros grupos diaguitas, se rebelaron contra la dominación española. Los españoles los vencieron y, para imponerles un castigo ejemplar, los obligaron a dejar sus tierras y a trasladarse a la actual provincia de Buenos Aires. Los pocos que llegaron a pie a las costas bonaerenses, en 1666, se asentaron donde hoy se encuentra la ciudad de Quilmes, que toma su nombre de esta comunidad indígena.

Algunos quilmes escaparon y se escondieron en los cerros, negándose a dejar sus tierras. A partir de 1960 sus descendientes comenzaron a organizarse y pedir que se reconocieran sus derechos sobre las tierras que habitaron sus antepasados. También solicitaron que se respetaran su identidad y sus manifestaciones culturales.

En la actualidad, los quilmes cuentan con catorce comunidades de base, integrada cada una de ellas por varios grupos de familias. Son esas comunidades las que realizan los pedidos que consideran necesarios para vivir mejor.

1 Respondan las siguientes preguntas.

- *¿Cómo se organizan en tu ciudad para realizar reclamos o pedidos a las autoridades? ¿Qué pedidos son los más comunes?*
- *¿Y en la escuela?*
- *¿Y en el aula?*

Un modo de organización democrático

En la actualidad, la comuna tucumana de Quilmes se encuentra organizada como en los tiempos prehispánicos, es decir, como en la época anterior a la llegada de los españoles. La comuna cuenta con un Consejo de Delegados, integrado por dos delegados de cada una de las catorce comunidades base, que se reúne cada quince días. Además, está encabezada por un cacique, que en la actualidad es don Francisco "Pancho" Chaile.

Antiguamente, la elección del cacique se realizaba a "mano alzada". Pero en las últimas décadas esta práctica se modificó y hoy en día se lleva a cabo mediante el voto secreto. Es a través de esta organización que los quilmes realizan sus reclamos y mantienen vivas las tradiciones de su pueblo.

Así como sucede con la comunidad de los quilmes, en el resto del país también elegimos a nuestras autoridades en forma democrática, es decir, a través del voto universal, secreto y obligatorio.

Periódicamente se realizan elecciones en las que los ciudadanos mayores de 18 años eligen quiénes serán sus representantes en el ámbito nacional, provincial y local. Esto significa que eligen candidatos para ocupar los cargos de presidente de la Nación, gobernador, intendente, diputados, senadores y concejales. Sus mandatos no son eternos, sino que duran un tiempo determinado. Se los puede reelegir, pero solo por dos mandatos consecutivos.

Si bien Quilmes tiene un modo de organización específico, todos los argentinos estamos gobernados por las autoridades que establece nuestra Constitución Nacional.

1. Averigüen cuántos años dura el mandato del presidente de la Nación. ¿Puede ser reelecto? ¿Cuántas veces?

....

2. Escriban en forma de pregunta las dudas que les hayan quedado sobre cómo se llevan a cabo las elecciones.

Entrevisten a dos adultos que hayan votado en las últimas elecciones. Háganles las preguntas que elaboraron en la actividad 2.

El sonido de los cerros

Los pueblos diaguitas, entre ellos los quilmes, para hacer música utilizaban instrumentos de viento y de percusión, como la corneta, la flauta, el silbato, el tambor y el tamboril o caja.

Se dice que para darse ánimo durante las luchas contra los conquistadores españoles hacían sonar estos instrumentos.

Dentro de la gran familia de instrumentos musicales, están aquellos que se denominan instrumentos de viento, ya que para producir un sonido es necesario el pasaje de aire, que por vibración genera el sonido. Estos instrumentos pueden ser de metal, madera o fuelle.

Cada instrumento de viento es diferente y está formado por uno o por varios tubos, como en el caso de la flauta y el pincullo.

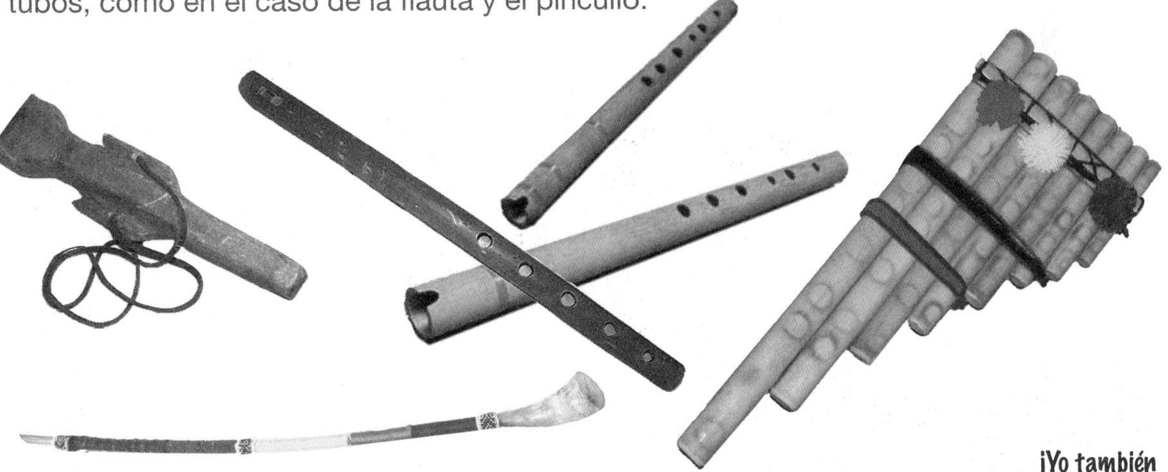

Sonido e instrumentos de viento.

¡Yo también quiero tocar!

Pero… ¿cómo se produce el sonido? El músico sopla a través de la boquilla, formando de esta manera una columna de aire que pasa a través de uno o de varios tubos, haciéndolos vibrar y produciendo el sonido que escuchamos. La diferencia de sonidos, más graves o más agudos, depende de la longitud del tubo, así como de la intensidad del aire que insufla el músico por la boquilla.

1. Inventen sus propios instrumentos de viento y luego experimenten en vivo y en directo los diferentes sonidos que pueden hacer con el aire que sale de sus pulmones.

¿Con cuál va?

1 Lean el texto.

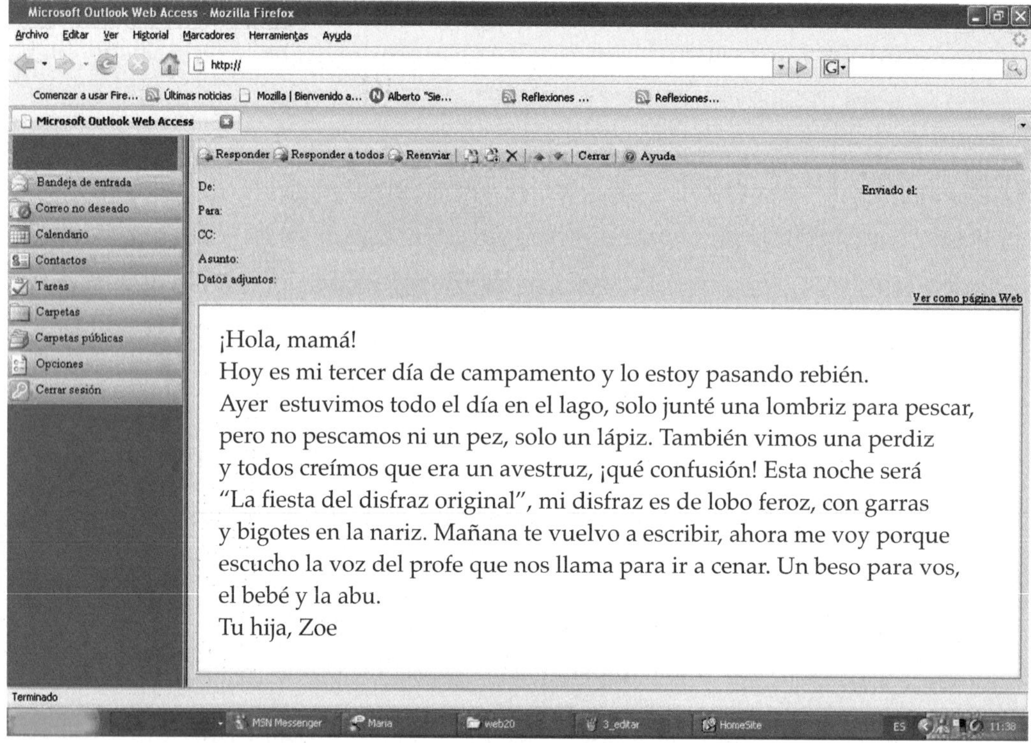

De:
Para:
CC:
Asunto:
Datos adjuntos:

¡Hola, mamá!
Hoy es mi tercer día de campamento y lo estoy pasando rebién.
Ayer estuvimos todo el día en el lago, solo junté una lombriz para pescar, pero no pescamos ni un pez, solo un lápiz. También vimos una perdiz y todos creímos que era un avestruz, ¡qué confusión! Esta noche será "La fiesta del disfraz original", mi disfraz es de lobo feroz, con garras y bigotes en la nariz. Mañana te vuelvo a escribir, ahora me voy porque escucho la voz del profe que nos llama para ir a cenar. Un beso para vos, el bebé y la abu.
Tu hija, Zoe

Uso de la Z y de la C. Escritura.

2 Marquen en el mensaje las palabras que terminan con Z.

3 Busquen el plural de esas palabras y completen las columnas.

Singular (uno)	*Plural (más de uno)*
Pez	Peces
....	....
....	....
....	....
....	....
....	....
....	....
....	....

Aprendemos un poco más cada día...

4 Conversen sobre cómo se escriben los plurales de las palabras terminadas en Z y escriban la conclusión.

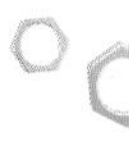

Buena convivencia

1 Lean estos dichos y refranes solidarios.
"La unión hace la fuerza".
"Hoy por ti, mañana por mí".
"Todos para uno y uno para todos".

2 Escriban qué les parece que significan y qué tienen en común.

....

....

....

3 Completen, en grupo, con todos los consejos que conozcan para lograr una buena convivencia.

- *En el colectivo, ceder el asiento a las personas mayores.*
- ....
- *Ayudar a las personas con alguna capacidad limitada a cruzar.*
- ....
- *Cuando se pide algo, se dice* ....
- *Cuando nos dan algo, se dice* ....
- *Al entrar o salir de un lugar, se dice* ....

4 Piensen qué acciones pueden realizar para mejorar la convivencia en la escuela.

....

....

5 Elijan entre todos las que puedan hacer rápidamente y ¡a ponerlas en práctica!

Escriban alguna anécdota solidaria que recuerden.

Lectura e interpretación de textos: dichos populares. Conversación, acuerdos y puesta en común.

Rastros del pasado

1 Aprender a mirar

Observen estas vasijas halladas en las ruinas de la comunidad de los quilmes.

Legados culturales.

Muchas comunidades originarias dejaron sus huellas en piezas cerámicas que se encontraron mucho después. Mediante ellas se conoció parte de su cultura.

2 Para pensar entre todos

- *¿Cómo es su textura?*
- *¿Qué colores tienen?*
- *¿Por qué serán tan pequeñas las asas?*
- *¿Cómo es su decoración?*

¡¡Me dan ganas de hacer vasijas!!

Para saber más

Los pueblos originarios desarrollaron maravillosas guardas para decorar sus utensilios, que muchas veces tenían un significado mágico. Los collas hicieron hermosas jarras con asas, ollas de cocina, jarros ovoides, cántaros y diferentes formas de platos. Para decorar usaron diseños geométricos, algunos en espiral, otros en zigzag.

3 Aprendemos jugando

Elijan motivos para desarrollar sus propias guardas nativas. ¡Agreguen espirales, escalones, todo lo que les guste!

Modelado.

4 Manos en acción

Materiales

- Arcilla de secado rápido
- Agua
- Témperas
- Trapos
- Cartón
- Pincel

Reglas

1. Elijan un objeto para modelar, puede ser un plato, un jarro o una vasija.
2. Dejen secar sobre un cartón durante el tiempo que indique el envase.
3. Con cuidado, dibujen una guarda en su pieza cerámica.
4. Pinten con témperas de colores.

¡Organicen una exposición de sus trabajos como si fuese el salón de un museo!

Días de fiesta

Hay fechas del pasado que son importantes para todos los que vivimos en la Argentina. A estos acontecimientos de nuestra historia se los llama **efemérides**. Algunos son días de fiesta, para encontrarnos y celebrar, y otros son para hacer memoria y reflexionar juntos.

1. Consigan un calendario y marquen con diferentes colores las fiestas familiares y las fechas patrias.

2. Averigüen el origen de su apellido.

3. Pidan en casa un objeto representativo de la historia familiar. Por ejemplo, el pasaporte del abuelo. Llévenlo a la escuela y compartan su anécdota. Hacer memoria es seguir buscando el camino.

"La memoria no es para quedarse en el pasado sino para vivir el presente".
Adolfo Pérez Esquivel (Premio Nobel de la Paz 1980).

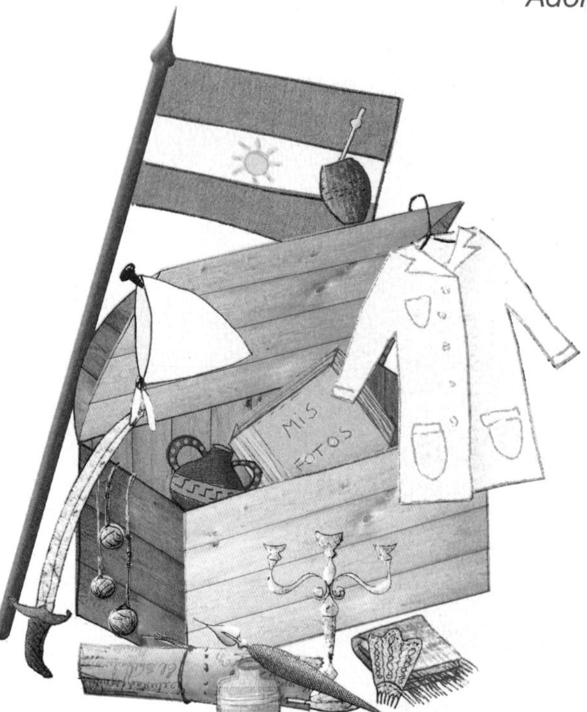

En estas páginas recordaremos algunos hechos importantes de nuestra historia.

Al recorrerlas se irá abriendo el **baúl de los recuerdos** donde guardamos las huellas del pasado, esos objetos que nos hablan de la historia.

Al andar por estas páginas escucharemos la voz de nuestros antepasados, sus sueños y sus luchas, leeremos sus testimonios, que nos ayudarán a reconstruir la historia y entenderla.

Abrir el baúl, encontrarse con el pasado, comprender el presente, animarse al futuro... Abrir el baúl, hacer **memoria**, aceptar el desafío de seguir haciendo historia...

Nuestros símbolos

Cada país tiene sus propios símbolos patrios que hablan de su identidad, de su historia, de su cultura, y hacen que sus habitantes se sientan parte de él.

La Bandera, el Escudo y el Himno Nacional son nuestros **símbolos patrios**.

La Escarapela es nuestro **distintivo nacional**.

Nuestros símbolos

20 de junio, Día de la Bandera Nacional.

11 de mayo, Día del Himno Nacional.

12 de marzo, Día del Escudo Nacional.

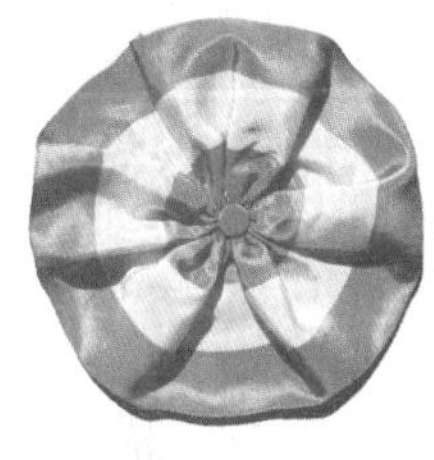

18 de mayo, Día de la Escarapela.

Nuestros símbolos nos identifican y nos diferencian de los habitantes de otros países. Conozcamos uno de nuestros símbolos: el Escudo.

1 Averigüen qué significa cada una de las partes señaladas. Escriban y luego coloreen.

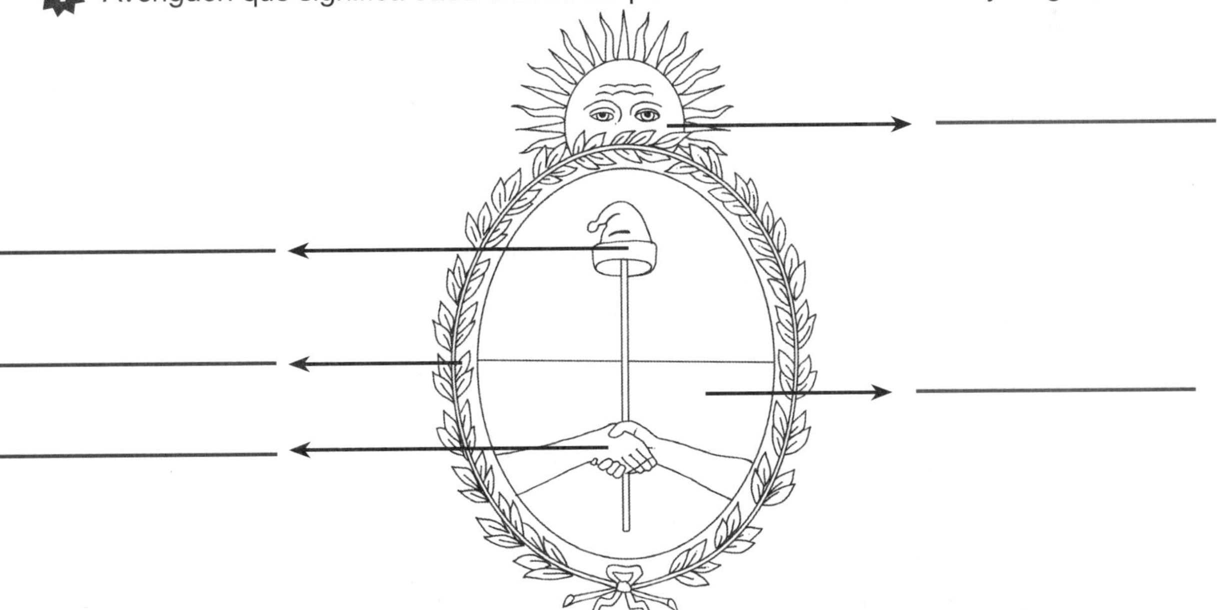

2 Diseñen el escudo de la escuela y escriban lo que representa.

Día de la Memoria por la Verdad y la Justicia

¿Qué pasó?

1 Observen esta fotografía. ¿Saben en qué lugar fue tomada? ¿Quiénes son las personas que se ven? ¿Qué están haciendo? Investiguen por qué llevan un pañuelo blanco en la cabeza.

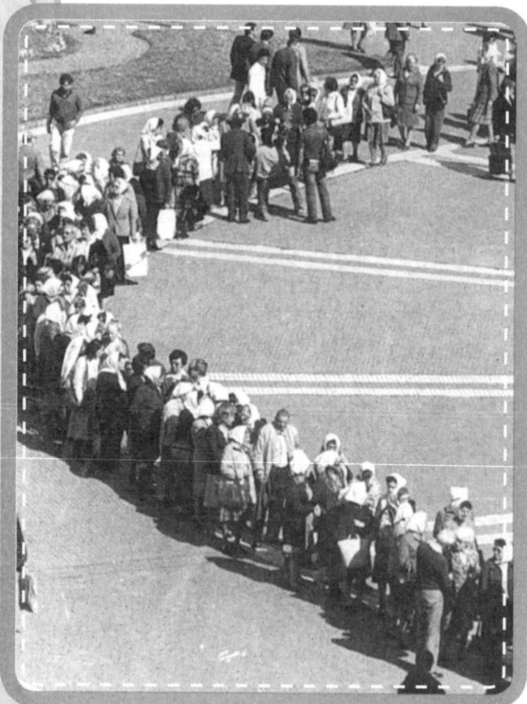

Madres de Plaza de Mayo.

El 24 de marzo de 1976 una junta de comandantes se apoderó por la fuerza del gobierno de nuestro país. Impuso una dictadura que prohibió libros, películas y canciones como también la reunión de más de tres personas en lugares públicos.

El objeto de estas medidas era evitar que la gente expresara sus opiniones y pensara diferente de ellos.

En esa época muchas personas fueron secuestradas por los militares y torturadas cruelmente. La mayoría fue asesinada, y el resto fue obligado a irse del país; aún hay personas que están desaparecidas.

Esta dictadura militar duró hasta fines de 1983, cuando fue electo como presidente democrático Raúl Ricardo Alfonsín. Todos los 24 de marzo recordamos estos acontecimientos para que **nunca más** vuelvan a ocurrir.

2 Lean estos testimonios de niños que vivieron en esa época.

Guido Diego González (12): [...] Siempre es preferible un gobierno malísimo, pero elegido por el pueblo, que uno que se meta por la fuerza.

Walter Daniel Ringa (10): Yo sé que los militares se lo llevaron a mi papá. Después no sé nada más.

Testimonios: Paredero, Hugo, *¿Cómo es un recuerdo? La dictadura contada por los chicos que la vivieron*, Buenos Aires, Libros del Zorzal, 2007.

3 Consigan la canción "Marcha de la bronca" de Pedro y Pablo. Escuchen cuál es el problema que trata.

Día del Veterano de Guerra y de los Caídos en la Guerra de Malvinas

1 Marquen en el mapa las islas Malvinas.

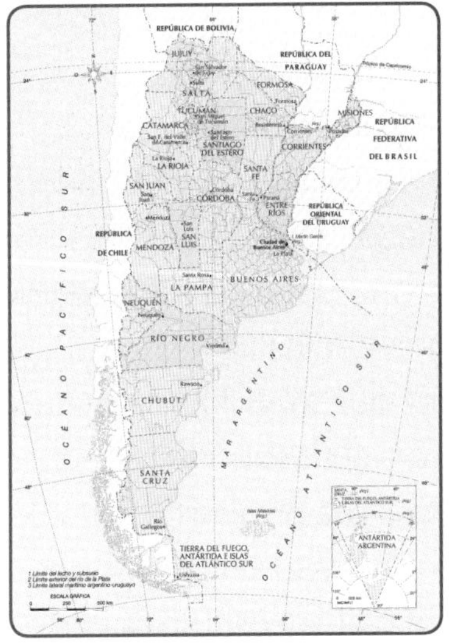

Las islas Malvinas pertenecen al territorio argentino desde la época de nuestra independencia. Pero en 1833 Gran Bretaña las ocupó por la fuerza. El 2 de abril de 1982 la dictadura militar argentina invadió las islas y las recuperó. Como los ingleses enviaron tropas para reconquistarlas, comenzó la Guerra de Malvinas, que duró hasta el 14 de junio, día en que el ejército argentino se rindió ante las fuerzas británicas.

El final de esta historia fue muy triste: muchos jóvenes soldados murieron y otros regresaron golpeados física y anímicamente. A todos ellos debemos homenajearlos por su valentía y por haber defendido nuestro territorio.

En la actualidad, la Argentina sigue reclamando sus derechos sobre las Malvinas mediante el diálogo diplomático.

2 ¿Qué quiere decir "veterano de guerra"?

____

3 Busquen información sobre la Guerra de Malvinas. En grupos redacten una noticia a partir de estos titulares de diarios de la época.

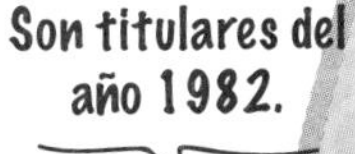

Clarín

TROPAS ARGENTINAS DESEMBARCARON EN LAS MALVINAS

Efectivos de las tres fuerzas armadas avanzaban esta madrugada hacia la capital de las islas

EDICIÓN ESPECIAL

LAS MALVINAS SON ARGENTINAS

LA CAPITAL

Esta Madrugada se Ocuparon las Islas

URGEN LOS EE. UU. A RETIRAR TROPAS

CONVICCIÓN

contra la Argentina

Crece la resistencia en las Malvinas

El "Invincible" fuera de combate

 Pregunten a los adultos de la familia qué recuerdan de la Guerra de Malvinas.

MAYO 25 LIBERTAD

Aniversario de la Revolución de Mayo

1 Conversen. ¿Qué pasó en esta plaza en 1810?

Hoy usamos escarapela.

2 Piensen. ¿Por qué se llama actualmente Plaza de Mayo?

Plaza de la Victoria en 1810.

En mayo de 1810 se supo en la capital del Virreinato del Río de la Plata que el rey de España, Fernando VII, había sido tomado prisionero por las tropas del emperador francés Napoleón Bonaparte, que había invadido la península ibérica.

Los españoles que mandaban en estas tierras recibieron con preocupacion la noticia porque querían mantener sus privilegios. Uno de los más preocupados era el virrey Cisneros; él sabía muy bien que con el rey de España preso su autoridad se debilitaba. En cambio, para muchos criollos esta situación era la oportunidad que esperaban para participar del gobierno y liberarse de España.

Para decidir qué hacer, criollos y españoles se reunieron en el Cabildo de Buenos Aires, el 22 de mayo de 1810. Después de muchos debates, se votó. La votación la ganaron los que querían que el virrey renunciara y fuera reemplazado por una junta de gobierno local. Esa junta de gobierno local, cuyos integrantes serían anunciados el día 25 desde el balcón del Cabildo, es la que conocemos con el nombre de Primera Junta.

3 Averigüen quiénes integraron la Primera Junta de Gobierno. ¿De qué origen era cada uno de sus nueve miembros? ¿Qué oficios o profesiones tenían?

4 Decidan si este enunciado es verdadero o falso. Justifiquen su respuesta.
"El 22 de mayo de 1810 los vecinos de Buenos Aires, reunidos en el Cabildo, tomaron una decisión que no modificó el gobierno del virreinato".

______________________________ ☐

¡Felices 200 años de la Patria!
1810
2010

1 Conversen: en la actualidad, ¿cómo nos enteramos de las noticias?

En mayo de 1810 la información se difundía a través de **bandos y proclamas.** Si bien había periódicos, pocos los leían y no aparecían todos los días. Esta es la proclama del 26 de mayo de 1810.

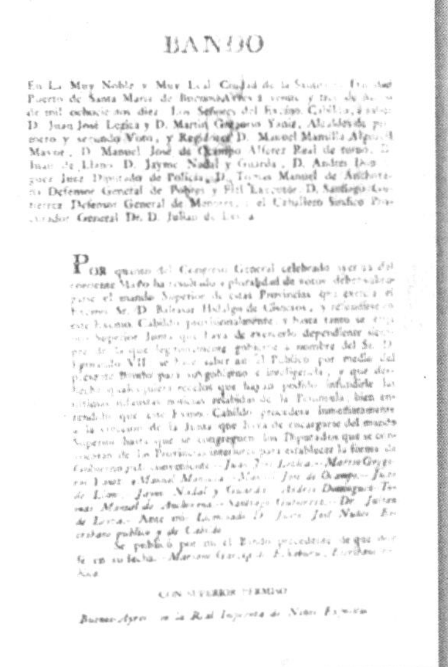

BANDO

2 Respondan las preguntas.

- *¿Cómo se llamó a sí misma la Primera Junta de Gobierno en esta proclama?*
- *¿Por qué les parece que no usaron la expresión "Virreinato del Río de la Plata"?*

¡A celebrar! ¿Dónde? En la plaza del barrio, de la ciudad o del pueblo. ¿Cómo? Llevando globos, papelitos de colores, instrumentos musicales y todo lo que se les ocurra para hacer una superfiesta.

3 Averiguen y registren cómo se festejará en su escuela este aniversario tan especial. Registrar es muy importante, porque es una forma de recordar. Cuando sean grandes, les va a gustar mucho leer cómo vivieron la Fiesta del Bicentenario.

JUNIO
20
IDEALES

Día de la Bandera. Homenaje a Manuel Belgrano

Por fin tuvimos nuestra bandera.

En mayo de 1810 estalló una revolución y se designó un nuevo gobierno. Pero todo esto ocurrió en Buenos Aires. Era necesario que el resto de las ciudades del virreinato conociese y aceptase la nueva autoridad. Esta no era una cuestión sencilla porque había algunas ciudades, como Asunción o Montevideo, que no tenían buenas relaciones con Buenos Aires.

Monumento a la Bandera.

A este problema se sumaba la oposición de los realistas, es decir, los partidarios del rey Fernando VII. Los realistas querían que América siguiera en poder de los españoles; por eso se organizaron para atacar a los partidarios de la Revolución, los llamados patriotas.

Para combatir a los realistas, la Primera Junta decidió organizar un ejército. Uno de sus jefes fue Manuel Belgrano, quien encabezó una expedición militar al Paraguay. Luego de esa expedición, a Belgrano se le encomendó la defensa de las costas del Paraná de los ataques realistas. Fue entonces que Belgrano pensó que era necesario diferenciar a sus tropas del enemigo y para eso creó la Escarapela. El 27 de febrero de 1812, en Rosario, a orillas del río Paraná, Belgrano enarboló por primera vez una bandera con los mismos colores de la Escarapela: celeste y blanco. Así nació la Bandera Nacional.

1. Piensen por qué es importante tener símbolos patrios que nos representen.

____

2. Averigüen por qué Belgrano eligió los colores celeste y blanco para la Escarapela y la Bandera.

____

3. Busquen canciones o poesías que hablen de la Bandera. Copien una estrofa en sus cuadernos.

Belgrano fue uno de los protagonistas de la Revolución de Mayo, y a partir del 25 de mayo de 1810 se desempeñó como vocal de la Primera Junta. Fue además periodista, escritor, abogado y fundó varias instituciones educativas y culturales. Se lo considera un gran intelectual, que defendió sus nobles ideas y trabajó para llevarlas a la práctica con pasión y humildad.

4 Lean las siguientes frases de Belgrano y formen siete equipos. Cada equipo toma una frase y la explica con sus palabras propias. Luego, hagan una puesta en común.

1 "A quien procede con honradez, nada debe alterarle. He hecho cuanto he podido y jamás he faltado a mi palabra."

2 "Deseo ardorosamente el mejoramiento de los pueblos. El bien público está en todos los instantes ante mi vida."

3 "En mis principios no entra causar males sino cortarlos."

4 "Nadie me separará de los principios que adopté cuando me decidí a buscar la libertad de la patria amada, y como este solo es mi objeto, no las glorias, no los honores, no los empleos, no los intereses, estoy cierto de que seré constante en seguirlos."

5 "La vida es nada si la libertad se pierde."

6 "Me glorío de no haber engañado jamás a ningún hombre y de haber procedido constantemente por el sendero de la razón y de la justicia, a pesar de haber conocido la ingratitud."

7 "No busco glorias sino la unión de los americanos y la prosperidad de la patria."

JULIO
9
DECISIONES

Día de la Independencia

Luego de observar la imagen, contesten estas preguntas.

- *¿En qué ciudad se reunió el Congreso?*
- *¿Por qué los diputados tienen las manos y los sombreros en alto?*
- *¿Qué símbolo patrio pueden ver en la pared del fondo?*

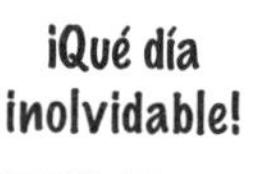

A pesar de los esfuerzos y los sacrificios, las luchas de los ejércitos patrios no bastaron para derrotar a los realistas y asegurar la independencia de estas tierras. Para colmo, Fernando VII había recuperado el trono de España y preparaba ejércitos para recuperar sus antiguas colonias americanas. Era necesario entonces dar un paso decisivo que confirmara el deseo de libertad que se manifestó en 1810.

Esta pintura ilustra la sesión del Congreso General Constituyente del 9 de Julio de 1816.

ACTA DE INDEPENDENCIA
DE LAS
PROVINCIAS UNIDAS DEL RIO DE LA PLATA

Acta de la Independencia.

Por esa razón, en 1816 representantes de muchas de las provincias que habían integrado el Virreinato del Río de la Plata se reunieron en la ciudad de San Miguel de Tucumán. Con gran entusiasmo, el 9 de julio los congresales declararon la independencia de las Provincias Unidas del Río de la Plata.

Después de esta decisión, se aprobaron los símbolos patrios, se fundaron escuelas, se dictaron leyes y se discutió sobre la forma de gobierno que convenía adoptar, aunque no se llegó a ningún acuerdo.

¿Sabían que el Acta de la Independencia se tradujo al quechua y al aimara para que la conocieran los pueblos originarios?

Con ojos de libertad

El frente de la casa de doña Francisca Bazán de Laguna es imagen de sueños y libertad ya que allí se celebró el Congreso de Tucumán y se declaró nuestra independencia.

 Piensen y respondan.

- *¿Qué significa ser independiente?*

___

___

- *¿Por qué es importante ser independiente?*

___

___

- *Den dos ejemplos de situaciones en las que aún dependan de otros, y otros dos ejemplos de situaciones en las que ya no dependan.*

___

___

___

 Busquen imágenes, fotos y noticias que expresen independencia, y otras que muestren dependencia.

 Intercambien el material que encontraron y entre todos armen un mural.

AGOSTO 17 ESFUERZO

Homenaje al general José de San Martín

¡San Martín fue un gran general!
25 05 10

Hoy recordamos a José de San Martín, que murió el 17 de agosto de 1850.

San Martín nació en Yapeyú, un pueblito de la actual provincia de Corrientes, en el año 1778. Cuando apenas era un niño, sus padres lo llevaron a España donde cursó sus estudios y siguió la carrera militar. Cuando se enteró del estallido de la Revolución de Mayo, volvió a la patria para luchar por la libertad y la unión de los pueblos americanos.

Para luchar contra los realistas, en 1812 San Martín formó el regimiento de Granaderos a Caballo. A los granaderos y a todos sus soldados no solo les transmitió sus conocimientos militares sino que los formó en la disciplina, el respeto, la honradez y el amor a la Patria.

San Martín, Libertador y el Padre de la Patria.

1. Conversen entre todos: ¿por qué lo llamamos así?
2. Busquen datos sobre la vida de San Martín y escriban en sus cuadernos una breve biografía.

Un gran estratega

San Martín pensó un plan muy audaz para asegurar la independencia de nuestro país y la de los demás países sudamericanos. Ese plan consistía en reclutar un ejército pequeño pero bien entrenado, cruzar la cordillera de los Andes para expulsar a los realistas de Chile y luego llegar a Perú a través del mar. Perú era el centro de la resistencia realista en América del Sur.

Cruce de los Andes.

3 Anoten al lado del mapa cuáles fueron los problemas que debió resolver San Martín para cruzar la Cordillera.

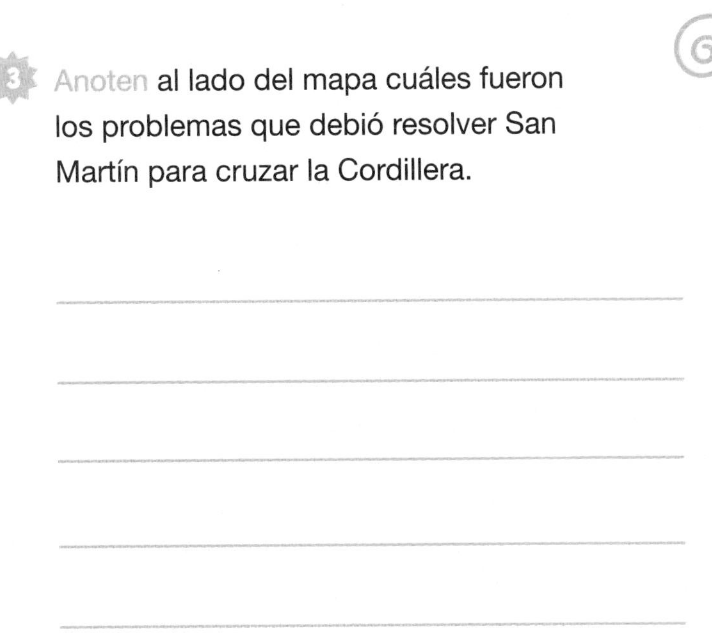

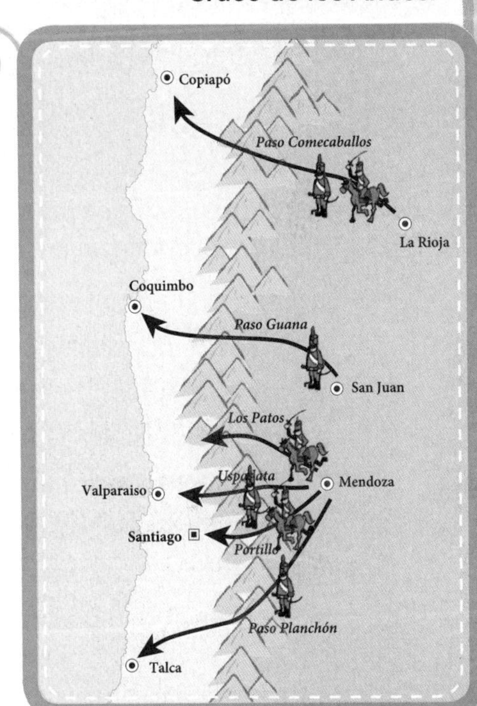

4 Investiguen cómo estaba formado el ejército de San Martín y qué cargas llevaba.

5 Elaboren en grupos una proclama dirigida a los cuyanos tratando de convencerlos de que aportaran todo lo necesario para el cruce de los Andes.

SEPTIEMBRE
11
EDUCACIÓN

Día del Maestro

Háganle una tarjeta a la maestra. ¡Le va a encantar!

Sarmiento quiso que todos los niños recibieran educación.

En muchos países de América, en homenaje a Domingo Faustino Sarmiento, el día del maestro se celebra el 11 de septiembre.

Sarmiento nació en la provincia de San Juan, en 1811. Fue maestro, periodista, militar, escritor, ministro y diputado. Ocupó la presidencia del país entre 1868 y 1874.

Sarmiento estaba convencido de que la educación de la población era necesaria para asegurar el progreso y la prosperidad del país. Por eso dedicó su vida y su gestión pública a extender la educación, creando escuelas primarias y escuelas normales para formar maestros. Además, estableció bibliotecas populares en todo el país, fundó la Facultad de Ciencias Exactas, la Escuela de Minería y Agronomía, la Academia Naval y la Academia Militar. Creó el Zoológico de Buenos Aires y el Observatorio de Córdoba.

Durante su presidencia impulsó la realización del primer censo nacional, creó el Registro Nacional de las Personas y promovió la extensión de las redes ferroviarias y las líneas telegráficas, además de la modernización del sistema de correo. Toda su obra estuvo dirigida a afianzar el progreso del país.

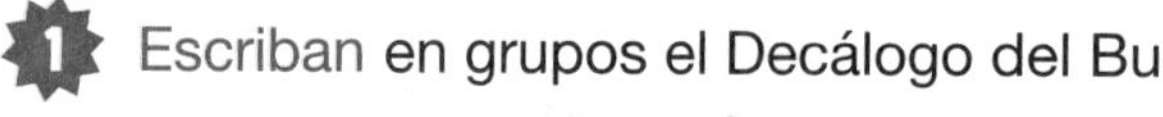

Festejemos el Día del Maestro y valoremos su trabajo diario.

1 Escriban en grupos el Decálogo del Buen Maestro. Por ejemplo...

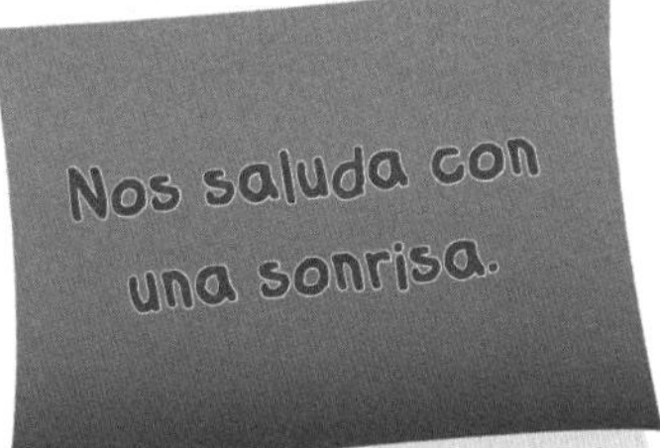

Nos saluda con una sonrisa.

OCTUBRE 12 DIFERENCIAS

Llegada de Colón a América

¡Investiguemos!

 Busquen información sobre las costumbres del grupo indígena que habitaba donde ustedes viven ahora.

El 12 de octubre de 1492 llegaron al continente americano tres embarcaciones españolas al mando del almirante Cristóbal Colón.

En esa época, los reyes europeos buscaban nuevas rutas para llegar a las Indias (en el continente asiático) donde se comercializaban productos que en Europa no se conseguían. Algunos de esos productos eran las sedas, los perfumes, la porcelana y las especias (que se usaban no solo para saborizar las comidas sino también para conservarlas, porque entonces ¡no existían las heladeras!).

Cristóbal Colón.

Colón convenció a los Reyes Católicos (Isabel de Castilla y Fernando de Aragón) de que podría llegar a las Indias atravesando el océano Atlántico. Pero se topo en el camino con un continente desconocido por los europeos del siglo XV: América. Pensando que había llegado a las Indias, Colón llamó "indios" a los habitantes de estas tierras. Esos hombres y mujeres tenían costumbres muy distintas de las que tenían los europeos. En poco tiempo comenzaron los enfrentamientos porque los europeos intentaron imponer su cultura por la fuerza.

 Lean este testimonio y reflexionen acerca de lo que significó el 12 de octubre de 1492 para los pueblos originarios de América.

Relato de los mayas sobre la conquista

"¡Ay! ¡Entristezcámonos porque llegaron!
Del oriente vinieron, cuando llegaron a esta tierra los barbudos, [...] los extranjeros de la tierra [...]
¡Ay! ¡Entristezcámonos porque vinieron! [...]
Preparaos para soportar la carga de la miseria que viene a nuestros pueblos [...]."

Chilam Balam, *El Libro de los Libros*, México, FCE, 1974.

NOVIEMBRE 10 CULTURA

Día de la Tradición

José Hernández.

El 10 de noviembre se festeja el Día de la Tradición en homenaje a José Hernández, escritor argentino, autor, entre otras obras, del poema gauchesco *Martín Fierro*, publicado en 1872.

La **tradición** es el conjunto de costumbres que pasan de generación en generación y que identifican a un pueblo, como piezas o estilos musicales, comidas, vestimenta, danzas, festejos, juegos, etcétera.

1 Busquen información sobre las siguientes costumbres y luego completen las listas.

Vestimenta	Comidas	Bebidas	Danzas	Juegos

El *Martín Fierro* relata la vida de este gaucho y las costumbres de los paisanos del siglo XIX. Da cuenta de las tradiciones de nuestro campo.

2 Lean este fragmento del *Martín Fierro*. En grupos, expliquen qué significa.

Así les habla Martín Fierro a sus hijos.

Debe trabajar el hombre
para ganarse su pan;
pues la miseria, en su afán
de perseguir de mil modos,
llama en la puerta de todos
y entra en la del haragán.

F. Mosca

Un gaucho con su "vigüela".

3 Consigan un ejemplar del *Martín Fierro*, busquen en él otros consejos e ilustren los que Fierro da a sus hijos. Luego expongan los trabajos en la cartelera del aula.

Matemática

¡Compre en el quiosco los mejores pochoclos!

$4 $6 $8

1. Resuelvan: una familia compró 3 envases medianos y 2 grandes de pochoclos. Pagó con $50. ¿Cuánto recibió de vuelto?

2. Calculen: cuatro hermanitos compraron dos envases pequeños para cada uno.
   - *¿Cuántos envases de pochoclo compraron en total?*
   - *¿Les alcanzó con $ 30?*
   - *¿Cuánto faltó o sobró?*

Lengua

1. Encuentren palabras que tengan una raíz en común con la palabra que está en el centro, como en el ejemplo.

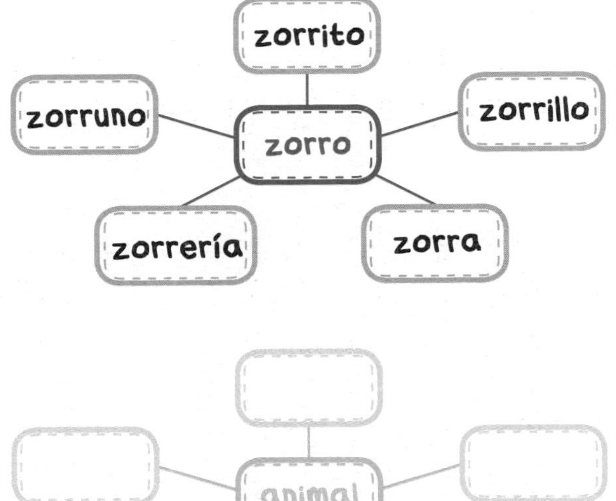

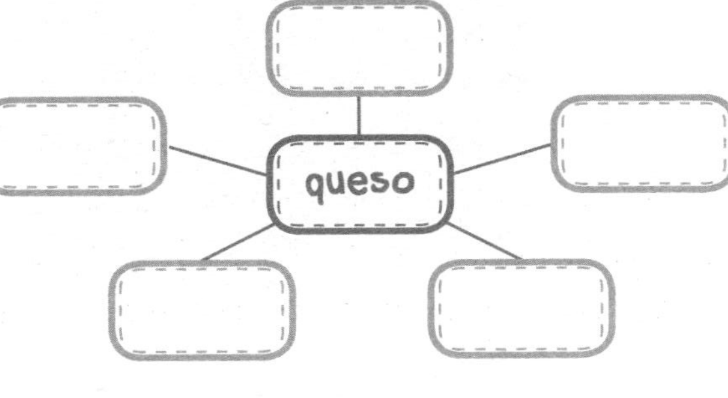

Fichas

Lugar de observación

Fecha de observación

Estación: primavera - verano - otoño - invierno

Dibujo del ecosistema observado

Lista de seres vivos: nombre y/o dibujo

Plantas: nombre/dibujo	¿Tiene tallo leñoso?		¿Tiene frutos?		¿Tiene flores?	
	Sí	No	Sí	No	Sí	No

Animales: nombre /dibujo	¿Tiene huesos?		Tipo de cobertura				
	Sí	No	otros	pelos	escamas	plumas	piel

1 Rodeen con color las palabras que sirven para describir. Completen con el nombre del animal que corresponda a la descripción.

Ágil como ....

Lenta como ....

Pequeño como ....

Grande como ....

Alta como ....

Bajo como ....

Fichas

Naturales

1 Encuentren dónde se usó cada materia prima del recuadro.

madera - algodón - cerámica - metal
planta de té - celulosa - mimbre - agua - trigo
caña de azúcar - levadura

____

____

____

____

Matemática

1 Calculen: ¿qué puntajes tenían los ocho aros que embocó Martín si obtuvo 2.321 puntos para su equipo?

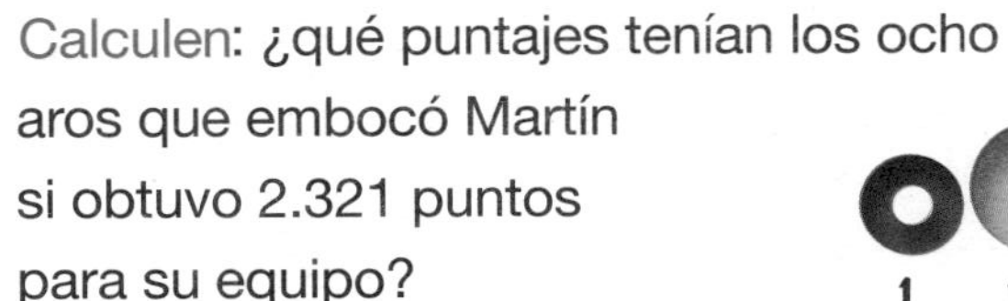

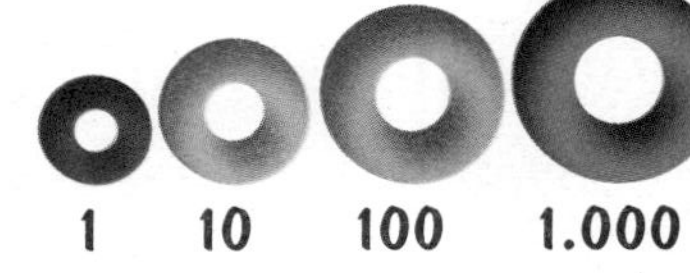

2 Resuelvan: el equipo de Emerson embocó 3 aros de 1, 4 aros de 10, 2 de 100 y 4 de 1.000 en la primera ronda. ¿Qué puntaje se anotaron?

3 Resuelvan: el equipo de Germán embocó 2 aros de 1.000, 4 de 100, 3 de 10 y 4 de 1. ¿Cuántos puntos obtuvieron?

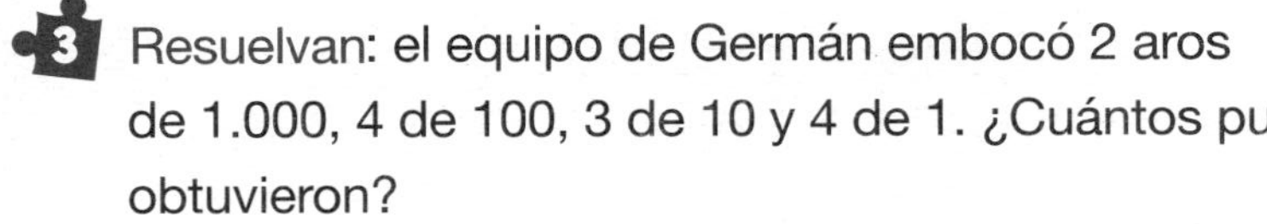

4 Marquen con una ✘ los cálculos correctos para armar el número 2.472.

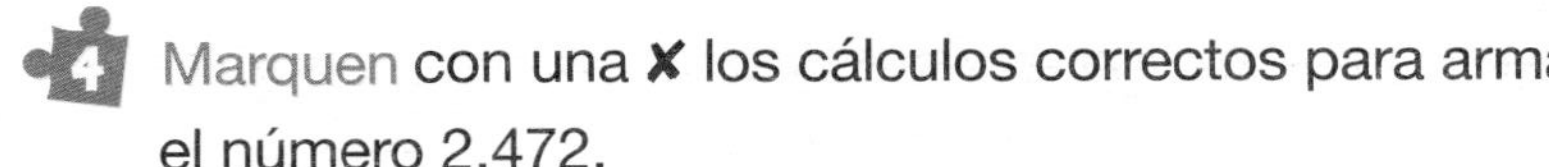

1.000 + 1.000 + 1.000 + 1.000 + 400 + 70 + 1 + 1	
1.000 + 1.000 + 100 + 100 + 100 + 100 + 10 + 10 + 10 + 10 + 10 + 10 + 10 + 1 + 1	
2.000 + 200 + 200 + 50 + 30 + 2	
2 x 1.000 + 4 x 100 + 7 x 10 + 2 x 1	

5 Armen en sus cuadernos de diversas maneras el número 4.737. Compartan las distintas formas que encontraron y agreguen las que propusieron algunos de sus compañeros.

Fichas

1 Una familia paga en el restorán $173 por el almuerzo. ¿Qué billetes habrá usado para pagar?

2 Completen la tabla.

	Billetes de 100	Billetes de 10	Monedas de 1
$777			
$1.236			
$	7	5	9
$	16	5	2
$			

1 Escriban sobre las siluetas oraciones poéticas… ¡y tendrán sus propios caligramas!

Fichas

Naturales

1 Preparen una gelatina en sus casas siguiendo las instrucciones del envase.

2 Completen el texto.

La gelatina en polvo está en estado.................... Cuando se le agrega agua, se convierte en una .... heterogénea, porque queda el polvo abajo y el agua arriba. Pero al mezclarla bien, la mezcla es .... Es un cambio ...., porque el agua de la mezcla ya no se puede separar de la gelatina.

La llevamos a la heladera y su estado (después de unas horas) será ....

¡A la mesa! Aunque si alguien no la come, después de un rato, lo que queda en la compotera vuelve a ser gelatina en estado...............................

Lengua

1 Escriban debajo del título de cada noticia en qué sección del diario podrán encontrarla.

____

____

____

____

2 Inventen el titular de una noticia que les gustaría leer en el diario y digan en qué sección se publicaría.

____

____

Fichas

Matemática

La maestra propuso a los alumnos jugar entre ellos: cada grupo debía elegir un cuerpo y escribir un mensaje a otro grupo para que adivinaran de cuál se trataba.
Anabella y Rodrigo eligieron el cilindro.

1 Hagan una cruz junto al mensaje correcto.

Tiene un vértice; tiene una cara plana; tiene una base con forma de círculo; tiene una arista y rueda.	
Tiene cuatro vértices, una punta o cúspide; sus caras tienen forma de triángulo; su base tiene forma de cuadrado; tiene ocho aristas y no rueda.	
Tiene una sola cara curva; tiene dos bases con forma de círculo; tiene dos aristas y rueda.	

Naturales

1 Imaginen y piensen los efectos posibles en cada situación.

Situación 1

El yacaré desaparece de su hábitat por la caza indiscriminada.

¿Cómo afectaría a los dorados, que son el alimento habitual del yacaré?
¿Y a las plantas?

____

____

____

____

____

____

Situación 2

El hombre no puede cazar yacarés porque su ecosistema se declara “área protegida”.

¿Qué ocurriría con la población de yacarés?
¿Y con la de dorados?

____

____

____

____

____

____

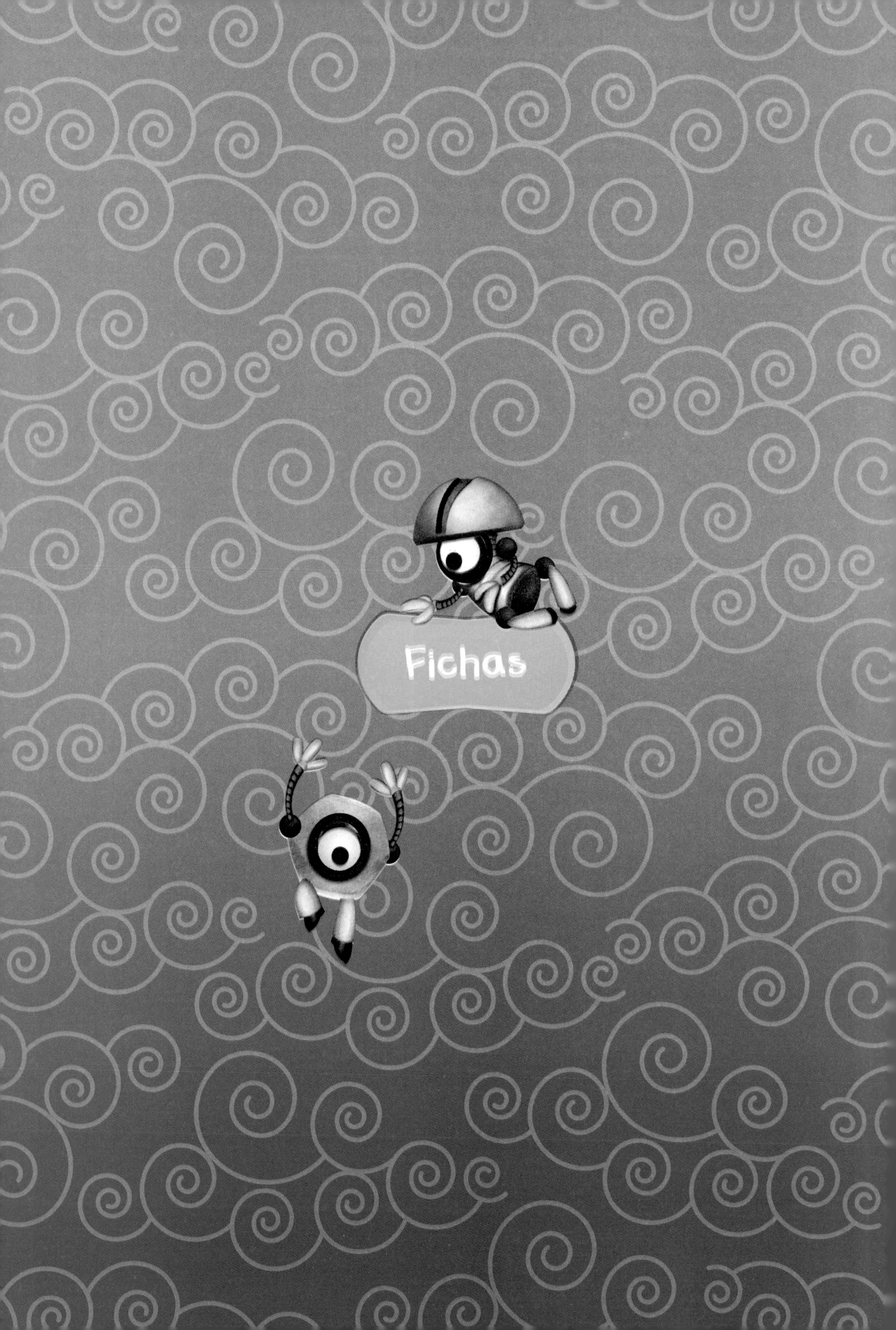
Fichas

1 En la escuela compraron una soga, muy larga, de 70 metros.
Quieren cortarla en pedazos de 10 metros para que cada grado tenga una soga para jugar en el recreo.
¿Cuántos cortes tienen que hacerle a la soga?

----

2 Señalen con una ✘ la columna del resultado (sin hacer la cuenta).

	Hasta 10	Entre 10 y 100	Entre 100 y 1.000
27 x 15			
239 : 8			
732 + 254			
1521 – 1514			

1 Busquen en la sección “Espectáculos” de un diario el aviso de una obra de teatro que les gustaría ir a ver.

2 Completen los datos.

Título de la obra: ....

Director: ....

Teatro donde la presentan: ....

Dirección: ....

¿Se pueden hacer reservas? SÍ ◯ NO ◯

Si respondieron sí, ¿a qué teléfono? ....

....

¿Hay actores mencionados en el aviso? SÍ ◯ NO ◯

Si respondieron sí, ¿quiénes son? ....

Fichas

1 Trabajen con un compañero para resolver este crucigrama "al revés". Ya están puestas las palabras y ustedes tienen que escribir las definiciones. ¡Todas las palabras están explicadas en el capítulo 7!

1. SOL
2. VIENTO
3. ATMÓSFRA
4. SATURNO
5. OXÍGENO
6. ANEMÓMETRO
7. FASES
8. HEMISFERIO
9. ROTACIÓN
10. LUNA
11. VÍA LÁCTEA
12. TRASLACIÓN

1 Cuentan las viejas lenguas que a través del mate se dicen cosas que uno no se anima a confesar. Reordenen las letras y las descubrirán.

Si te ceban…

- Mate amargo REN IN DI CIA FE ____________
- Mate dulce TAD MIS A ____________
- Muy dulce MIEN CA TO SA ____________
- Mate caliente MOR A ____________
- Mate frío PRE DES CIO ____________
- Con café DÓN PER ____________
- Con leche RI CA ÑO ____________
- Espumoso NI DO BIEN VE ____________

Fichas

Sociales

1 Completen la red conceptual con la información de la página 213.

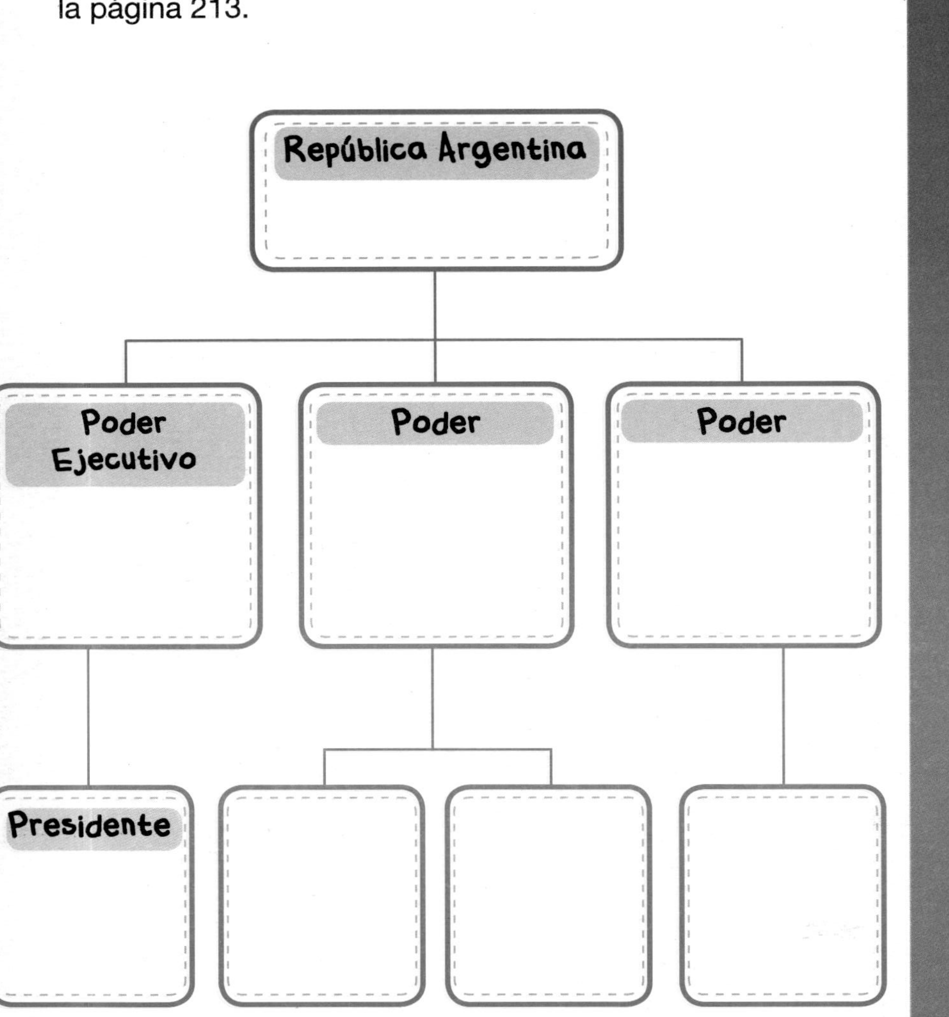

Matemática

1 Calculen.

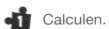

Si con 1 kg de harina se pueden amasar 4 pizzas grandes, con 27 kg de harina, ¿cuántas pizzas podrán preparar?

2 Resuelvan.

Con una botella de gaseosa se llenan 4 vasos medianos. ¿Cuántos vasos llenarán con 17 botellas?

3 Averigüen.

Si tienen 228 servilletas, y en una mesa se ponen 6 servilletas, ¿para cuántas mesas alcanzan?

Fichas

Para usar en pág. 14

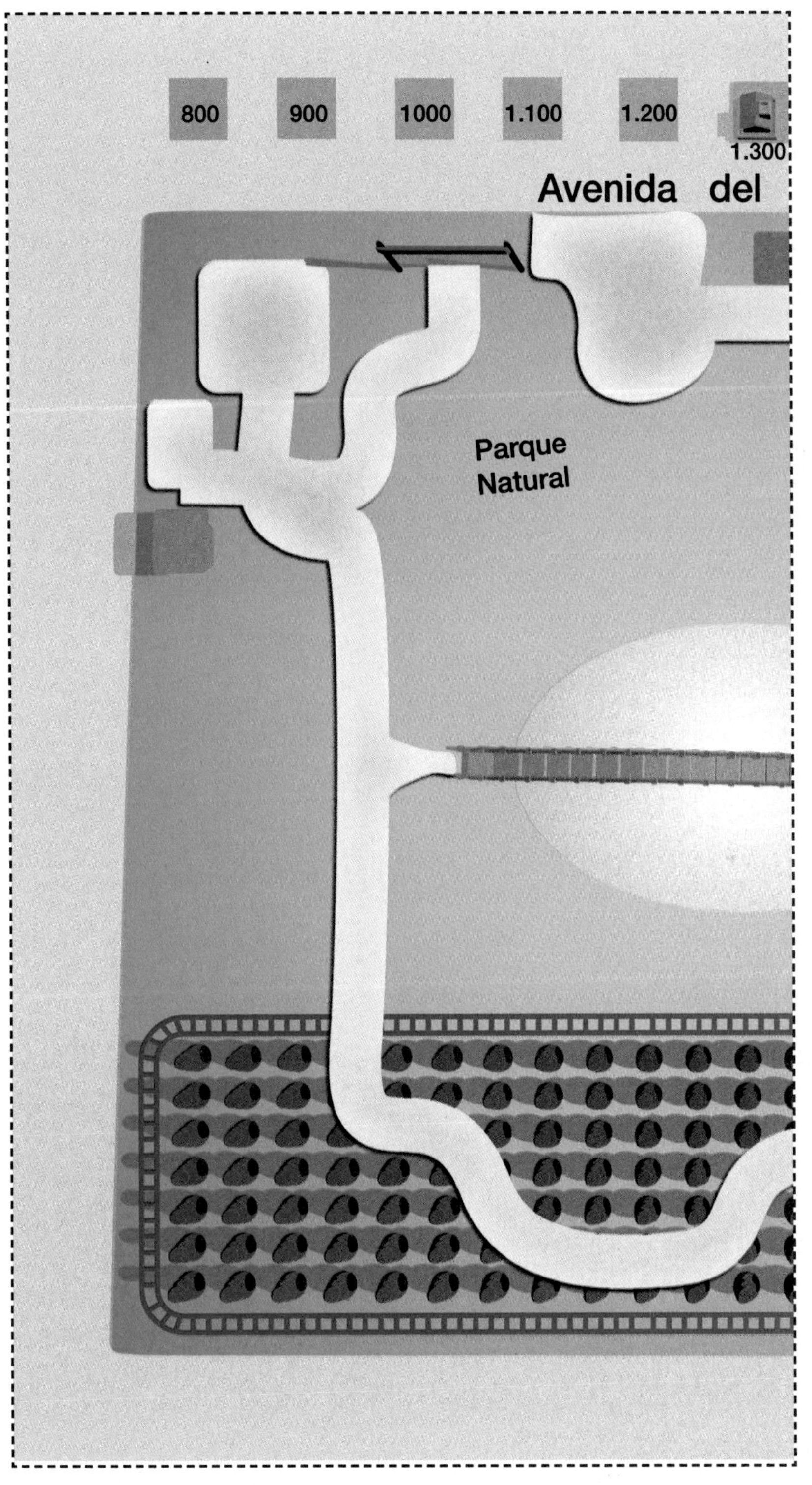

Recortables

Para usar en pág. 14

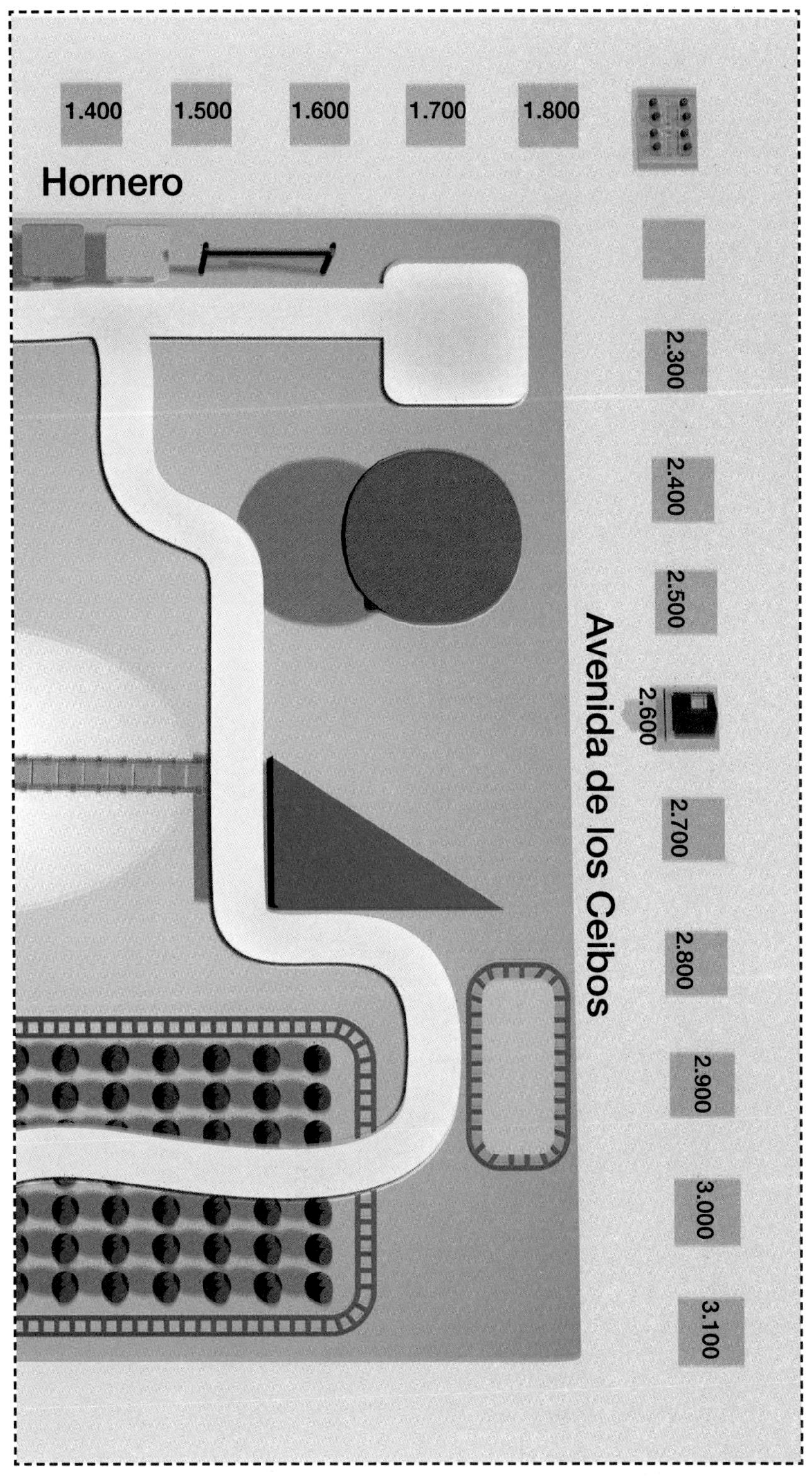

Recortables

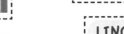

Para usar en pág. 16

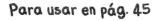

TIBURÓN

GUACAMAYO

LINCE

YACARÉ

TAMANDUÁ

SALAMANDRA

Para usar en pág. 45

Yaguareté
130 cm
300 ejemplares

Lobito de río
120 cm

Yacaré overo
250 cm

Pingüino de Magallanes
44 cm

Yurumí
215 cm

Mono carayá
100 cm

Tapir
100 cm

Aguará guazú
130 cm
1.500 ejemplares

Venado de las pampas
70 cm

Tatú carreta
150 cm

Cóndor andino
120 cm

Ballena franca austral
1.400 cm

Chinchilla chica
20 cm

Para usar en pág. 54

Recortables

Para usar en pág. 70

	10	20	30	40	50	60	70	80	90
1.000	1.010	1.020	1.030	1.040	1.050	1.060	1.070	1.080	1.090
1.100	1.110	1.120	1.130	1.140	1.150	1.160	1.170	1.180	1.190
1.200	1.210	1.220	1.230	1.240	1.250	1.260	1.270	1.280	1.290
1.300	1.310	1.320	1.330	1.340	1.350	1.360	1.370	1.380	1.390
1.400	1.410	1.420	1.430	1.440	1.450	1.460	1.470	1.480	1.490
1.500	1.510	1.520	1.530	1.540	1.550	1.560	1.570	1.580	1.590
1.600	1.610	1.620	1.630	1.640	1.650	1.660	1.670	1.680	1.690
1.700	1.710	1.720	1.730	1.740	1.750	1.760	1.770	1.780	1.790
1.800	1.810	1.820	1.830	1.840	1.850	1.860	1.870	1.880	1.890
1.900	1.910	1.920	1.930	1.940	1.950	1.960	1.970	1.980	1.990

Para usar en pág. 57

Para usar en pág. 61

Recortables

MISIÓN:

Conseguir 4 casilleros rojos
y 2 amarillos

MISIÓN:

Conseguir 4 casilleros amarillos
y 2 verdes

MISIÓN:

Conseguir 4 casilleros verdes
y 2 celestes

MISIÓN:

Conseguir 4 casilleros celestes
y 2 rojos

Para usar en pág. 138

Para usar en pág. 133

Recortables

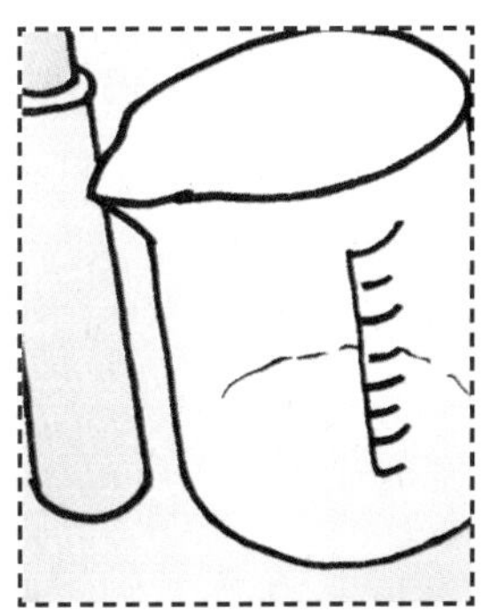

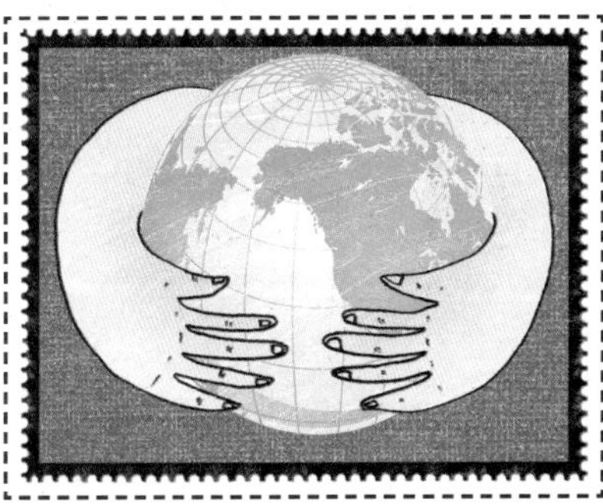

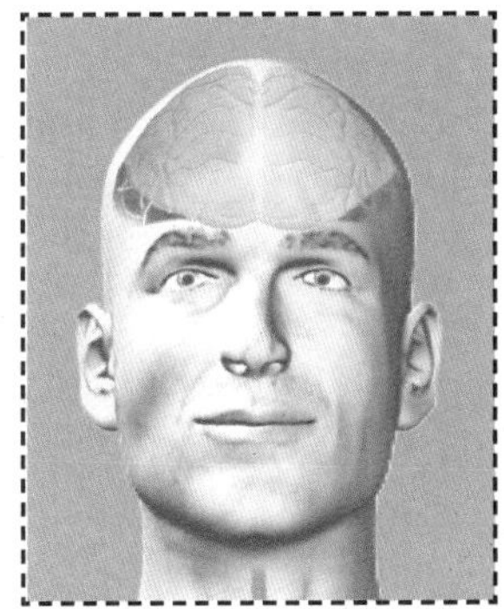

Los **diputados** representan al pueblo y son elegidos directamente por este. Su número depende de la cantidad de habitantes que voten.

Figuritas

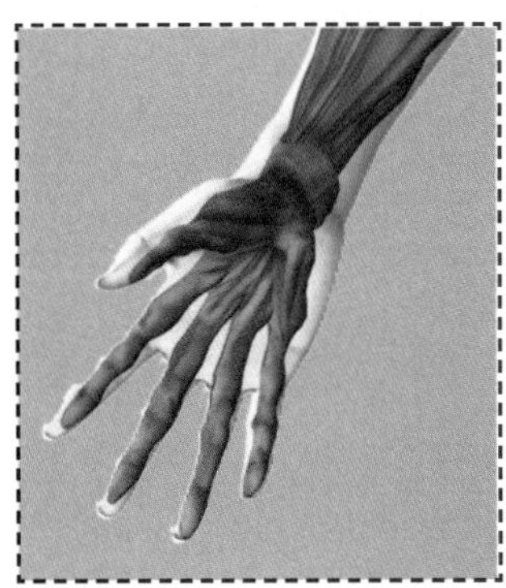

Si la **Cámara Revisora** modifica el proyecto, adiciona o corrige, debe entonces volver a la Cámara de Origen.
Esta cámara no puede desechar el proyecto ni introducir modificaciones nuevas. Puede aceptar las correcciones y se sanciona así el texto. También puede insistir en el proyecto original y, si obtiene mayoría absoluta, sancionarlo.

Figuritas

En la otra cámara, Cámara Alta o Senado de la Nación, están representadas las 23 provincias y la Ciudad de Buenos Aires. Cada distrito tiene igual cantidad de senadores, que también son elegidos por medio del voto popular.

Figuritas

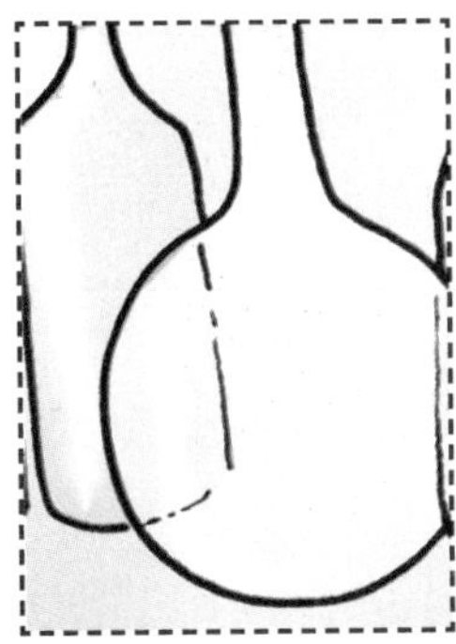

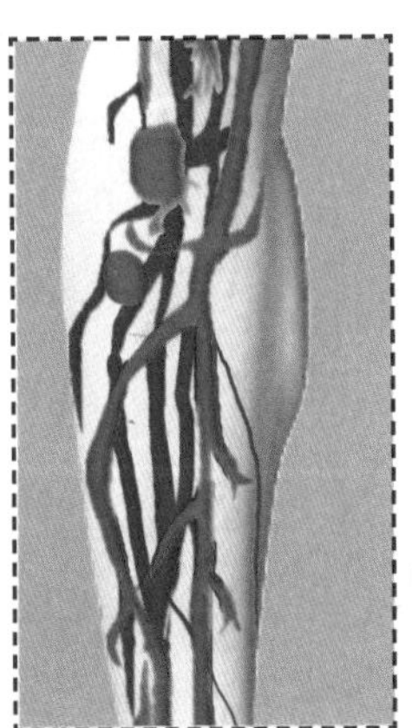

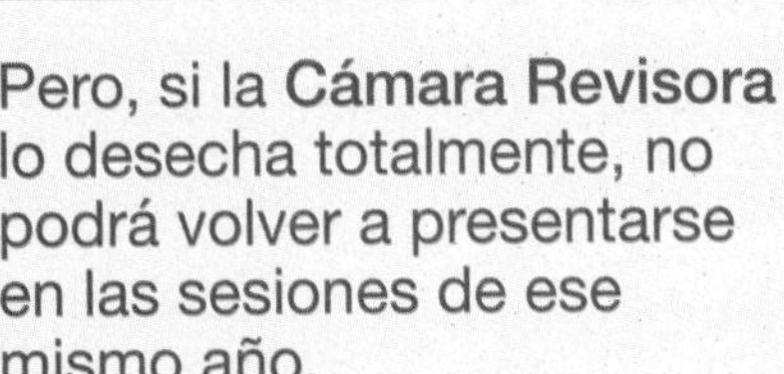

Pero, si la **Cámara Revisora** lo desecha totalmente, no podrá volver a presentarse en las sesiones de ese mismo año.

Figuritas

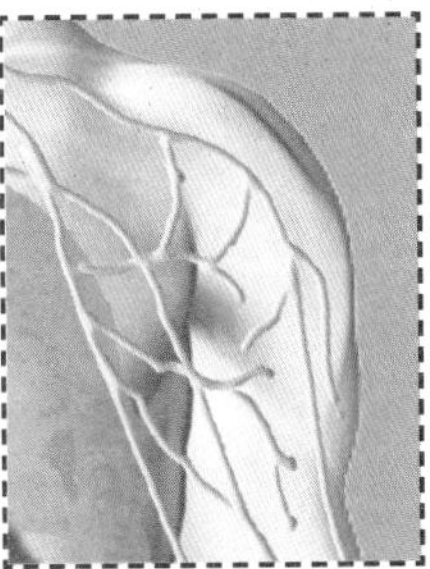

Las leyes pueden tener origen en cualquiera de las Cámaras del Congreso, a partir de proyectos propuestos por sus miembros o por el Poder Ejecutivo.

Figuritas

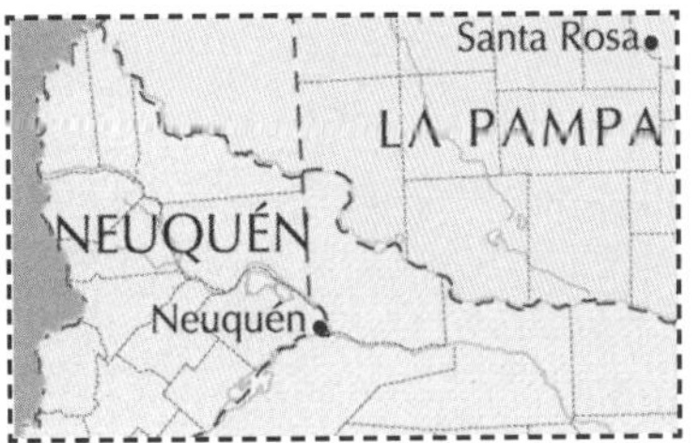

La **Cámara de Origen** presenta un proyecto aprobado por mayoría absoluta y lo pasa a la **Cámara Revisora**. Si esta lo aprueba, se sanciona el proyecto.

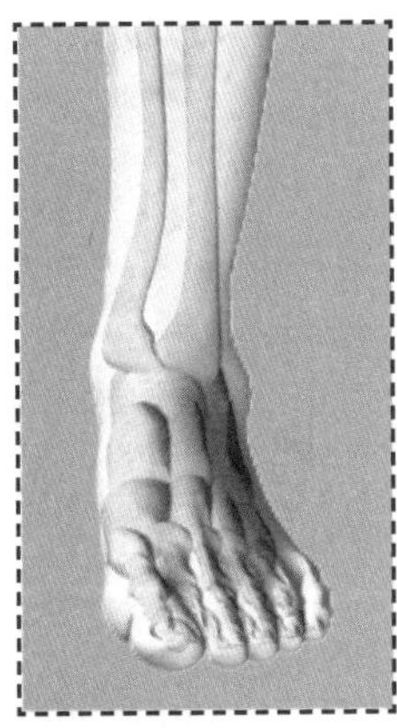

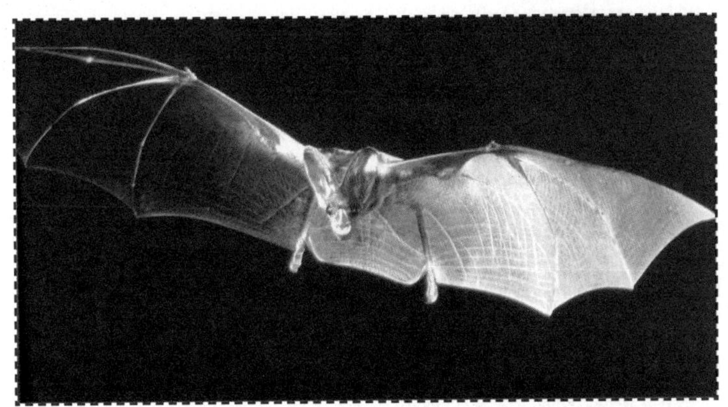

Figuritas

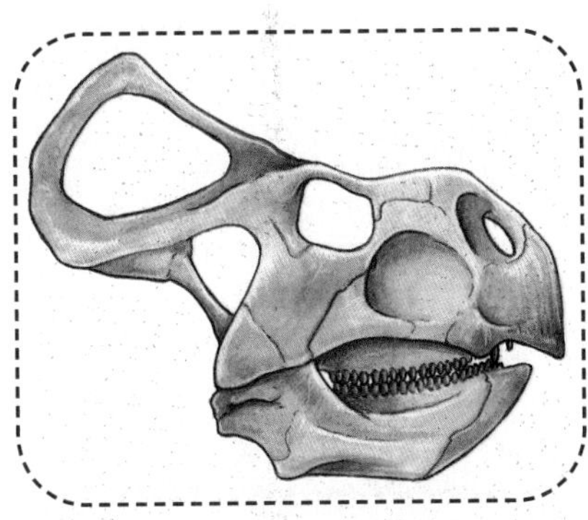

La presidencia del Senado recae en el Vicepresidente de la Nación, que solo puede votar en caso de empate.

Figuritas

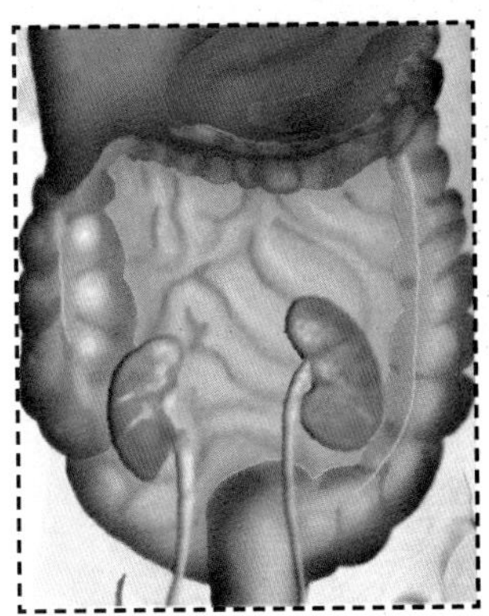

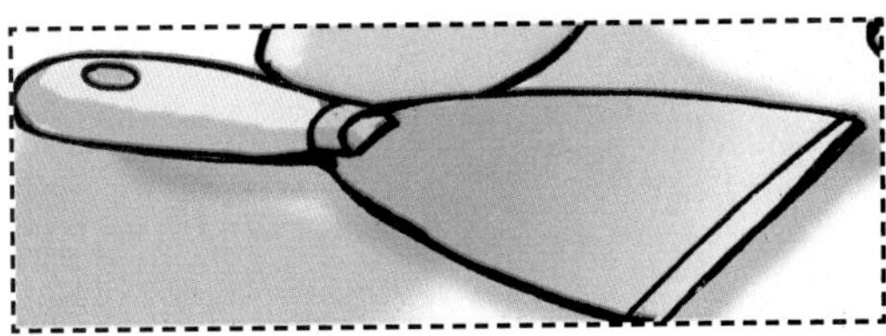

Una vez sancionado por las Cámaras, el **Poder Ejecutivo** promulga (aprueba) y publica la ley, u observa (veta) el proyecto, total o parcialmente.

Figuritas

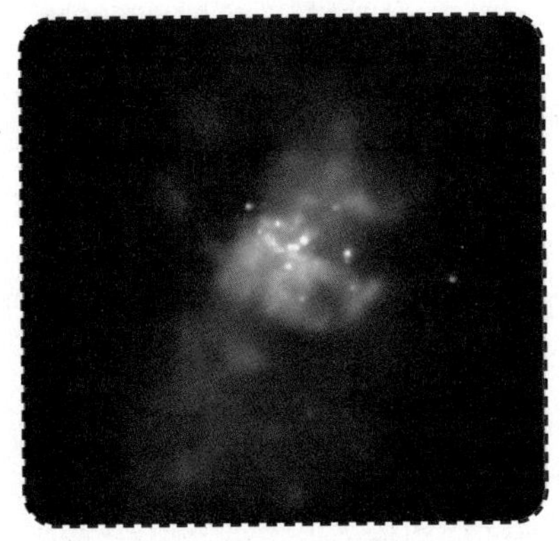

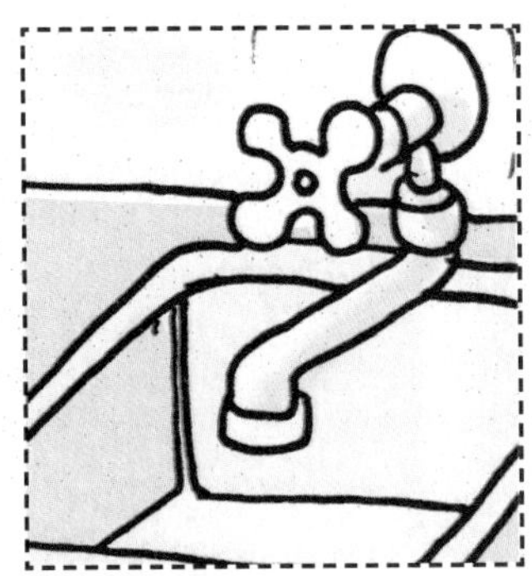

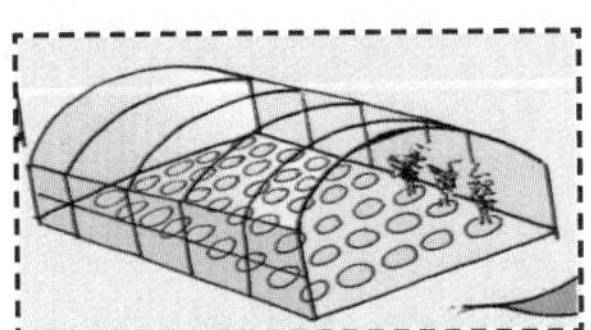

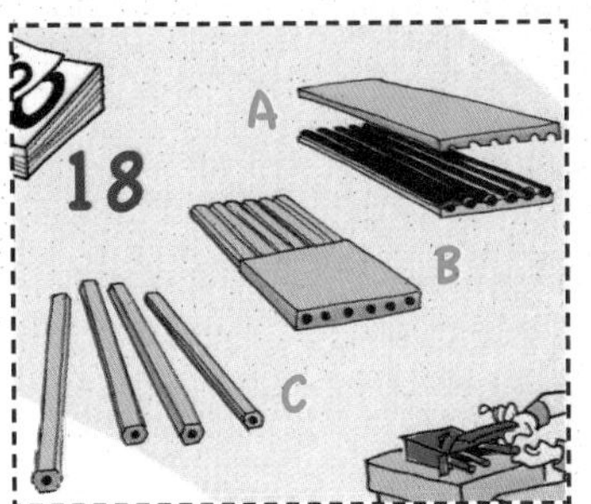

Decantación

Volcar en la ampolla el sistema y dejar decantar. Luego abrir el robinete, dejar pasar una de las sustancias y cerrar rápidamente.

Para el experimento ....

Figuritas

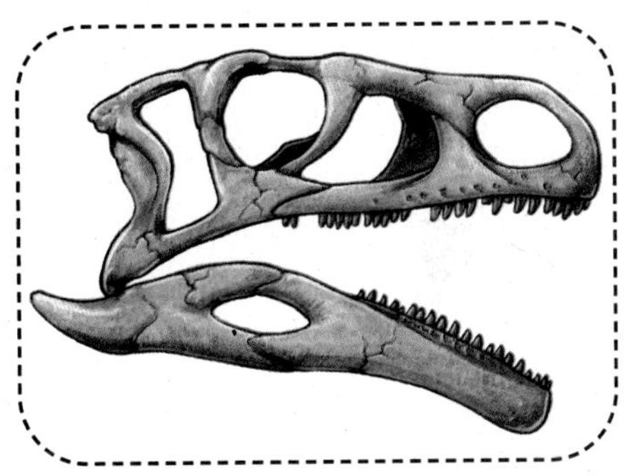

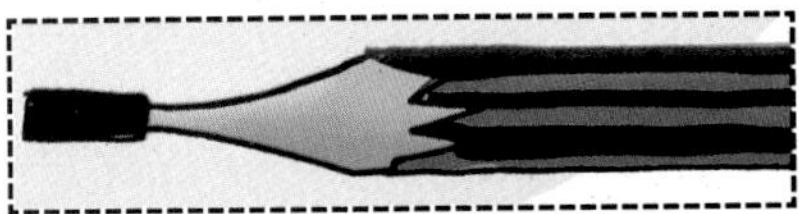

TIERRA DEL FUEGO,
ANTÁRTIDA E ISLAS
DEL ATLÁNTICO SUR

Ushuaia

Figuritas

Sublimación

Colocar en el vaso la mezcla y taparlo con un balón con agua fría. Luego poner el vaso a calentar. Dejar acumular los vapores de naftaleno, retirar del fuego y dejar enfriar.

Para el experimento ....

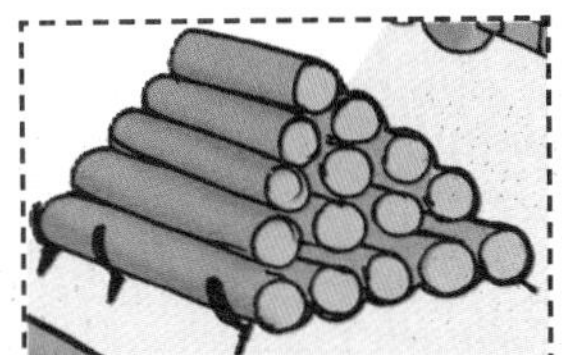

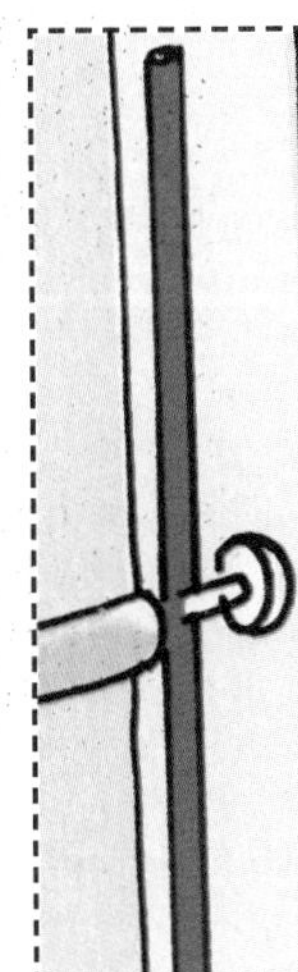

Figuritas

Constitución
de la
Nación Argentina

San F. del Valle
de Catamarca
La Rioja
LA RIOJA
AN JUAN
San
Juan

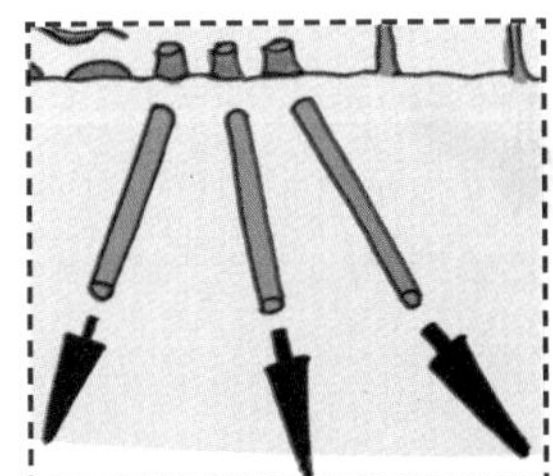

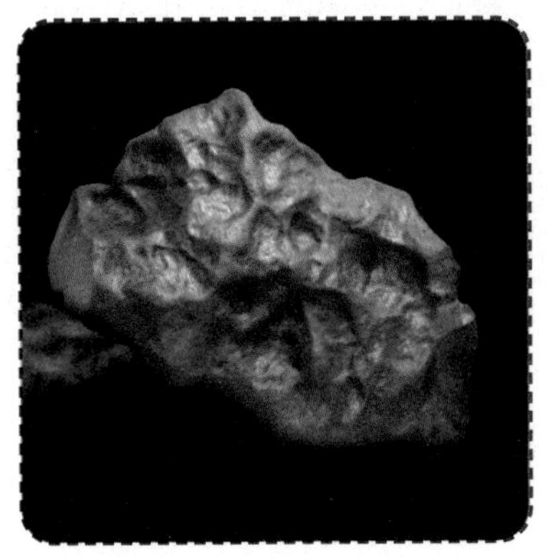

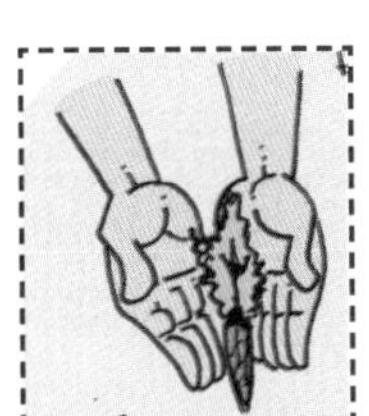

Figuritas

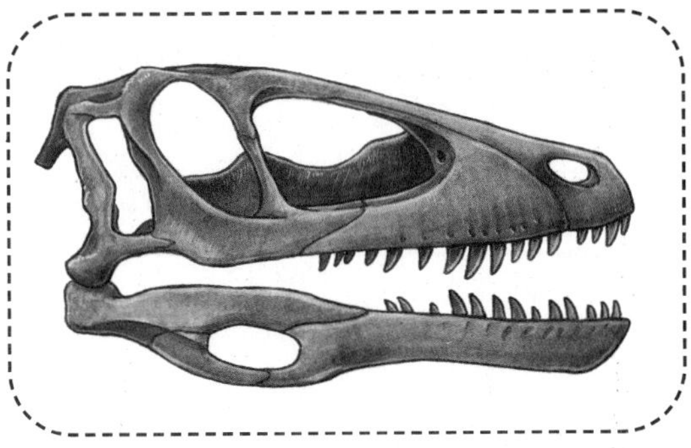

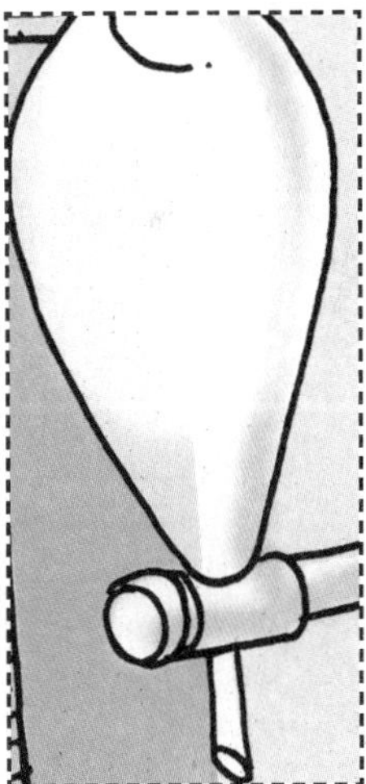

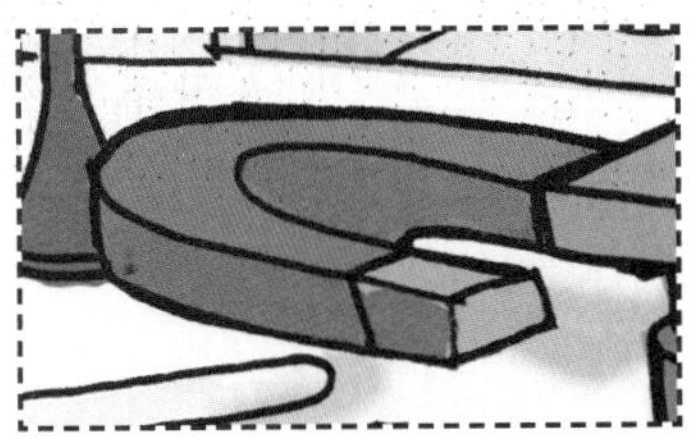

MENCIÓN DE HONOR

Figuritas

A-Z editora S.A. ha dado término a la impresión de esta obra
en los talleres gráficos de Impresora Sudamericana,
Sancho Panza 3087, Montevideo, Uruguay,
en el mes de enero de 2010.

Impreso en Uruguay - Printed in Uruguay